# ORTSNAMENBUCH DES LANDES OBERÖSTERREICH
## BAND 10: DIE ORTSNAMEN DES POLITISCHEN BEZIRKES URFAHR-UMGEBUNG (MITTLERES MÜHLVIERTEL)

ÖSTERREICHISCHE AKADEMIE DER WISSENSCHAFTEN

# ORTSNAMENBUCH DES LANDES OBERÖSTERREICH

HERAUSGEGEBEN

VON

PETER WIESINGER

BAND 10

VERLAG DER ÖSTERREICHISCHEN AKADEMIE DER WISSENSCHAFTEN
WIEN 2006

# DIE ORTSNAMEN
# DES POLITISCHEN BEZIRKES URFAHR-UMGEBUNG

**(Mittleres Mühlviertel)**

VON

KARL HOHENSINNER UND PETER WIESINGER

UNTER MITARBEIT VON

HERMANN SCHEURINGER UND MICHAEL SCHEFBÄCK

VERLAG DER ÖSTERREICHISCHEN AKADEMIE DER WISSENSCHAFTEN
WIEN 2006

Vorgelegt von w. M. PETER WIESINGER in der Sitzung am 24. März 2006

Die Arbeit am „Ortsnamenbuch des Landes Oberösterreich" wird gefördert durch
den Fonds zur Förderung der wissenschaftlichen Forschung und
die Gesellschaft für Landeskunde (Oberösterreichischer Musealverein)

Die verwendete Papiersorte ist aus chlorfrei gebleichtem Zellstoff hergestellt,
frei von säurebildenden Bestandteilen und alterungsbeständig.


ISBN 3-7001-1672-1 (Gesamtwerk)
ISBN 3-7001-3676-5


Einband unter Verwendung der Karte „Oberösterreich"
aus M. Merian: Topographia provinciarum austriacarum, Frankfurt a. M. 1649
Kartenentwürfe und komputative Ausführung: Michael Schefbäck

Gesamtherstellung: Grasl Druck & Neue Medien, A-2540 Bad Vöslau
Internet: www.grasl.co.at

http://hw.verlag.oewa.ac.at/3676-5
http://verlag.oeaw.ac.at

# INHALTSVERZEICHNIS

# Vorwort

Wieder war es dank der Unterstützung durch den Wissenschaftsfonds (FWF), die Gesellschaft für Landeskunde – Oberösterreichischer Musealverein (Leitung Dr. Gerhard Winkler) und die Landeskulturdirektion Oberösterreich möglich, einen weiteren Band des neuen „Ortsnamenbuches des Landes Oberösterreich" zu erarbeiten, so daß das Gesamtwerk regelmäßig voranschreitet. Nach den seit 1989 erschienenen Bänden 1–4, 6–7 sowie 11 wird nun mit Band 10 für das mittlere Mühlviertel fortgesetzt. Unter der nach wie vor Zugrundelegung des amtlichen Ortsverzeichnisses Oberösterreich 1981 gelangen insgesamt 456 Ortsnamen aus 27 Gemeinden zur Behandlung, wobei die Ortsteile der Gemeinden zwischen 5 (Goldwörth) und 55 (Gramastetten) schwanken. Ferner werden wie immer in Klammern jene Ortsteile berücksichtigt, die im amtlichen Ortsverzeichnis Oberösterreich 1971 noch selbständig geführt wurden, dann aber bei Integrierung in andere Ortsteile amtlich aufgelassen wurden. Im nicht berücksichtigten amtlichen Ortsverzeichnis von 1991 schreiten diese Reduzierungen fort. Dafür gibt es viel häufiger amtliche Teilungen von Siedlungseinheiten mit Ober- und Unter- und dgl., die aber volkstümlich vielfach nicht gemacht werden.

Hinsichtlich der urkundlichen Bezeugung der Ortsnamen ist es unser Bestreben, sowohl die formale Entwicklung von den Anfängen bis zur heutigen amtlichen Schreibform aufzuzeigen als auch schriftliche Belege für die mundartliche Entwicklung zu gewinnen. Wie schon in den Bänden 7 und 11 wird besonders für größere Orte mit reichlichen urkundlichen Bezeugungen nur eine Auswahl an hoch- bzw. spätmittelalterlichen urkundlichen Belegen geboten. Dafür haben wir uns aber wieder bemüht, auch die jüngeren neuzeitlichen Schreibformen zu dokumentieren. So werden hier vielfach erstmals urkundliche Belege des 16. und 17. Jhs. aus Urbaren, weitgehend die Josephinische Landesaufnahme (Jos. LA) und der Franzisceische Kataster (Franz. Kat.) sowie vollständig das Kartenwerk Souvents von 1857 berücksichtigt. Überhaupt ist darauf hinzuweisen, daß im Mühlviertel als spät besiedelter Rodungslandschaft die mittelalterliche Urkundenüberlieferung besonders im mittleren und nördlichen Bereich vielfach erst im 13./14. Jh. einsetzt, was natürlich meist nicht heißt, daß die jeweiligen Orte erst damals entstanden wären. Vielfach liegt ihre Besiedlung bereits bis zu zwei, drei Jahrhunderte zurück. Das gilt besonders für die Orte mit eingedeutschten Namen slawischer Herkunft, deren lautliche Merkmale großteils auf Übernahme ins Althochdeutsche von der 2. Hälfte des 8. bis ins 11. Jh. weisen.

Ähnlich den Verhältnissen in Band 11 treten auch hier besonders bei Hof- und Hausnamen (HN) Familiennamen (FN) auf. Da es weder ein speziell oberösterreichisches noch ein gesamtösterreichisches Lexikon der Familiennamen gibt, das diese nicht nur umfänglich dokumentieren, sondern auch urkundlich belegen und etymologisch erklären würde, ziehen wir zur Erklärung besonders das den oberdeutschen Raum vorrangig berücksichtigende Werk von Brechenmacher (1953–63) und das allerdings nur Deutschland behandelnde Lexikon von Kohlheim (2000) heran. Obwohl in diesen Werken nur ein Teil unserer „Familiennamen" enthalten ist, die bezüglich ihrer Entstehung auf Personennamen, Berufsnamen, Herkunfts- und Wohnstattnamen, Stammesnamen, Bei- und Übernamen zurückgehen, versuchen wir ihre etymologische Erklärung zu geben. Dabei nennen wir gleichzeitig die heute in Oberösterreich geltenden verschiedenen Schreibweisen dieser Familiennamen nach den amtlichen Telephonbüchern.

Da der vorgesehene Einleitungsband noch nicht erscheinen konnte, auf den immer wieder mit EB verwiesen wird, und der dann die Erläuterung der wiederkehrenden Ortsnamentypen, Abrisse der dialektalen Lautentwicklungen und der alt-, mittel- und frühneuhochdeutschen

Schreibverhältnisse, den phonetischen Transkriptionsschlüssel sowie das Quellen-, Literatur- und Abkürzungsverzeichnis enthalten wird, seien im folgenden zum besseren Verständnis einige Hinweise auf grundlegende Literatur und häufige Abkürzungen gegeben.

## 1. Zu Konzeption, Siedlungsnamentypen und Siedlungsgeschichte

Wiesinger: Zum neuen „Ortsnamenbuch des Landes Oberösterreich". In: Oberösterreichische Heimatblätter 44 (1990), S. 315–326.

Ders.: Das „Ortsnamenbuch des Landes Oberösterreich". In: Beiträge zur Namenforschung NF 25 (1990), S. 169–179.

Ders.: Die Besiedlung Oberösterreichs im Lichte der Ortsnamen. In: K. Holter (Hrsg.): Baiern und Slawen in Oberösterreich. Linz 1980 (Schriftenreihe des Oberösterreichischen Musealvereins – Gesellschaft für Landeskunde 10), S. 139–210, 24 Ktn.

Ders.: Die Ortsnamen Österreichs in makrotoponymischer Sicht. In: F. Debus (Hrsg.): Zu Ergebnissen und Perspektiven der Namenforschung in Österreich. Heidelberg 1994 (Beiträge zur Namenforschung NF, Beiheft 41), S. 51–169, 15 Ktn.

K. Hohensinner: Ortsnamen Siedlungsgeschichte in Rodungsgebieten des oberösterreichischen Mühlviertels. Dargestellt anhand der -reit- und -öd-Namen. In: Ortsnamen und Siedlungsgeschichte. Akten des Symposiums in Wien vom 28.–30. September 2000. Heidelberg 2002, S. 201–217.

Ders.: Etymologie und Volksetymologie anhand des „Ortsnamenbuchs des Landes Oberösterreich", Bezirke Freistadt und Perg. In: Jahrbuch des Oberösterreichischen Musealvereins 148 (2003), S. 65–115.

## 2. Topographische Abkürzungen

(nach dem Ortsverzeichnis Oberösterreich 1981)

D ............. Dorf
W ............. Weiler
R ............. Rotte
E ............. Einschicht
Hf ............ Hof
H ............. Haus
Hgr ........... Häusergruppe
ZH ............ Zerstreute Häuser
Sdlg ........... Siedlung
Wes ........... Wochenendsiedlung
Schl ........... Schloß
Gh ............ Gasthaus
Jh ............ Jagdhaus
Mü ............ Mühle
Sä ............ Sägewerk

Von den diesen Siedlungstypen beigegebenen Zahlen gibt die erste die Anzahl der Gebäude und die zweite die Anzahl der Einwohner im Jahr 1981 und bei Einklammerung die entsprechenden Verhältnisse von 1971 an. Teilweise bringen die amtlichen Ortsverzeichnisse 1981 und 1971 für kleine Siedlungseinheiten keine derartigen Angaben. Da namenlos geführte Zerstreute Häuser unberücksichtigt bleiben, weichen die Größenangaben einer Gemeinde von der Summe der Einzelangaben ab.

## 3. Abkürzungen häufig zitierter urkundlicher Quellen und Archive

Da das „Altdeutsche Namenbuch" nun für den bairisch-österreichischen Teil abgeschlossen vorliegt, werden, wie dies bereits früher, soweit es damals möglich war, geschah, jetzt sämtliche urkundliche Belege bis 1200 einschließlich ihrer abgekürzten Quellenangaben aus diesem übernommen.

Ferner enthält der vorliegende Band folgende Arten von urkundlichen Belegen:
- Belege, die von Schiffmann aufgenommen wurden und hier überprüft sind;
- neue Belege aus Archivalien, z.B. Herrschaftsarchiv Waxenberg, Schloßarchiv Greinburg, Niederösterreichische Herrschaftsakten, Landesfürstliche Lehenbücher, die von Schiffmann nicht ausgewertet wurden;
- von Schiffmann mit seinen Angaben übernommene, aber an den Quellen nicht überprüfte Belege, die mit * gekennzeichnet sind. Dort teilweise fehlende Folienangaben gehen auf Schiffmann zurück, und es ist zu vermuten, daß die Hs. unfoliert ist oder es zu Schiffmanns Zeiten war. Bei einigen dieser Handschriften konnten solche Belege überprüft und die modernen Folienangaben nachgetragen werden. Manchmal stellt die Identifizierung solcher von Schiffmann benützter Quelle allerdings einen unverhältnismäßigen Aufwand dar.

Das vollständige Quellenverzeichnis wird erst der Einleitungsband enthalten. Hier häufig verwendete Quellen werden mit folgenden Abkürzungen zitiert:

A. Handschriftliche Quellen

Lb. Kap., HHStA bl. 18: Lehenbuch der Kapeller, Haus- Hof- und Staatsarchiv, Hs. 18.

Urb. Riedegg, OÖLA, Starhemb. Urb., Hs. 142: Urbar der Herrschaft Riedegg, Oö. Landesarchiv, Bestand: Starhembergische Urbare und Handschriften, Hs. 142

OÖLA, MaA Zwettl, Bd. 16, n. 2a.: Oö. Landesarchiv, Marktarchiv Zwettl, Bd. 16, Nr. 2a.

Urb. Leonf., StiA Wilh., zit. nach Heller: Urbar von Leonfelden, Stiftsarchiv Wilhering, zitiert nach M. Heller: Die Haus- und Hofnamen des Gemeindebezirkes Bad Leonfelden im Mühlviertel. Examensarbeit (masch.), Wien 1968.

SchlA Greinbg., HA Greinbg.-Kreuzen, Urk. Reg. n. 631: Schloßarchiv auf der Greinburg, Herrschaftsarchiv Greinburg-Kreuzen, Urkunden-Regesten Nr. 631.

Lf. Lb., NÖLA, NÖ. Reg. 17, Hs. 14: Landesfürstliches Lehenbuch, Nö. Landesarchiv, Nö. Regierung 17, Hs. 14.

Urb. Waxenberg, HKA, NÖHA W 31/A: Urbar der Herrschaft Waxemberg, Hofkammerarchiv, Nö. Herrschaftsakten, Faszikel W 31/A.

Urb. Waxenberg, HKA 1173: Urbar der Herrschaft Waxemberg, Hofkammerarchiv, Urbare, Hs. 1173.

Jos. LA.: Josephinische Landesaufnahme. Österr. Staatsarchiv, Kriegsarchiv.

Franz. LA.: Franzisceische Landesaufnahme. Österr. Staatsarchiv, Kriegsarchiv.

Anm.: Da die beiden Landesaufnahmen in Form zum Teil schlecht erhaltener Karten vorliegen, ist keine vollständige Auswertung möglich.

Franz. Kat.: Franzisceischer Kataster, Oö. Landesarchiv.

B. Gedruckte Quellen

ADNB I, II = Altdeutsches Namenbuch. Die Überlieferung der Ortsnamen in Österreich und Südtirol von den Anfängen bis 1200. Bearb. von I. Hausner und E. Schuster. Bd. 1, Wien 1999 (= Lief. 1–10, Wien 1989–1999); Lief. 11-15, Wien 1999–2004 = Bd. 2.

OÖ. UB. I–XI = Urkundenbuch des Landes ob der Enns. 11 Bde, Wien, Linz 1852–1983.

OÖ. Stiftsurb. I–IV = Österreichische Urbare, III. Abt.: Urbare geistlicher Grundherrschaften. Bd. 2: Die Mittelalterlichen Stiftsurbare des Erzherzogtums Österreich ob der Enns. Hrsg. von K. Schiffmann. Tl. 3: Baumgartenberg, St. Florian, Waldhausen, Wilhering. Wien –

Leipzig 1915; Tl. 4: Nachträge – Personen- und Ortsnamenregister – Glossar und Sachregister, Wien – Leipzig 1925.

Linzer Regesten: Quellen zur Geschichte der Stadt Linz sowie der umgebenden Gemeinden. Masch. Hektogramm. Linz 1952–84.

A I a–c: Regesten vom Beginn des Mittelalters bis 1400. – B II D 1, B II D 2: Urbare und Anschläge. – C 1: Salzburger Regesten. – C III A 1: Regesten aus dem Haus-, Hof- und Staatsarchiv in Wien bis zum Jahre 1500. – D 1 A 1, D 1 A 2: Steyregger Regesten. – E 4 a: Ebelsberger Urbare. – E 5: Steyregger und Lustenfelder Urbare 1481–1703.

Souvent = A. Souvent: Administrativkarte des Erzherzogtums Oesterreich ob der Enns. O. o. 1857.

C. Häufige archivalische Abkürzungen

| | |
|---|---|
| Anschl. | = Anschlag |
| DAL | = Diözesanarchiv, Linz |
| Einl. | = Einlage |
| HA | = Herrschaftsarchiv |
| Heider | = J. Heider, Regesten zu Kirchenbüchern, Oö. Landesarchiv |
| HKA | = Hofkammerarchiv, Wien |
| HHStA | = Haus-, Hof-, und Staatsarchiv, Wien |
| HStA | = Hauptstaatsarchiv, München |
| Lb. | = Lehenbuch |
| Lf. | = landesfürstlich |
| NÖLA | = Niederösterreichisches Landesarchiv, St. Pölten |
| OÖLA | = Oberösterreichisches Landesarchiv, Linz |
| SchlA Greinburg | = Schloßarchiv Greinburg, Grein |
| StiA | = Stiftsarchiv |
| Urb. | = Urbar |

## 4. Namenkundliche und sprachwissenschaftliche Abkürzungen

D: . . . . . . . . . Dialektform
U: . . . . . . . . . Urkundliche Nennungen
E: . . . . . . . . . Etymologie
L: . . . . . . . . . Literatur
BN . . . . . . . . Besitzname
LN . . . . . . . . Lagename
AN . . . . . . . . Artname
GW . . . . . . . Grundwort
BW . . . . . . . Bestimmungswort
PN . . . . . . . . Personenname
FN . . . . . . . . Familienname
HN . . . . . . . Hof-/Hausname
GewN. . . . . . Gewässername
FlN . . . . . . . Flurname
(spät)ahd. . . (spät)althochdeutsch
(früh)mhd. . (früh)mittelhochdeutsch
(früh)nhd. . . (früh)neuhochdeutsch

bair. . . . . . . . bairisch
idg. . . . . . . . . indogermanisch
slaw. . . . . . . . slawisch
urslaw. . . . . . urslawisch
akslaw. . . . . . altkirchenslawisch
slow. . . . . . . . slowenisch
tschech. . . . . tschechisch
osorb. . . . . . . obersorbisch
nsorb. . . . . . . niedersorbisch
Nom. . . . . . . Nominativ
Gen. . . . . . . . Genitiv
Dat. . . . . . . . Dativ
sing. . . . . . . . Singular
plur. . . . . . . . Plural
st., sw. . . . . . starkes, schwaches Substantiv
m, f, n . . . . . maskulin, feminin, neutral

## 5. Abkürzungen wichtiger, häufig zitierter Literatur

Berneker I, II = E. Berneker: Slavisches etymologisches Wörterbuch. Bd. 1: A–L, Heidelberg 1908–1913, Bd. 2: M. Heidelberg o.J.

Bezlaj I–III = F. Bezlaj: Etimološki slovar slovenskega jezika. Bd. I: A–J, Ljubljana 1976. Bd. II: K–O, Ljubljana 1982. Bd. III: P–S, Ljubljana 1995.

Bezlaj, Vodna imena = F. Bezlaj: Slovenska vodna imena. 2 Bde. Ljubljana 1956–1961 (Slovenska Akademija Zanosti in Umetnosti Ros. z. fil. 9/6).

Dehio (2003) = Dehio-Handbuch: Die Kunstdenkmäler Österreichs. Oberösterreich. I: Mühlviertel. Horn – Wien 2003.

Ferihumer = H. Ferihumer: Erläuterungen zum Historischen Atlas der österreichischen Alpenländer II/7: Die Kirchen und Grafschaftskarte – Oberösterreich. Wien 1956.

Förstemann I, II = E. Förstemann: Altdeutsches Namenbuch. Bd. 1: Personennamen. 2. Aufl. Bonn 1900. Bd. 2: Orts- und sonstige geographische Namen. 3. Aufl. Hrsg. von H. Jellinghaus. 2 Teile, Bonn 1913.

Grabherr (1975) = N. Grabherr: Historisch-topographisches Handbuch der Wehranlagen und Herrensitze Oberösterreichs. Wien 1975 (= Veröffentlichungen der Österreichischen Arbeitsgemeinschaft für Ur- und Frühgeschichte 7–8),

Grabherr (1976) = N. Grabherr: Burgen und Schlösser in Oberösterreich. 3. Aufl., Linz 1976.

Heller, Margarete: Die Haus- und Hofnamen des Gemeindebezirkes Bad Leonfelden im Mühlviertel. Examensarbeit (masch.). Wien 1968.

Kaufmann = H. Kaufmann: Ergänzungsband zu E. Förstemann: Altdeutsche Personennamen. München 1968.

Kranzmayer: Histor. Lautgeographie = E. Kranzmayer: Historische Lautgeographie des gesamtbairischen Dialektraumes. Wien 1956.

Kronsteiner: Alpenslaw. Personennamen = O. Kronsteiner: Die alpenslawischen Personennamen. Wien 1975 (Österreichische Namenforschung, Sonderreihe 2).

Kronsteiner (1978) = O. Kronsteiner: Die slawischen Ortsnamen in Oberösterreich. In: Österreichische Namenforschung 1978, S. 5–34.

Kronsteiner (1980) = O. Kronsteiner: Die slawischen Ortsnamen in Oberösterreich. In: K. Holter (Hrsg.): Baiern und Slawen in Oberösterreich. Linz 1980 (= Schriften des Oberösterreichischen Musealvereins – Gesellschaft für Landeskunde 10), S. 211–228.

Lexer = M. Lexer: Mittelhochdeutsches Handwörterbuch. 3 Bde, Leipzig 1872–1878.

Miklosich: Slav. Personennamen = F. Miklosich: Die Bildung slavischer Personennamen [1860]. In: F. Miklosich: Die Bildung der slavischen Personen- und Ortsnamen. Drei Abhandlungen. Heidelberg 1927.

Pokorny (1959) = J. Pokorny: Indogermanisches etymologisches Wörterbuch. Bd. 1, Bern und München 1959.

Schiffmann III = K. Schiffmann: Historisches Ortsnamen-Lexikon des Landes Oberösterreich. Ergänzungsband, Linz 1940.

Schmeller = J. A. Schmeller: Bayerisches Wörterbuch. 2. Aufl. von G. K. Frommann. 2 Bde, München 1872.

Schwarz (1926) = E. Schwarz: Die Ortsnamen des östlichen Oberösterreich [3. Teil]. Reichenberg i. B. 1926 (Prager Deutsche Studien 42).

Schuster-Šewc I–IV = H. Schuster-Šewc: Historisch-etymologisches Wörterbuch der ober- und niedersorbischen Sprache. 4 Bde, Bautzen 1978–1988.

Šmilauer = V. Šmilauer: Handbuch der slawischen Toponomastik. Praha 1970.

Vasmer I–III = M. Vasmer: Russisches etymologisches Wörterbuch. 3 Bde., Heidelberg 1953–1958.
Ulm (1976) = B. Ulm: Das Mühlviertel. Seine Kunstwerke, historischen Lebens- und Siedlungsformen. 2. Aufl., Salzburg 1976 (Österreichische Kunstmonographie 5).
WBÖ = Wörterbuch der bairischen Mundarten in Österreich (WBÖ). 4 Bde., Wien 1963–1999; Lief. 33–37, Wien 2000–2004.
WBÖ-S = Sammlungen zum WBÖ.

Der Band ist eine Gemeinschaftsarbeit der genannten Autoren Karl Hohensinner (K. H.) und Peter Wiesinger (P. W.). Das urkundliche Material wurde gesammelt und kritisch bearbeitet von K.H., der auch die jeweiligen Literaturangaben (L) zusammenstellte und die Register der Namentypen, der deutschen Personen- und „Familiennamen" und der deutschen Appellativa erarbeitete. P.W. redigierte die vereinzelt von Schwarz (1926) festgehaltenen älteren sowie die wieder von Hermann Scheuringer in dankenswerter Weise bereits in der Vorbereitungsphase 1983 in den einzelnen Gemeinden erhobenen Dialektaussprachen (D). Wo Unterschiede zwischen der heutigen und einer noch bekannten früheren Dialektaussprache bestehen, werden diese als „älter" und „jünger" unterschieden. Mit „veraltet" werden jene Dialektaussprachen bezeichnet, die teilweise noch bei Schwarz (1926) genannt sind oder als Erinnerungsformen bzw. als abkommend genannt wurden. Die in der vorhandenen Literatur besonders bei Schwarz (1926), Schiffmann (1940) und Kronsteiner (1978, 1980) sowie in Aufsätzen und Hochschulschriften enthaltenen etymologischen Angaben und sachdienliche Hinweise in der regional-historischen Literatur wurden von K. H. zusammengestellt, der auch eine Anzahl der „leichteren" Etymologien erarbeitete. Ein größerer Teil der Etymologien und da vor allem die slawischen wurde von P. W. erarbeitet, der die von K. H. stammenden Artikel kritisch durchsah und gegebenenfalls um dialekt- und kulturhistorische Angaben ergänzte und auch die Register der slawischen Appellative und Personennamen zusammenstellte. Ebenso wurden von P. W. Literaturangaben ergänzt. Für die Überprüfung der slawischen Etymologien und entsprechende Hinweise danken wir sehr herzlich Prof. Dr. Georg Holzer, Wien. Die Karten wurden nach den Angaben von K.H. (1, 2, 6–32) und P.W. (4, 5) von Michael Schefbäck entworfen und komputativ ausgeführt.

Abschließend sei über die eingangs genannten Förderinstitutionen hinaus noch für mannigfaltige Hilfe und Unterstützung gedankt: Dr. Ingeborg Geyer, Dr. Isolde Hausner und Dr. Elisabeth Schuster vom Institut für österreichische Dialekt- und Namenlexika der Österreichischen Akademie der Wissenschaften für mundart- bzw. namenkundliche Auskünfte, dem Oberösterreichischen Landesarchiv für die bereitwillige Hilfe bei der Einsicht seiner Sammlungen, dem Haus-, Hof-, und Staatsarchiv, dem Hofkammerarchiv und dem Kriegsarchiv für die freundliche Zurverfügungstellung von Urbaren, Akten und Karten, dem Niederösterreichischen Landesarchiv, dem Stadtamt Grein für die leihweise Zurverfügungstellung der Administrativkarte von Alois Souvent sowie den Gemeindeämtern und Einzelpersonen für sachdienliche Angaben besonders zu Siedlungen und Höfen bzw. Häusern. Nicht zuletzt gilt unser Dank der Österreichischen Akademie der Wissenschaften sowohl für die Aufnahme des Projekts in ihre Obhut und Verwaltung als auch in ihr Verlagsprogramm und für die sorgfältige verlagstechnische Betreuung.

Wien, im Jänner 2006 Peter Wiesinger

# 10.1.1.–10.2.9. Der Politische Bezirk Urfahr-Umgebung

## 10.1. Der Gerichtsbezirk Urfahr-Umgebung

### 10.1.1. Goldwörth 172–620

10.1.1.1. ***Pfeiffer-Siedlung*** W von Goldwörth 112–392

***D:*** –

***U:*** –

***E:*** Die in den 1970er Jahren entstandene Siedlung ist benannt nach dem Grundeigentümer *Pfeiffer*, ein FN von bair.-mhd. *pfîffer* stm. 'Pfeifer, Spielmann' (Lexer II, Sp. 244; Brechenmacher I, S. 125; Kohlheim, S. 502).

***L:*** –

10.1.1.2. ***Goldwörth*** D 147–532

***D:*** *wę̄ɒxd,* älter *('gō̜i̯d),wēxd*

***U:*** 1067 F 1138–39 C 13.JhM *de Goldarwerde* HL Passau 3, 122', Dr: OÖ. UB., n. 79; Dat. nach UB Bab 4/1 n. 578; 1074 F kurz vor 1288 C 14.Jh. *de Golderwert sex libras* OÖ. UB. II, n. 80; Dat. nach O.Mitis, Studien S. 98f. u. UB Bab 4/1 n. 580; 1075 *de Golderuuerede* KU Passau-SNikola n. 4, anders OÖ. UB. II, n. 78 nach C 12.Jh: *Goldarewerde*; um 1100 *de Goldarewerde* ebd., n. 5, Dr: OÖ. UB. II, n. 93; 1111 *de Goldarewerde* ebd., n. 6, Dr: M Boica 29 b, 228 n. 439; 1187 *de Goldarwerd* KU Passau-SNikola n. 11, Dr: OÖ. UB. II, n. 276; um 1187 *in Goldaruuerde* HL Passau-SNikola 1, fol. 31, anders Tr Passau-SNikola n. 235: *-uuerd;* *1200–20 *Meinhardus de Golderwerde Wendel de Golderwerde*; *Helena de Golderwerde* Trad. Passau, n. 839; 857; 897; *1200–40 *Gisla de Golderwerde*; *Alrammus de Golderwerde*; *Reinnardus de Golderwerde*; *Wernhardus de Goldornwer* ebd. n 1286; 1345; 1401; 1411; 1220 *de dominicalibus nostris in Golderwerde* OÖ. UB. II, n. 409; 1220 *prediis suis in Golderwerde* ebd., n. 410; c. 1256 *possessionibus in Goldenerwerd*; *in Goldenerwerd quinque beneficia* OÖ. UB. I, S. 493, n. 21; *13. Jh. *possessionibus in Goldenerwerd* Urb. Pass. I, S. 332; *13. Jh. *Golderwerd* Urb. Nic., f. 12, 20; 1299 *In dem Goldaerwerd* OÖ. Stiftsurb. II 188, n. 236; 1378 *Item in Insula curia Waltenstain*; *Item plebanus in Insula* OÖ. Stiftsurb. III, S. 119, n. 75; 89; 1449 C 20. Jh. *Goldern wird* Urb. Wallsee, OÖLA, HA Greinburg, Hs. 11, OÖLA, HA Greinburg, Hs. 11, f. 33; *1481 *Goldnerwerd* Urb. Steyreck; 1499 *Platzer Im Golldnerwerd* Urb. Wildberg, OÖLA, Starhemb. Urb., Hs. 204, f. 28; *1526 *gült im Ambt Golnerwerth in Sandt Alban Pharr*; *heyßl zum Gotshauß gehörig in Golnerwerth*; *von den ledigen Gründten im Golnerwerth*; *Vermerkt die Vischer im Golnerwerth* Einl. Ebelsbg., Linzer Reg. E 4 a, S. 29; 31; 33; *1569 *Odelbanner* (St. Alban) Pharr Urb. Aschpan, f. 190; *c. 1670 *Goldtwörtherische Burckhfridt. In dem Amt Goldwörth hat die Herrschaft einen schönen und großen Burgfried sowohl diesseits als auch jenseits der Donau und fließt die Donau mitten hindurch und hat seine lebende March, auf seiten des Wörths wird der Burgfried geschlossen mit dem Wasser, der Gang genant*; *Sanct Albani Gotteshaus im Goldwörth*; *in St. Albans Pfarregelegen* Urb. Ebelsbg., Linzer Reg. E 4 a, S. 65; 78; 1827 *Pfarre Goldwörth, Goldenwert, Goldwerth, Gollnerwörd, Wörth ... Zu Goldwörth gab es einst bedeutende Goldwäschereien* Pillwein I, S. 211; 1857 *Goldwörth* Souvent.

***E:*** Gefügtes Kompositum mit dem GW mhd. *wert* stm. 'Insel, Halbinsel; erhöhtes, wasserfreies Land zwischen Sümpfen' (Lexer III, Sp. 796) und als BW dem Gen. plur. von mhd. **goldaere* stm. 'Goldwäscher' im Sinne von '(Donau)insel, auf der Goldwäscher leben und arbeiten'. Die Donau, die hier erst Ende des 19. Jhs. reguliert wurde, hatte bis dahin kein festes Bett und veränderte in Verbindung mit dem hier mündenden Pesenbach bei Hochwasser ihren Lauf, so daß sich, wie noch die Landkarte Souvents von 1857 zeigt, zahlreiche, bis an den heutigen Ort heranreichende Inseln bildeten. Im angeschwemmten Sand war im Mittelalter Goldwäscherei üblich. Ein in der Gemeinde befindliches einzelnes Haus führt auch den HN *Goldwascherhäusl*.

***L:*** Schwarz, S. 88; Schiffmann III, S. 186.

10.1.1.3. ***Hagenau*** R 18–59

***D:*** *'hō̜(g)ŋāu̯*

***U:*** *1630 *nach der Donau herauf bis an die Hagenauerischen; Gründen, so das Wasser von diesem und an das andere Hagenauerische Land und Gründen angeschütt* Urb. Eschelbg., Linzer Reg. B II D 1, S. 97; *1668 *Hagenau* Archiv 94, S. 250; *c. 1670 *Herrschaftsuntertanen im Goltwörth, Gstocket und Hagenau* Urb. Ebelsbg., Linzer Reg. E 4 a, S. 78; 1827 *Dorf Hagenau* Pillwein I, S. 211; 1857 *Hagenau* Souvent.

***E:*** Gereihter *-au*-Name (siehe EB) mit der in der Donauschiffahrt üblichen Bezeichnung *Hagen, Hägel* 'Reste alter Gerinne'. Dazu schreibt Neweklowsky, Donauschiffahrt I, S. 78: "Nach Janitschek-Suppan versteht man darunter 'eine hinter einer Sandbank gelegene Einbuchtung, die bei der Einfahrt oft genügende Wassertiefe hat, sich jedoch auf der dem Fahrwasser zugekehrten Seite verflacht', während Lorenz-Liburnau sie als 'blind endende Seitenarme, die meist gekrümmt (hakenförmig) und aus ehemaligen, später am unteren Ende verlegten Gescheiden entstanden sind', beschreibt". Das Wort findet sich an der ober- und niederösterreichischen Donau mehrfach in ON und FlN. Da das Wort ma. *hǭ(g)ŋ* bzw. sein Diminutiv *hāgl* lautet, kommt es wohl von mhd. *hâke(n)* swstm. 'Haken' (Lexer II, Sp. 1145 f.), dessen zugehöriges bair.-nhd. Adjektiv *håket* (aus mhd. *hâkeht*) 'gebogen' bedeutet (Schmeller I, Sp. 1071; WBÖ-S). Darauf nimmt Lorenz-Liburnau Bezug. Den ON mit mhd. *hac* stm. 'Dorngesträuch, Einfriedung' (Lexer I, Sp. 1136) als 'mit Dorngesträuch bewachsene Au' zu erklären, wie es sich bei Schwarz, S. 89 und Schiffmann III, S. 210 findet, erscheint angesichts der Lage an der Donau und des Schiffahrtsterminus hier nicht angebracht.

***L:*** –

10.1.1.4. ***Rutzingerdorf*** W von Goldwörth W 8–26

***D:*** –

***U:*** 1857 *Roitzinger Winkl* Souvent.

***E:*** Der amtlich erst ab 1981 geführte ON für eine neuentstandene Häusergruppe ist eine Neubildung und kehrt südlich der Donau in der Gem. Hartheim, Pol. Bez. Eferding als *Rutzinger Au* wieder. 1857 gibt Souvent einerseits *Roitzinger Winkel* für das von Donauarmen umschlossene Inselgebiet SW von Goldwörth an, während er andererseits die heutige *Rutzinger Au*, die damals noch aus zwei Inseln zwischen Aschach/Innbach und Donau bestand, als *Schattau* und *Jägerau* bezeichnet. Im heutigen mit *-dorf* (siehe EB) gereihten ON liegt als BW der FN *Rutzinger* vor, ein Herkunftsname vom ON *Rutzing* mit dem ahd. PN *Ruotzo* (Förstemann I, Sp. 890). Dabei kann es sich um *Rutzing*/Palting, GB Mattighofen (siehe OÖ.ONB 1,1.2.2.19. *Rutzing*), um *Rutzing*, Gem. Hörsching, Pol. Bezirk Linz-Land (1266 *Rutzing* OÖ. UB I, S. 169, n. 158) oder um das Bauernhaus *Rutzing*/Kremsmünster, GB Kremsmünster (1299 *Rucingaern* OÖ Stiftsub. II, S. 192, n. 44) handeln.

***L:*** –

10.1.1.5. ***Waldinger-Ebene*** R 7–29

***D:*** –

***U:*** –

***E:*** Der amtlich erst ab 1981 geführte ON für eine neuentstandene Häusergruppe ist eine Neubildung mit dem ON der nordöstlich anschließenden Nachbargemeinde 10.1.6.12. *Walding.*

***L:*** –

## 10.1.2. Ottensheim 770–3579

10.1.2.1. ***Preslmayrsiedlung*** Sdlg von Niederottensheim 29–132

***D:*** –

***U:*** –

***E:*** Die seit 1974 entstandene Siedlung ist nach dem Grundeigentümer *Preslmayer* benannt, ein FN, der sich im Bezirk erstmals 1512 als *Sigmund Pröstlmayr* Urb. Waxenberg, HKA, NÖHA W 31/A, f. 38 nachweisen läßt. Er ist ein Kompositum mit dem GW mhd. *meier* stm. 'Meier, Oberbauer; Großbauer, der die Aufsicht über die Güter seines Grundherrn führt' (Lexer II, Sp. 2074f.; Schmeller I, Sp. 552) und als BW wohl mit jenem PN, der in 10.1.18.5. Pröselsdorf/Alberndorf in der Riedmark enthalten ist.

***L:*** –

10.1.2.2. ***Dürnberg*** ZH 84–333

***D:*** *'dīɒmbę̄ɒg*

***U:*** 1206 *tertium durrinberge* OÖ. UB. II, n. 351; 1287 *Durrinberge. Wernhardus de Důrrenberge* OÖ. Stiftsurb. II 364, n. 23; *1523 *Dürrnnperg* Urb. Wilh., f. 39, 40; 1571 *Steffan Khogler bei dem Düernperg; Colman Feringer am Düernperg; Petter Haßleckher am Düernperg; Geörg Dürnperger* Urb. Waxenberg, HKA 1173, f. 198; 1827 *Dürnberg* Pillwein I, S. 260; 1857 *Dürnberg* Souvent.

***E:*** Gefügter *-berg*-AN (siehe EB) mit dem Adj. mhd. *dürre*, 'dürr, trocken, mager' (Lexer I, Sp. 497) im Sinne von 'trockener, nicht ertragreicher Berg'.

***L:*** Schwarz, S. 85; Schiffmann III, S. 122; März, S. 47; 49.

10.1.2.3. ***Höflein*** D 48–149

***D:*** *,hēv'lā̄į̃*

***U:*** c. 1260 *duas curias vnam in hoflin, Alteram in zeueratingin sitas* OÖ. UB. III, n. 291; 1300 *meinen Erbtail datz dem Hőfleins; daz gůt zdem Hőfleins* OÖ. UB. IV, n. 396; *1312 *ze dem Hoflein* Necr. Wilh., S. 119; 1348 *Ich Heinrich Fpharren* [sic!] *dacz dem Hoflein; daz der paugart dacz dem Hoflein pei der mul* OÖ. UB. VII, n. 48; 1349 *datz dem Hoflein ebd.*, n. 125; *1362 *turm ze Hoflein* Jb. d. Mus. 1899, S. 40; 1378 *Vnsern Tůrn genant zdem Höflein gelegen pey Otenzhaim; zwo Hofstätt vnd Müll alles gelegen in Höfleiner Pharr vnd pey dem Turn ze Höflein; daz Chirchlehen ze Höflein* OÖ. UB. IX, n. 339; *1400 *Johann ... pfarrer in Höfflein* Archiv Linz I, S. 11; 1385 C 1641 *Marchart, pfarrer und kapplan zu St. Peter auf dem Höflein bei Ottensheim* OÖ. UB. X, n. 469; *1418 *das Hefl* Archiv 102, S. 452; *1455 *Höflein* Jb. d. Mus. 1909, S. 34; *1481 *Sigismund ... pastor in Hoeflein* Archiv Linz I, S. 11; *1502 *Michael Ehrenpeck ... pfarrer zue Heflein* ebd.; *1504 *Hoflern* Urb. Lichtenhag, f. 8; *1527 (1656) *Höflein* ZR. Höflein; *c. 1580 *Paulus Sturmb ... pfarer zue Heflein und spitlmaister in dem spitall zue Otenshain* Archiv Linz I, S. 12; *1584 (1629) *Höfflein* Urb. Ob.-Wallsee, f. 11; *16. JhE *Die pfarr zue Heflein bei Ottenßhain ... pfarherr alda zue Heflein* Archiv Linz I, S. 7; *1627 *Urbarium oder dienstbuech ... bey der pfarr Höfflein; stadel und garten ... zu Höflein; Wibmer zue Höflein* Urb. Höflein, Archiv Linz I, S. 7ff.; *1666 *Weinzöhet, so zu dem Beneficiat Höffelein gehörig; Gottshauß Höffelein* Urb. Wilhering, Archiv Linz I, S. 10; *17. Jh. *bis auf Höflein zum Creuz* Urb. Eschelbg., Linzer Reg. B II D 1, S. 120; *1630 *bis nach Höflein zum Creucz* Urb. Eschelbg., Linzer Reg. B II D 1, S. 98; c. 1775 *Höflein* Jos. LA.; 1827 *Höflein* Pillwein I, S. 212; 1857 *Höflein* Souvent.

***E:*** Mhd. *hovelîn* stn. 'kleiner Hof' (Lexer I, Sp. 1362f.).

***L:*** Schwarz, S. 90; Schiffmann III, S. 240; Grabherr (1975), S. 151.

10.1.2.4. ***Ottensheim Markt*** 452–2185; ***Niederottensheim*** ZH 71–259

***D:*** *'ǭ(d)n,såm*, veraltet *'ę̄ǫ(d)n,såm*

***U:*** 1148 *vineas de ... Otnesheim* KU Niederalteich n. 27; anders OÖ. UB. II, n. 163 [nach C 17.Jh.]: *Oteneshaim*; 1149 C um 1165 *curtis Oetenshaim* D KoIII n. 273; 1149 C 12.Jh *curtis Oetesheim* UB. Stmk. I, n. 280; 1158 *curtis ... Oetesheim* D FI n. 202; 1180–1200 *de Otinshaim* Tr Passau n. 1070; 1204/15 F 1236 *portum contra forum Otehsheim* OÖ. UB. II, n. 319; 1206 *Wernhardus de Otensheimen* OÖ. UB. II, n. 349; 1206 *Hecil de otinsheim* ebd., n. 351; 1216 F 1236 *Portum contra forum otensheim* ebd., n. 393; 1241 *ciuium nostorum in Otensheim* OÖ. UB. III, n. 100; 1265 *Ciuibus nostris in Otensheim* ebd., n. 356; 1273 C *actum in otenshaimb* ebd., n. 431; 1292 *in Greimatsteten, Ottenshaym et Zwetelich* OÖ. UB. IV, n. 191; 13. JhE *Atenshaim* Lb. Kap., HHStA bl. 18, f. 6; 1309 *wernhart von Ottenshaim* OÖ. UB. V, n. 12; 1316 *mein wis, di ich han ze Ottenshaim* ebd., n. 176; 1322 *Her Chvnrat von Gebrechshouen Purchgraf ze Ottenshaim* ebd., n. 343; 1323 *de Ottenshaim* ebd., n. 354; 1331 C *Wechsenberch et Othenshaim* OÖ. UB. VI, n. 1; 1335 *Ich Eberhart purchgraf ze Ottenshaim* ebd., n. 152; 1338 *Ich Eberhart ... ze Otenshaim* ebd., n. 280; c. 1343 *Item de Otenzh(eim) inferiori* OÖ. Stiftsurb., S. 403, n. 10; 1343 *Wernhart ewiger vicari datz Ottenshaim* OÖ. UB. VI, n. 447; 1343 C 15. Jh *ein hof datz Ottenhaim* ebd., n. 457; 1348 *Nycla der Reche purger ze Ottenshaim; vnserr mul, ist gelegen ze Nidern Ottenshaim* OÖ. UB. VII, n. 47; *1345 *Otenshaim* Necr. Wilh., S. 179; 189; 202; 1349 C *pharrer ze Ottenshaim* OÖ. UB. VII, n. 135; 1349 *haus, daz gelegen ist ze Otenshaim* ebd., n. 140; 1353 C *auf der padstuben datz Ottenshaim* ebd., n. 304; 1354 *puriger ze Otenzhaim; enhalb*

*Otenzhaim*; *purgraf ze Otenzhaim* ebd., n. 376; 1355 *purkraf ze Otenshaim* ebd., n. 398; 1356 *der marchtte Oͤtenshaim* ebd., n. 457; 1357 *auf der patstuben datz Otenzhaim* ebd., n. 498; 1357 C *geschehen ze Otenshaym* ebd., n. 502; 1367 *im Purigwerd nahent pey Oetenshaim* OÖ. UB. VIII, n. 315; 1376 *phleger ze Otenshaim* OÖ. UB. IX, n. 122; 1377 C *pro domum Vlrici de Attenshaim* ebd., n. 275; 1378 *gelegen pey Otenzhaim* ebd., n. 339; 1379 *Steffano de Wassen ciue in Otensheim* ebd., n. 501; 1380 *das halbe Vrfar ze Atenshaim* ebd., n. 758; 1381 *richter ze Ottenshaim* OÖ. UB. X, n. 49; 1381 *purger ze Otenshaim* ebd., n. 82; 1382 C 1673 *gottshauß ze Ottenshaimb* ebd., n. 197; 1384 *Lienhartt ze Otensheim*; *Thoman dem Mursperger ze Otenshaim* ebd., n. 327; 1385 C 1641 *Marchart, pfarrer und kapplan zu St. Peter auf dem Höflein bei Ottensheim* ebd., n. 469; 1387 *purger ze Atenshaim*; *gelegen ze Atenshaim in dem markcht*; *wer daselbs ze Atenshaim richter ist* ebd., n. 541; 1387 *purger ze Atenshaim* ebd., n. 604; 1388 *das halb urfar ze Adenshaim* ebd., n. 617; 1388 *purger ze Atenshaim* ebd., n. 622; 1388 *richter zu Atenshaym*; *des markchtz ze Atenshaym* ebd., n. 640; 1389 *markcht ze Atenshaim*; *richter ze Atenshaim* ebd., n. 681; 1394 *Hainczl Czöttel purger ze Atenshaim* OÖ. UB. XI, n. 338; 1396 *dez pflegers do zemal ze Autenshaim anhangendem jnsigel* ebd., n. 613; 1397 *Andre pharrer ze Attenshaym* ebd., n. 646; 1397 *markht zw Attenshaim* ebd., n. 657; 1397 *pfleger zu Atenshaim* ebd., n. 732; 1398 *Haselbach vnd Ottenshaim* ebd., n. 800; 1399 *phleger zu Attenshaim* ebd., n. 912; 1399 *phleger ze Atenshaim* ebd., n. 943; 1399 *purger ze Otenshaim* ebd., n. 961; *1399 *phleger ze Attenhaim* Linzer Reg., C III A1, n. 94; 1404 *plebanus de Atenshaym* OÖ. Stiftsurb. III, S. 210, n. 24; *1404 *richter ze Attenshaim* Linzer Reg., C III A1, n. 111; *1412 *Atenshaim* ebd., n. 160; 1427 *burger ze Atenshaim* Archiv 97, S. 291; 1446 *Atenshaimer pharr* Lf. LB., NÖLA, NÖ. Regierung 17, Hs.6, f. 37;*1460 *Attennshaim* Linzer Reg., C III A1, n. 543; *1478 *Attenshaim* ebd., n. 698; 1499 C 1564 *ain Priester im Spitall zu Otnshaim* Urb. Waxenberg, OÖLA, Starhemb. Urb., Hs. 200, f. 33; 1512 *Marckt Ottenshaim* Urb. Waxenberg, HKA, NÖHA W 31/A, f. 38; *1523 *Nider Ottnshaim* Urb. Wilh., f. 56; 1526 *Autnsam* Urb. Schaunberg, OÖLA, Starhemb. Urbare, Hs., 162, f. 457; 1571 *Zu Ottennßhaim* HKA, NÖHA W 31/A, f. 319; *17. Jh. *von dannen den Gangsteig nach bis auf Nider Ottenshamb ins Puechpächl* Urb. Eschelbg., Linzer Reg. B II D 1, S. 120; *1626 *Adnsam* Jb. D. Mus. 1884, S. 187; *1630 *von dannen dem Gangsteig nach bis auf Nider Ottenßhaimb ins Puechpächl* Urb. Eschelbg., Linzer Reg. B II D 1, S. 98; 1634/65 *Khaiser otto Außerkohrn, in disem Hause ist Gebohrn. Anjetzo da gezehlet war 1208 Jahr, Da Ottenshaimb no nit war.* Ulm, S. 153; 1638 *Recht zue vischen mit allen rinendten Zeug von Ottenshaimb unzt an den Strumb* Linzer Reg., D I A 1, S. 20; c. 1775 *Otenshaim*; *Nider Ottenshaim* Jos. LA.; 1827 *Niederottensheim*; *Ottensheim* Pillwein I, S. 212; 1857 *Ob. Ottensheim*; *Nied. Ottensheim* Souvent.

***E:*** Gefügter *-heim*-BN (siehe EB) entweder mit dem ahd. PN *Ôtuni*, abgeschwächt *Ôtini* von *Ôtwini* oder der Koseform *Ôtî* (Gen. *Ôtînes*) von *Ôt(t)o* (Förstemann I, Sp. 186, 204; Kaufmann, S. 43 ff.), weshalb die urkundl. Belege von 1149 und 1158 auch regulären Umlaut aufweisen. Dieser wurde jedoch unter dem Einfluß des häufigeren PN *Ôt(t)o* aufgegeben. Die Volkssage verbindet den ON mit dem Namen Kaiser Ottos IV., der hier, wie eine Inschrift auf dem Kindlhaus von 1665 und 1682 besagt, 1208 geboren worden sein soll. Tatsächlich wurde der Welfe Otto von Braunschweig 1175/76 oder 1182 in Argentan/Frankreich geboren, 1198 nach dem Tode Kaiser Heinrichs VI. von der welfischen Partei in Köln als Gegenkönig zum Hohenstaufen Philipp von Schwaben ausgerufen, aber erst 1208 nach der Ermordung Philipps allgemein als König anerkannt und 1209 in Rom vom Papst zum Kaiser gekrönt. Kaiser Otto IV. starb 1218 auf der Harzburg in Niedersachsen. Die Sage ist wahrscheinlich eine humanistische Volksetymologie des 16./17. Jhs. zur Motivierung des ON.

***L:*** Schwarz, S. 96; Musil, n. 234; ADNB II, S. 820; Ulm, S. 152 f.; Dehio (2003), S. 564; Grabherr (1975), S. 150; Grabherr (1976), S. 342f.

10.1.2.5. ***Siglbauernsiedlung*** Sdlg von Dürnberg 41–400

***D:*** HN *bɒn 'sīge,bāu̯n*

*U:* 1857 *Siegelbauer* Souvent.

*E:* Die Siedlung entstand von 1961 bis Ende der 1970er Jahre beim Hof *Siegelbauer*, ein HN mit dem GW *Bauer* und als BW dem FN *Sieg(e)l, Sig(e)l* vom ahd. PN *Sigilî* als diminutive Kurzform eines PN wie *Sigifrid, Sigimâr* usw. (Förstemann I, Sp. 1317 ff.).

*L:* Schiffmann III, S. 458.

10.1.2.6. ***Simonweg-Siedlung*** Sdlg von Dürnberg 6–5

*D:* –

*U:* –

*E:* Die Siedlung entstand ab 1964 auf den Gründen des Hofes *Wöginger Simon*, ein HN mit dem FN *Weginger, Wöginger* als *-inger*-Ableitung (siehe *-ing* in EB) von mhd. *wëc* stm. 'Weg' (Lexer III, Sp. 719 f.) und als Vorname dem Apostel- und Heiligennamen *Simon*. Davon wurde der neue Siedlungsname *Simonweg* hergeleitet.

*L:* –

10.1.2.7. ***Weingarten*** ZH 39–116

*D:* *'wą̄ĩ,gǫɒχtn*

*U:* 1148 *vineas de ... Otnesheim* KU Niederalteich n. 27; c. 1510 *Das Lanndt ob der Enns hat Weinwachs vmb aschach* ÖNB, Cod. 15.283, f. 20; *1666 *Weinzöhet, so zu dem Beneficiat Höffelein gehörig* [Darunter sind viele Weingärten in der Gemeinde Ottensheim genannt.] Urb. Wilhering, Archiv Linz I, S. 10f.; 1827 *Weingarten* Pillwein I, S. 212; 1857 *Weingarten* Souvent.

*E:* Ursprünglich FlN *Weingarten* von mhd. *wîngarte* swstm. (Lexer III, Sp. 903) mit Bezug auf bis ins 17. Jh. betriebenen Weinbau auf sonnigen Südhängen. Hier entstand in den 1970er und 1980er Jahren eine Siedlung.

*L:* Schwarz, S. 106.

## 10.1.3. Puchenau 969–3368

10.1.3.1. (***Achleitnersiedlung***) 17–105

*D:* Veralteter HN *,ǭ'lą̄i̯(d)nɒ*

*U:* 1857 *Groß-; Klein Achleitner* Souvent.

*E:* Ursprünglich HN *Groß-* und *Kleinachleitner* als *-er*-Ableitungen vom FlN *Achleiten*, ein gereihter *-leiten*-LN (siehe EB) mit dem BW mhd. *ahe* stf. 'fließendes Wasser, Ache' (Lexer I, Sp. 28) mit Bezug auf den hier in die Donau mündenden Bach, an dem die Höfe liegen und wo seit den 1970er Jahren die Siedlung entstand.

*L:* Heimatbuch Puchenau, 1993, S. 123.

10.1.3.2. (***Am Hochfeld***) 27–97

*D:* Veralteter FlN *'hę̄ǫvǭd*

*U:* –

*E:* Ursprünglich ein gereihter *-feld*-FlN (siehe EB) mit dem Adj. mhd. *hôch* 'hoch' (Lexer I, Sp. 1312) im Sinne von 'hoch gelegenes Feld', wo in den 1970er und 1980er Jahren eine Siedlung entstand.

*L:* Heimatbuch Puchenau, 1993, S. 155.

10.1.3.3. ***Anschlußmauer*** R von Unterpuchenau 10–22

*D:* –

*U:* –

*E:* Bei der *Anschlußmauer* handelt es sich um eine noch erhaltene Schutzmauer im Anschluß an das vom Hoch- und Deutschmeister Erzherzog Maximilian Josef (1782–1863) begonnene militärische Befestigungswerk von Linz.

*L:* O. Spacil: Siedlungsleitbild Gemeinde Puchenau. Dipl. Wien 1989, S. 75; Heimatbuch Puchenau, 1993, S. 212, 219 f.

10.1.3.4. ***Pöstlingberg*** ZH 76–293 = 10.1.7.6. ***Pöstlingberg/Gramastetten = Pöstlingberg***, Stt von Linz/Bezirk Linz-Stadt

10.1.3.5. ***Puchenau*** D 165–629; ***Oberpuchenau*** R 120–424; ***Schloß Puchenau*** Schl; ***Unterpuchenau*** D 69–306

*D:* älter *,bū̃ɒ'nā̃u̯*, jünger *,buɒχɒ'nā̃u̯*

*U:* 807–08 *in loco nuncupante ... Poachinnauua* Tr Freising n. 267; 827 *terminum illum inter ipsa casa dei ad Puochinauua et inter Sclauaniis* ebd., n. 548; 827 *ad illo loco quę dicitur Pohinauua* ebd.; 827 *casa dei ad Pochinauua* ebd.; 983–91 C 1140–50 *deciamam ... de Puchnova* Tr Göttweig n. 424; 983–91 C 13.Jh. *Puchonowa* HL Passau 3, 123, Dr: M Boica 28 b, 207 n. 6; 985–91 *Pǒchnoua* Tr Passau n. 93 b; 1110 *usque ad terminum ecclesie Buchn(owe)* OÖ. UB. II, n. 92; 1110 Ins 1205 C 13.Jh. *Pǒhnawe* HL Passau 3, 127, anders M Boica 28 b, 269 n. 47: *Pvohnawoe*; *1220–40 *Chunradus de Puchenawe* Trad. Pass. I, n. 1334;1252 *Heinrico de pv̊chenawe* OÖ. UB. III, n. 191; 1321 *Ermrici plebani in puechnave* OÖ. UB. V, n. 318; 1378 *ain güt gelegen in der Püechenaw* OÖ. UB. IX, n. 368; 1378 *in der Puchenaw* ebd., n. 375; 1380 *in Puchenawer Pharr* ebd., n. 758; c. 1380 *gelegen in Pvchenawer pharr* OÖ. UB. X, S. 721, n. 28; c. 1380 *alle gelegen sint in Puechnawer pfarr* ebd., S. 807, n. 234; 1383 *das kirichlehen der kyrchen ze Puchenaw* OÖ. UB. X, n. 287; 1388 *die Vorsthub gelegen in Puhenauer pharr* ebd., n. 617; 1395 *ain lehen gelegen in der Puchnaw ob Lincz* OÖ. UB. XI, n. 434; 1446 *In puechnawer pharr* Lf. LB., NÖLA, NÖ. Regierung 17, Hs. 6, f. 36;*1544 *Achleitner in der Puechenaw und derselben Pfarr* Urb. Wildbg., Linzer Reg. B II, D 2, S. 16; *1569 C 1627 *Puechenauer Pfarr* Linzer Reg., D I A 1, S. 51; *1583 C 1627 *Puchenauer Pfarr* Urb. Steyreck, Linzer Reg. E 5, S. 41; *1591 *Ambt Puechenaw bey Linntz* Urb. Eschelbg., Linzer Reg. B II D 1, S. 91; *17. Jh. *Puechenauerischer Wiltpanns Geczürkh*; *Amt Puechenau*; *Puechenauer Pfarr* Urb. Eschelbg., Linzer Reg. B II D 1, S. 120f.; *1630 *Amt Puechenaw*; *bis in die Puchenaw zur Kirchen* ebd., S. 94; 97; *1694/1700 *Puechenauer Pfarr*; *Andreas Ländl in der Puechenau* Urb. Lustenf., Linzer Reg. E 5, S. 173f.; *1757 *Erstlich vom Puchenauischen Schlossgebäu*; *Hoftafern und Brauhaus zu Puchenau*; *Schif-Mühl an der Puchenauer Wendt* Urb. Hartheim, Linzer Reg. B II D 1, S. 145; 150; 1827 *Unter die Pfarre Buchenau gehören Buchenau, Oberbuchenau mit 19 Häusern und 106 Einwohnern, und Unterbuchenau wieder mit 19 Häusern und 112 Einwohnern. Der Pfarrort Buchenau, Puchenau ... zählt 13 Häuser, 20 Wohnparteyen, und 103 Bewohner.* Pillwein I, S. 263; 1857 *Puchenau*; *Unt. Puchenau* Souvent.

***E:*** Gereihter *-au*-AN (siehe EB) mit bair.-ahd. *puohhîn* / mhd. *puochîn* 'von, aus Buche' (Lexer I, Sp. 378) im Sinne 'mit Buchen bewachsene Au'. Die Unterscheidung zweier Ortsteile ist volkstümlich nicht gebräuchlich. Das Schloß Puchenau wurde von Christoph Ernst Graf Schallenberg 1673/74 erbaut.

***L:*** Schwarz, S. 98; Schiffmann III, S. 92; ADNB I, S. 175; Grabherr (1975), S. 151; Grabherr (1976), S. 344; Dehio (2003), S. 627.

10.1.3.6. ***Gartenstadt I*** Sdlg von Puchenau 181–713; ***Gartenstadt II*** Sdlg von Puchenau 165–505

***D:*** –

***U:*** –

***E:*** Ab 1962 wurde die Gartenstadt *Puchenau I* mit rund 240 Wohnungen geplant. In der zweiten Hälfte der 1960er Jahre wurde sie gebaut und umfaßt 75 ebenerdige und 84 zweigeschossige Einfamilien-Reihenhäuser sowie 79 Wohnungen in dreigeschossigen Mehrfamilienhäusern. Am 14.7.1978 wurde mit dem Bau von *Puchenau II* auf dem westlich von *Puchenau I* anschließenden Gelände eines früheren Golfplatzes begonnen. Im Unterschied zu sonstigen Siedlungen, die meist nach und nach durch die Bautätigkeit von Privatpersonen entstehen, handelt es sich hier um Siedlungen mit Modellcharakter, die von Architekten unter der Leitung von Roland Rainer (1910–2004) systematisch geplant und angelegt wurden.

***L:*** Rainer, Roland / Königseder, Rudolf / Amiras, Nikolaus: Forschungsarbeit Gartenstadt Puchenau II. Wien 1984.

10.1.3.7. ***(Gattered)*** Sdlg 14–40

***D:*** HN *dɒ ˌgǭdɒˈrẹdɒ*

***U:*** c. 1380 *ein gut genant Getrod* OÖ. UB. X, S. 806, n. 234; *1396 C 17. Jh. *ein gut genant Gateröd* Linzer Reg., C III A1, n. 84; 1443–1480 *Item ain gut Gateröd*; *gut Zu Kronöd das der bemelt Gatteröder Innhat* Lf. Lb., NÖLA, NÖ. Regierung 17, Hs. 4, f. 184; *1525 (1656) *Gatteröedter* ZR. Puch.; *1635/64 *Hannß Gatterederder von seinem Gut* Urb. Lustenf., Linzer Reg. E 5, S. 143; *1755 *Gatterederguth in Puchenauer Pfarre* Urb. Hartheim, Linzer Reg. B II D 1, S. 139; 1857 *Gattereder* Souvent.

***E:*** Der HN *Gattereder* ist eine *-er*-Ableitung vom *-öd*-LN (siehe EB) *Gatteröd*, ein FlN mit dem BW mhd. *gater* stmn. 'Gatter, Gitter als Tor oder Zaun' (Lexer I, Sp. 743f.). In der Nähe des Hofes entstand seit den 1960er Jahren eine Siedlung mit Einfamilienhäusern.

***L:*** Reutner, S. 177; O. Spacil: Siedlungsleitbild Gemeinde Puchenau. Dipl., Wien 1989, S. 27, 61; Heimatbuch Puchenau, 1993, S. 153 (Abb.).

10.1.3.8. ***Großamberg*** R 68–98 = 10.1.7.1. ***Amberg; Großamberg/Gramastetten***

***D:*** *'ãmbę̄ɒg*

***U:*** 1149 C um 1165 *curtis Erbenperch* D KoIII n. 273; 1149 C 12. Jh. erg. aus C 14. Jh. *cur(tis) Erbenberc* Stmk LA, U 130, anders UB Stmk. I, n. 280: *-berch*); 1158 *curtis ... Erbenberch* D FI n. 202; 1180 *decimas ... Arbenberch* OÖ. UB. II, n. 252; 1206 *Erinberg* ebd., n. 351; 1287 *Erinberge curia. De curia Aͤrenperge*; *Erinberge superius. De superiori Aͤrenperge* OÖ. Stiftsurb. III, S. 364, n. 31f.; c. 1343 *de superiori Ernperig*; *de inferiori Arnperig* ebd., 395, n. 59f.; 1354 *superior Ernperig*; *inferior Ernperger* ebd., S. 411, n. 26; *1459 *Arnperg* BLB. Lad., f. 32; *1523 *Nider Arnperger* Urb. Wilh., f. 47; *1676 *Amberg* Urb. Gram., f. 21; *1813 *Armberger* Beitr. Mühlv. 14, S. 101; 1857 *Amberg*; *Gr. Amberg* Souvent.

***E:*** Gefügter *-berg*-BN (siehe EB) mit dem ahd. PN *Arb(e)o* (Förstemann I, Sp. 142) mit Sekundärumlaut wegen der umlautbehindernden Lautgruppe *-rb-*.

***L:*** Schwarz, S. 83; ADNB I, S. 31.

10.1.3.9. ***Im Aignergrund*** 3–0

***D:*** HN *'ǭɒ(g)ŋɒ*

***U:*** ?*1591 *Anndre Aigner von seinem Gut* Urb. Eschelbg., Linzer Reg. B II D 1, S. 91; ? *1630 *Peter Aigner* ebd., S. 94; *1654 *Aigner Klainhäusl reicht für Dienst dem Aigner als Stifter in sein Gut jährlich zu Hilf* ebd., S. 99; 1857 *Aigner* Souvent.

***E:*** HN mit dem FN *Aigner*, eine *-er*-Ableitung von mhd. *eigen* stn. 'Eigentum, ererbtes Grundeigentum (im Gegensatz zum Lehen)' (Lexer I, Sp. 18) im Sinne von 'freier Bauer, der ein nicht abgabeflichtiges Gut besitzt' (Brechenmacher I, S. 15f.; Kohlheim S. 80).

***L:*** –

10.1.3.10. ***Kreuzwegsiedlung*** 13–39

***D:*** –

***U:*** –

***E:*** Die Siedlung liegt im Bereich der ehem. Linzer Befestigungsanlagen in der Nähe des auf den Pöstlingberg führenden Kreuzweges. Dieser wurde 1803–05 errichtet und seine Stationen 1930 mit Reliefen aus Gußbeton versehen.

***L:*** Heimatbuch Puchenau, 1993, S. 220, 231f.

10.1.3.11. (***Reinprechten***) Sdlg 22–87

***D:*** HN *dɒ'rā̃ḭ̄brȩχt*

***U:*** *1525 (1656) *Reinprecht* ZR. Puch; *1681 *Reinprecht* Urb. Puch., f. 39; c. 1775 *Reinbrecht* Jos. LA.; 1857 *Reinprechter Häusl* Souvent.

***E:*** HN *Reinprecht* vom bair.-ahd. PN *Reginprĕht, Reinprĕht* (Förstemann I, Sp. 1224 f.). Die Siedlung entstand in der Nähe des Hofes.

***L:*** Schwarz, S. 99.

10.1.3.12. ***Schießstätte*** D von Unterpuchenau 69–306 = 10.1.7.45. ***Schießstätte/Gramastetten***

***D:*** –

***U:*** –

***E:*** Die Schießstätte wurde 1888 von der k.k. Heeresverwaltung im Hammerbachgraben errichtet, aber bald nach 1900 wieder aufgegeben. Erhalten blieb jedoch die 1890 errichtete Kantine zur Verpflegung der Soldaten, die dann in ein bei den Linzern beliebtes Ausflugslokal *Zur Schießstätte* umgewandelt wurde. Nachdem nach dem Zweiten Weltkrieg das Gelände allmählich durch eine Siedlung verbaut worden und dadurch der Ausflugsverkehr zum Erliegen gekommen war, wurde 1991 die Gaststätte geschlossen und in ein Wohnhaus umgebaut.

***L:*** Heimatbuch Puchenau, 1993, S. 154 (Abb.) und 161.

10.1.3.13. (***Schloßsiedlung***) Sdlg von Puchenau 14–52

***D:*** –

***U:*** –

***E:*** Die Siedlung wurde seit 1965 auf Gründen errichtet, die zum Schloß Puchenau gehörten.

***L:*** –

## 10.1.4. Steyregg 955–4394

10.1.4.1. ***Am Pfenningberg*** Sdlg von Plesching 36–131

***D:*** *'bvenḭŋ,bę̄ɒg*

***U:*** *17. Jh. *Geörg Khlampaur am Pfeningberg*; *Christoph Hämetner am Pfeningberg* Linzer Reg., D I A 1, S. 95f.; c. 1775 *Pfening Berg*; *Pfeningberger* Jos. LA.; 1857 *Pfenningberg* Souvent.

***E:*** Gereihter *-berg*-Name (siehe EB) mit nach Schiffmann als BW dem FN *Pfenning* von mhd. *pfenni(n)c* stm. 'Pfenning' (Lexer II, Sp. 238 f.) als Übername nach einer Zinsverpflichtung (Brechenmacher I, S. 126) oder nach einer bäuerlichen Abgabenverpflichtung in Geld statt in Naturalien (Kohlheim, S. 503). Er geht auf die seit dem 13. Jh. nachweisbare Linzer Bürgerfamilie *Pfenning* (1273 *Heinricus Denarius*, 1282 *Heinrich Pfenninch* OÖ. UB. IV, n. 424; 595; 1288 *Ulrich der Pfenninch* ebd. IV, n. 84.) zurück. Schiffmann nimmt allerdings an, daß in *Pfenningberg* eine Klammerform aus *Pfenningmayerberg* vorliegt, wobei es sich um ein jener Familie gehörendes, hier gelegenes Gut handeln soll. Der Pfenningberg ist mit 616 m der höchste Berg des Steyregger Waldes.

***L:*** Schiffmann III, S. 60; März, S. 14.

10.1.4.2. ***Am Reichenbach*** Sdlg von Pulgarn 14–62 = 10.1.10.23. ***Reichenbach, Ober-, Unterreichenbach/Engerwitzdorf***

10.1.4.3. ***Plesching*** D 60–290

***D:*** *'blę̄ßiŋ*

***U:*** *1350 *Pleschyngen* Sekker, S. 15; *1481 *Pleschinger Fischerei*; *von der untern Mittern Aw am Val zu Plesching*; *neben der Mitteraw zu Plesching*; *Au, die liegt an Pleschinger Aw* Urb. Steyreck, Linzer Reg. E 5, S. 3; *1512 *Symon Vischer zu Plesching vom Paurnlehen*; *Pertl zu Plesching von der Hofstatt ... im Hakn*; *Paul Vischer zu Plesching von seiner Hofstatt*; *Hännsl Mair zu Plesching von deiner Aw daselbst zu Plesching*; *an der Pleschinger Au* Urb. Steyreck, Linzer Reg. E 5, S. 12f.; 1555 *Pleschinger Vischerei in Steyreckher Pharr*; *Thoman Voglerhueber, Schneider zu Plesching*; *Michel Pernstich zu Plesching* ebd., S. 32; 35; *1569 C 1627 *Plechinger Vischerey*; *Pannagl am Ort zu Plesching ganze Fischweide* Linzer Reg., D I A 1, S. 43; 1583 C 1627 *Sebastian Pannagl am Orth zu Plesching*; *Mayr zu Plesching* ebd., S. 40; 44; 1597 *Michael Pännagl am Orth zu Plesching*; *Mayr zu Plesching* ebd., S. 68; 75; 1619/28 *Pleschinger Vischereien* ebd., S. 109; c. 1775 *Plesching* Jos. LA.; 1827 *Plesching oder Pläsching* Pillwein I, S. 415; 1857 *Plesching* Souvent.

Anm.: Sekkers ukdl. Beleg von 1350 stammt aus Hohenecks Genealogie von 1747, der seinerseits aus verlorenen älteren Quellen schöpfte.

***E:*** Angesichts des zweifelhaften ukdl. Belegs von 1350 wohl unechter *-ing*-Name (siehe EB) aus **Pleschen*. Dann handelt es sich entweder um das slaw. Relikt- oder Lehnwort *Plesch(e)*, 'Fleck, kahle Stelle' (vgl. WBÖ III, Sp. 367, wo das Wort allerdings deutsch erklärt wird) aus slaw. **plešь* 'kahle Stelle, Glatze' in slow. *pleš(a)*, tschech. *pleš* (Vasmer II, S. 371f.; Bezlaj II, S. 56) als Dat. sing. mhd. **ze [der] pleschen* oder überhaupt schon um eine slaw. Bildung **Plešina, -ьna*.

***L:*** Schwarz, S. 97; Schiffmann III, S. 71; Kouril, n. 1773; Kronsteiner (1978), S. 28; Kronsteiner (1980), S. 224.

10.1.4.4. ***Pulgarn*** D 33–160; ***Pulgarner Straße*** Sdlg von Pulgarn 29–117

***D:*** *'pṵ̄igɒn*

***U:*** 1111 F 12.JhE *ad Pulgarin* OÖ. UB. II, n. 97; Dat. nach H.Koller, Tr SFlorian S. 288; 1111 F 13.Jh. *ad Pulgarn* ebd., n. 98; Dat. s. H.Koller, Tr SFlorian S. 287ff.; 1113 F um 1200 ad Pulgarn ebd. n. 99; Dat. nach A.Walter, Privilegien SFlorian S. 104; 1122 F um 1200 *Pulgarn* ebd., n. 102; Dat. w.o.;

Belege kopialer und später Überlieferung in Auswahl: 1303 C *hospitale in Pulgarn* OÖ. UB. IV, n. 482; 1305 C *hospitale pauperum in Pulgarn infra limites parochialis Ecclesiæ in Tauershaim* OÖ. UB. IV, n. 522; 1315 C 1632 *vnnser Styfftunge des Spittalls zu Pulgarn* OÖ. UB. V, n. 149; 1320 C 1632 *vnnser Styfftunge zw Pulgarn* ebd., n. 287; 1322 C 1632 *zu dem Spittall zu Pulgarn* ebd., n. 339; 1329 C 1632 *das Erbar Gottshauss zu Pulgarn* ebd., n. 550; 1345 C 1632 *Gehn Pulgarn jnn das frauen Closter*; *jn dem dorff zw Pulgarn*; *dem vorgenanndten Closter zu Pulgarn den frauen vnnd den Briestern daselbs* OÖ. UB. VI, n. 507; 1345 C 1632 *Anna von Capelln obriste maisterin zu Pulgarn* ebd., n. 508; 1351 *gotzehaus hinz Pullegarn* OÖ. UB. VII, n. 252; 1370 C 1632 *dem erwüerdigen frauen chloster zu Pulgarn* OÖ. UB. VIII, n. 463; 1374 *bey dem closter zu Pulgarn* ebd., n. 688; 1382 *Agnes die Stadlerin, die zeit maisterin des heiligen Geystes chloster dacz Pulgarn* OÖ. UB. X, n. 176; 1389 *hern Christan, zu den zeiten prior zu Pull-*

*garn* ebd., n. 718; 1392 *ze dem goczhawz Pulgarn* OÖ. UB. XI, n. 120; 1392 *zu unserr stift gen Bulgarn* ebd., n. 135; 1393 *Agnesen der Stadlerin der maistrin ze Pulgaren* ebd., n. 195; *1431 *Pulgarn* Archiv Linz V, S. 120; 1467 *den von Pulgarn pergkrecht* OÖ. Stiftsurb. II, n. 432, n. 25; *1481 *Buligarn* Urb. Steyreck; 1545 *Gottshauß Pulgern; Conuent des Closters Pulgern in disem Land vnnder Steyregg gelegen* HKA, NÖHA P 68, f. 2; 4; 1559 *wegen des Closters zu Pulgern* HKA, NÖHA P 68, f. 9; 1569 *deß Gotshaus Pulgern ausstendige Landt Stewrn betreffend; Prior Zu Pulgarn* HKA, NÖHA P 68, f. 11; 14; *1569 C 1627 *Holde des Klosters Pülgern; Holde des Spital zu Pulgern* Linzer Reg., D I A 1, S. 55f.; 1576 *Gottßhauß Pulgern* ebd., f. 33; 1588 *Prior Zu Pulgarn in Osterreich ob der Enns gelegen* HKA, NÖHA P 68, f. 89; 1590 *das Closter Pulgern; dem Gottshaus Pulgarn* ebd., n. 126; 129; 1591 *dem Closter Bulgern* ebd., f. 131; 1600 *als inspectorn des Clösterls Pulgern* ebd., f. 168; 1602 *Inspectores des Gotts Haus Pulgern* ebd., f. 151; 1602 *Dem ... Thomae Parstorffer ... Administratorn zu Pulgern* ebd., f. 160; 1638 *Richter von Pulgarn; unzt in den Reißenbach, der von Pulgarn herauß rindt; und wert untzt in den Reichenpach, der von Pulgarn herauß rindt* Linzer Reg., D I A 1, S. 8; 11; 19; 1658 *bey Ihrem Closter Pulgarn in Österreich ob der Enns* HKA, NÖHA P 68, f. 171; 1723 *dem Würdigen Gottshaus Zw Pulgarn* HKA, NÖHA P 68, f. 187; 1732 *nächst bey Steyreck gelegene dem Orden deß Heiligen Geistes gewidmete/ dermahlen aber abgekommene Closter Pulgarn.* Hoheneck, Genealogie II, S. 783; *1787 *Bulging* Schütz; c. 1775 *Schloß Bulgarn* Jos. LA.; 1827 *Pulgarn, Pulgara, Bulgarn, ein Dorf und Schloß mit 23 Häusern.* Pillwein I, S. 415; 1857 *Pulgarn* Souvent.

***E:*** Die *-ern*-Bildung (siehe EB) leitet sich vom Stammesnamen bair.-ahd. *Pulgâra* 'Bulgaren' (Köbler, S. 155) her. Nach der Fredegar-Chronik nützten die Bulgaren den Niedergang des Awarenreiches zum Abfall, wurden aber von jenen geschlagen, so daß 631/32 an die 9.000 Bulgaren nach Westen über Baiern zu den Franken flüchteten, von denen aber ein Großteil auf Befehl des Frankenkönigs Dagobert I. (623–639) getötet wurde. Ein anderer Teil floh mit seinem Fürsten Alciocus über alpenslawisches Gebiet zu den Langobarden nach Italien und siedelte sich schließlich in Benevent an. Einige Bulgaren dürften jedoch im bairischen Gebiet verblieben sein. So findet sich in den Mönchslisten von St. Peter und Mattsee in Salzburg nicht nur der PN *Pulgar*, sondern könnten sich auch Bulgaren in *Pulgarn* angesiedelt haben. Hier gründete dann 1303 Margarethe, die Witwe Ulrichs von Kapellen, ein Spital, das dem Wiener Hl. Geist-Orden anvertraut wurde. Daraus entstand 1328 ein Doppelkloster, das 1342 selbständig wurde und nach seinem Niedergang in der Reformationszeit 1609 den Linzer Jesuiten übergeben wurde und bis zu deren Ordensaufhebung 1773 bestand.

***L:*** Schwarz, S. 98; Schiffmann III, S. 94f.; ADNB I, S. 177; Hirsch, n. 507; Pillwein I, S. 413–416; Lechner I, S. 91; Ulm, S. 167; H. Wolfram: Grenzen und Räume, 1995, S. 80f.; Dehio (2003), S. 875ff.

10.1.4.5. ***Götzelsdorf*** W 9–33

D: *'gēdsl,šdǭɒɒ*

***U:*** 13. JhE *Götzleinstorf* Lb. Kap., HHStA bl. 18, f. 10; 1336 *herren Chunraten von Götzeinsdorf* OÖ. UB VI, n. 190; 1385 *dem Druksätzen von Götzeinsdorf; lehen gelegen ze Götzeinsdorf* OÖ. UB. X, n. 444; c. 1400 *der hof zw Göczleinstorf vnd 3 hofstetten dapey* Nbl. VII, S. 111; *1433 *Göczschlestorf* Linzer Reg., C III A1, n. 282; *c. 1430 *Götschlestorf* LB. Albr. V., f. 37; Archiv 104, S. 624; *1455 *1 Hof zu Goczleinstorff gelegen und 3 Hofstätte dabei in Steyregkerpfarre* LB. S. 216, n. 170; 305, n. 234; *1456 *Goczleinstorf* Linzer Reg., C III A1, n. 453; *1459 *Goczleinstorff* ebd., n. 489; *1460 *Goczleinstorff* ebd., n. 527; 1563 Götzleinstorff Urb. Schwertbg., f. 16; *1564 *der Hof zu Götzlstorff vnd 3 Hofstätten dabey* Grabher (1975), S. 152; *1569 C 1627 *Hof zu Gotzlastorff* Linzer Reg., D I A 1, S. 57; *1668 *Götzlastorff* Urb. Steyreck, f. 66; c. 1775 *Götzelsdorf* Jos. LA.; 1827 *Götzelsdorf* Pillwein I, S. 415; 1857 *Götzelsdorf* Souvent.

***E:*** Gefügter *-dorf*-BN (siehe EB) mit dem kosenden ahd. PN *Gotzilî* im Wechsel mit *Gotzî* (Förstemann I, Sp. 613), von denen sich die erste Form durchgesetzt hat.

***L:*** Schwarz, S. 80; Schiffmann III, S. 186; Böhm, S. 180; Grabherr (1975), S. 152.

10.1.4.6. ***Hasenberg*** D 11–45

***D:*** *'hāsm,bę̄ɒg*

***U:*** *c. 1305 *an dem Hasenperig* Linzer Reg., C III A1, n. 25; ? *1324 *agro in Haesenperig* Urb. Pass., S. 592; *1351 *Hasenberg* Stülz, Pulgarn, S. 73; *1569 C 1627 *Leitte unter dem Hasenberg; Acker am Hasenberg; Lusß am Hasennberg; Grueber zu Hasenberg; Staininger zu Hasenberg* Linzer Reg., D I A 1, S. 34f.; 55; *1590 *Haasenberg* Archiv 94, S. 286; c. 1775 *Hassenberg* Jos. LA.; 1827 *Hasenberg* Pillwein I, S. 415; 1857 *Hasenberg* Souvent.

***E:*** Gefügter *-berg*-N (siehe EB) entweder als BN mit dem ahd. PN *Haso* (Förstemann I, Sp. 787; Kaufmann, S. 177) mit Sekundärumlaut auf Grund des Genitivs ahd. *Hasin*/mhd. *Häsen* oder als AN mit dem Adj. bair. *hasen* 'glatt, weich, ruhig' aus ahd. *hasan*, mhd. **häsen* mit Sekundärumlaut durch Anlehnung an Stoffadjektiva auf *-în* (Schmeller I, Sp. 1173 f.; WBÖ-S) im Sinne von 'sanft, abfallender Berg'.

***L:*** Schiffmann III, S. 222; März, S. 107.

10.1.4.7. ***Holzwinden*** D 24–100

***D:*** *'hōids,wĩtn*

***U:*** 13. JhE *Holtzwinden* LB. Kap., HHStA bl. 18, f. 9; 1316 *duas Hvebas in Holtzwind* UB. V, n. 165; *1569 C 1627 *1/3 Zehent auf fünf Häusern zu Holzwündten* Linzer Reg., D I A 1, S. 58; c. 1775 *Holzwinden* Jos. LA.; 1827 *Holzwinden* Pillwein I, S. 415; 1857 *Holzwinden* Souvent.

***E:*** Gereihter LN mit dem GW bair.-ahd. *winid*/mhd. *wint(e)* stswm. 'Winde, Slawe' (Lexer III, Sp. 915) und dem BW mhd. *holz* stn. 'Wald, Holz' (Lexer I, Sp. 1329) im Sinne von 'die im Wald wohnenden Slawen' im Gegensatz zu *Abwinden* 'die am Fluß (Donau) wohnenden Slawen', vgl. OÖ.ONB 11, 11.1.1.1. Abwinden/Luftenberg an der Donau.

***L:*** Schwarz, S. 90; Schiffmann III, S. 251; Winkler, S. 61.

10.1.4.8. ***Lachstatt*** ZH 32–104

***D:*** *'lǭxšdǭd*

***U:*** *1555 *Lachstatt* Urb. Steyreck, f. 37; *1569 C 1627 *obere und untere Hofstatt zu Lachstatt* Linzer Reg., D I A 1, S. 58; *1619 *Lachstatt* Urb. Steyreck, f. 167; *c. 1640 *Lachstatt* Einl. Köpp., f. 225; 1827 *Lachstatt* Pillwein I, S. 415; 1857 *Lachstadt* Souvent.

***E:*** Gereihter *-statt*-LN (siehe *-stetten* im EB) mit mhd. *lâche* swf. 'Grenzzeichen' (Lexer I, Sp. 1807) wohl mit Bezug auf ein Grenzgebiet zwischen der Herrschaft Steyregg und der Stadt Linz.

***L:*** Schiffmann III, S. 298.

10.1.4.9. ***Langfeldsiedlung*** Sdlg von Plesching 112–346

***D:*** –

***U:*** –

***E:*** Ursprünglicher FlN als *-feld*-AN (siehe EB) mit dem BW 'lang' aus mhd. *lanc* (Lexer I, Sp. 1818) im Sinne von 'langgestrecktes Feld'. Die Siedlung entstand in den 1970er Jahren.

***L:*** –

10.1.4.10. ***Obernbergen*** ZH von Steyregg 23–82

***D:*** *'ōwɒ,bę̄ɒn*

***U:*** –

***E:*** Gefügter LN mit dem Dat. plur. von *Berg* (siehe EB) und dem Adj. '*ober*' aus mhd. *ober* 'ober, oberhalb' (Lexer II, Sp. 132 f.) im Sinne von 'bei den oberen Bergen'.

***L:*** März, S. 197.

10.1.4.11. ***Steyregg Stadt*** 485–2548

***D:*** *,šdā̯i'rek*

Anm.: Da sich der Name *Tafersheim* einst sowohl auf das Gebiet von St. Peter-Zizlau in Linz südlich der Donau als auch auf das westliche Gebiet von Steyregg nördlich der Donau erstreckte, versucht Schiffmann I, S. 173 die ukdl. Belege geographisch aufzuteilen. Dagegen verzichtet das ADNB I, S. 219 auf eine solche Aufteilung, der wir hier folgen.

***U: 1. Tafersheim***: 885 C 12.Jh. *nonam partem mutę ad Taberesheim* D KIII n. 128; 1111 F 12.JhE *decimatio ... ad Tabersheim una* StiA SFlorian U 1111/2, anders OÖ. UB. II, n. 97: *-hem*; Dat. nach f.Koller, Tr SFlorian S.288ff.; 1111 F 12.JhE *decime uini in ... ecclesiis Tabrisheim* OÖ. UB OÖ II, n. 97; Dat. w.o.); 1113 F um 1200 *decime portarie in diuersis parrochiis site ... ad Tabirsheim una* ebd., n. 99; Dat. nach A.Walter, Privilegien SFlorian S. 104; 1122 F um 1200 *decime portarie in diuersis parrochiis site ... Tauirsheim una* ebd., n. 102; Dat. w.o.; 1125–47 *predium aput Tauirsheimin* UB. Salzb. I, 367; um 1136–41 *mansum unum, qui iacet in loco, qui dicitur Tafershaim* Tr Berchtesgaden n. 95; 1147 *in area ... ad Tauersheim, secus ęcclesiam construere* UB. Salzb. II, n. 268; 1149 *ędificandi in cimmiterio capelle Tauershaim* ebd., n. 275; vor 1151 *predium, dimidium scilicet mansum apud Tauarsheimin* ebd., I, 424; 1151–67 *predium in loco, qui dicitur Tafershaim* ebd. S. 630; 1151–67 *dimidium mansum in loco, qui dicitur Tauersheimen* ebd. S. 638; 1151–67 *predii in loco Tauershaim positi* ebd. S. 646; 1159 *de predio Tauershaimen* ebd., II, n. 337; 1161 *Erbo de Taueresheim* OÖ. UB. II, n. 212; 1175 *de Tauershaimin ... tria curtilia loca in eodem loco vendidit* UB. Salzb. I, 455; Dat. nach H. Jandaurek, Alpenvorland S. 50); 1230 *in placito Tvomaduocati in Tabirsheim* OÖ. UB. II, n. 475; 1234 *Heinricus plebanus de Tauersheim* OÖ. UB. III, n. 21; 1242 *de Tauersheim viginti solidos* ebd., n. 108; 1255 *Vlrico plebano in Taversheim* ebd., n. 232; 1293 *vlricus miseracione diuina Decanus in Tauershaim* OÖ. UB. IV, n. 207; 1303 C *Albertus Plebanus de Tauershaim* ebd., n. 482; 1305 C *Albertum Plebanum in Tauershaim* ebd., n. 522; 1309 *dominus vlricus venerabilis Decanus in Thauershaim* OÖ. UB. V, n. 14; 1350 *dem gotzhhaus ze Tauershaim* OÖ. UB. VII, n. 164; *1366 *Pfleger der St. Petrischen Güter zu Tavershaim* Linzer Reg. C 1, S. 37; *1378 *De decima in Tavershaim* OÖ. Stiftsurb. III, S. 180, n. 45;*1427 *Freithoflehen in Taversheim* Linzer Reg. C 1, S. 38; *15. Jh. *das Hamerlehen zu Zaglaw, in der St. Peterpfarr zu Taversheim gelegen* Linzer Reg. C 1, S. 39; *1432 *auf dem gůt ze Prunnőd* in der Pfarre *Dauershaym*; *auf dem Kirchdorf in Dauershaymer pharr* HHStA, Linzer Reg. C III A 1, S. 77; *1432 *zu Tauershaim bei der kirchen gelegen* ebd., S. 79; *1432 *ze Tauershaim in Tauershaimer pharr* ebd., S. 81; *1437 *in der Pfarre Dafershaim* ebd., S. 87; 1443–1480 *Zu Zaglaw in Tauershaimer pharr* Lf. Lb., NÖLA, NÖ. Regierung 17, Hs. 4, f. 185; *1445 *Item de decima in Tavershaym* OÖ. Stiftsurb. III, S. 253, n. 56; *1450 *auf dem Kirchdorflehen ... in Dauershaimer pharr* HHStA, Linzer Reg. C III A 1, S. 108; *1454 *an den urfarn zu Tauershaim und Dürrfeld* ebd., S. 115; *1455 *Tafershaim in Tauershaimer pharr* ebd., S. 122; *1456 in der Pfarre *Tafershaim* ebd., S. 125; *1456 *in Tafershaimer pharr* ebd., S. 126f; *1456 Anna, Tochter des *Oberv̊ll* von Zitzlau (*Zagellaw*) ... *das Hamerlehen in sand Peters pharr zu Tafershaim*, das dem Stift St. Peter in Salzburg dienstbar ist ebd., S. 128; *1456 1 *Gut zu Stadl in Tafershaimerpfarre gelegen* LB. S. 95, n. 81; *1459 *bey der Aw* in der Pfarre *Tauershaim* HHStA, Linzer Reg. C III A 1, S. 137; *1460 *Schrangellehen zu Zagelaw* in der Pfarre *Tafershaim* ebd., S. 144; *1480 Pfarre *Tauershaim* ebd., S. 197; *1480 *Tauershaim in sand Peters pharr* ebd., S. 198; 1480 *Tavershaim in St. Peters pfarr* BLB., f. 9; 1484 *Dauershaim bey der kirchen* HHStA, Linzer Reg. C III A 1, S. 205; *1499 *dem wagenknecht zu Steyregkh ... in dem sloss zu Steyrekh ... dem fergen zu Tafershaim* ebd., S. 247; 1508 *Tafershaim in sannd Peter pharr bey Lintz* Urb. Windhag; *1528 *Taversham*; *Von ainem lehn haist Tavershaim* Linzer Reg. C 1, S. 47; 1555 *am Urfar zu Tafershaimb auff dem Lanndt, darauff Lintz ligt* Urb. Steyeck, f. 90; c. 1580 *Täbers-*; *Thobershaim oder die Zaglau* Urb. Viced.; 1584 *Thabershaimb*; *Täbershaimber Pfarr oder die Zaglau* Urb. Viced.; *1638 *Vermörckht das Urfahr zue Taferhaimb* Linzer Reg., D I A 1, S. 11; *c. 1640 *Tobertshaimb* Einl. Köpp., f. 118; *1668 *St. Petter bey Zaglau* Urb. Steyreck, f. 18; c. 1704 *Täborshamb, sonsten bey St. Peter in der Zizlau genanth* Urb. Viced.; 1827 *In dem Armenspitale zu Taffersheim (zur Stadt Steyreck numerirt) erhalten 8 Pfründner* ... Pillwein I, S. 418.

***2. Dorf***: 1628/32 *Weiner im Dorf* Linzer Regesten D.1 A.2, S. 55.

***3. Tobersbach***: 1512 *an den Tobersbach* Urb. Steyregg OÖLA, HA Steyreck, Hs. 3, f. 1; *1569 C 1627 *1 Hofstatt im Taberspach*; *Weingarten im Toberspach genannt der Leywolff*; *Stadl am Tobersbach* Linzer Reg., D I A 1, S. 31f.; *1619 *Toberpach* Urb. Steyreck.

***4. Steyregg***: (Belege kopialer Überlieferung in Auswahl): c. 1150 (13. Jh.) *castrum Steyrheke*, OÖ. UB. I 480, n. 2; 13. Jh. *Steyrheke castrum et omnia ad ipsum pertinencia* Urb. Pass. I, S. 268; 1241 *domini Livtoldi de Wildonia castrum Steyrekke*; *castrum Steirekke* OÖ. UB. III, n. 92; 1273 *Styrekk* Fontes 33, 5. 91; 1287 *decani de Steyrekk* OÖ. Stiftsurb. III, S. 376; 1315 C 1635 *niderhalb vnnsers hauss*; *zu Steyregg in dem hauss* OÖ. UB. V, n. 159; 1317 C 1632 *zw Steyreckh inn dem hauss* ebd., n. 183; 1322 *ze Steirek in dem Haus* ebd., n. 338; 1332 C 1632 *wer Steyreckh jnnhatt* OÖ. UB. VI, n. 50; 1367 C 1632 *in*

*Steyreckher pfarr* OÖ. UB. VIII, n. 340; 1374 *zu derselben khürchen zu Steyreckh* ebd., n. 682; 1376 C *Wolfel wagner von Steyrekk*; *Hertlein des schikchen, die zeit purgraff ze Steyrekk* OÖ. UB. IX, n. 40; 1380 *Wytigeins chinder von Steyrekk* OÖ. UB. IX, n. 662; 1388 *gelegen in Steyrekker pharr* OÖ. UB. X, n. 637; 1392 *diselb kirichen Steyrekk* OÖ. UB. XI, n. 120; 1392 *pharrchirichen ze Steyrekk* ebd., n. 135; 1395 *Chunrat dez Zechmayster ennenkchel von Steirekk* ebd., n. 462; *1404 *Steyregk, die veste* HHStA, Linzer Reg. C III A 1; S. 42; *1410 *messe auf sand Anthony alltar in dem haus ze Steirekch*; *vessten Steyrekk* HHStA, Linzer Reg. C III A 1; S. 49; *14. Jh. *Steyrekk* Urb. Pass., S. 706; *c. 1468 *Steirek* Czerny, Geschäftsleben, S. 64; *1486 *Steiregk* UB. Ens, n. 110. *1569 C 1627 *Stadt Steiregg*; *Steuregger Pfarr* Linzer Reg., D I A 1, S. 30; *1638 *Rechtbuech und Ehehafft Thätting der Statt Steyreckh*; *Richter zue Steyreckh*; *Wildtpaan so gehen Steyregg gehörig auf dem Landt, darauf Steyregg ligt* Linzer Reg., D I A 1, S. 8; 19; 1732 *Als auf dem Spitz eines hohen Bergs kostbar-prächtig und schön erbaute Schloß Steyreck/ ligt unweit des grossen Donau=Flusses in dem sogenannten Machland=Viertel dises Landes/selbs hat in seinen Ring=Mauren einen mit springenden Wässern beseelten angenehmen Garten/ unter dem Schloß aber ein kleines Städtlein gleiches Nahmen.* Hoheneck, Genealogie II, S. 782; c. 1775 *Schloß Steüereck* Jos. LA.; 1857 *Steyregg* Souvent.

***E:*** Nach Peter Grassnik (Heimatbuch Steyregg, 1982, S. 21) war der Name *Tafersheim* "für die ganze Gegend um die Traunmündung in der Zeit des frühen Mittelalters gebräuchlich. Sowohl die Siedlungen des rechten Ufers [der Donau], also St. Peter, Zizlau, Seyrlurfahr als auch die des linken Ufers, Windegg, Kirchendörfl und Steyregg, hießen ursprünglich gemeinsam Tafersheim." Er blieb in St. Peter bis um 1700 lebendig und schränkte sich in Steyregg im 17. Jh. zunehmend ein, so daß er schließlich im 19. Jh. zum Hausnamen des Steyregger Spitals wurde. Dieses wurde 1936 aus Verkehrsgründen abgerissen, womit der Name *Tafersheim* gänzlich verschwand. Über die Entwicklungen im Gebiet von Linz wird erst in OÖ.ONB 8 berichtet werden.

Der Name *Steyregg* kam mit der um die Mitte des 12. Jhs. wahrscheinlich von den Herrn von Steyr auf einem vorgeschobenen Felsrücken (*Eck*) errichteten Burg auf, die sich 1241 im Lehensbesitz der steiermärkischen Herrn von Wildon befand. Dabei bleibt unklar, ob die Herren von Steyr nördlich der Donau Fuß fassen wollten oder ob sie damit vom Hochstift Passau belehnt worden waren, denn der Bischof von Passau, Rüdiger, übertrug Steyregg auf Bitten seines Schwiegervaters Leutold von Wildon 1241 an den [Nieder]österreicher Albero von Chuenring. Jedenfalls befand sich die im [Kirch]dörfl gelegene Pfarrkirche von Tafersheim, die das Passauer Patrozinium St. Stephan trägt, im 12. Jh. im Besitz von Passau, wenn auch die ukdl. Erstnennung für 1111 eine Fälschung aus der Zeit um 1200 ist. Das heutige Schloß wurde 1778 erbaut und 1944 im Zweiten Weltkrieg teilweise zerstört.

Die im 13. Jh. am Fuß der Burg entstandene und auch ihren Namen *Steyregg* tragende Siedlung – das Gebiet von Tafersheim mit der Pfarrkirche lag westlich davon im [Kirch]dörfl – erhielt 1282 einen Wochenmarkt und begann allmählich Tafersheim an Bedeutung zu überflügeln. Dadurch wurde die Pfarre, obwohl die Kirche in Tafersheim lag, seit der zweiten Hälfte des 14. Jhs. als *Steyrekker pharr* (1388) bezeichnet und die Marktsiedlung schließlich Ende des 15. Jhs. zur Stadt erhoben. Bis in die zweite Hälfte des 19. Jhs. blieben, wie die Karte von Souvent von 1857 zeigt, [Kirch]dörfl und Steyregg voneinander räumlich getrennt und wuchsen erst dann zusammen.

Der ON *Tafersheim* ist ein *-heim*-BN (siehe EB) mit dem slaw. PN urslaw. **Dăbrā*, slaw. *Dobra* von slaw. *dobrъ* 'gut' (Miklosich, Slav. Personennamen, S. 55). Die Integrierung des slaw. PN muß, wenn nicht überhaupt schon die Bildung des ON bereits bair.-frühahd. gegen die Mitte des 8. Jhs. erfolgt sein, da die älteren ukdl. Bezeugungen die Zweite Lautverschiebung von *d-* zu *t-* und *-b-* zu *-p-* aufweisen und das kurze urslaw. *ă*, das sich auf dem Weg zu slaw. *o* befand, noch so offene Qualität besaß, daß es mit (früh)ahd. *a* substituiert wurde. Gegenüber dieser älteren Form des PN **Tapar/Taper* zeigen die jüngeren Belege die erst ab dem 9. Jh. erfolgte Integrierung von slaw. *-b-* als bair.-ahd. *-v-*, das dann im 13. Jh. seine Stimmhaftigkeit verlor und zu stimmlosem *-f-* wurde. Da aber in der Verbindung von Liquid und Labial, wobei der inlautende Fortisplosiv *-p-* am Ende der ahd. Zeit um die Jahrtausendwende zu *-b-* leniert wurde, mehrfach der Wechsel von *-b-* und *-v-* begegnet (vgl. u. a. OÖ.ONB 7, 7.5.8.4. Gaflenz), wird, sollte es sich nicht um bloßen Liquideneinfluß handeln, auch eine jüngere Integrierung erfolgt sein, wobei dann das *T-* in **Taver* auf Kontamination mit der älteren Form beruhen wird. Die Abschwächung im Kompositum zu *Tabirs-/Tavirs-* löste noch Sekundärumlaut aus. Als *Tober(s)bach* dürfte der heutige *Finstergrabenbach* bezeichnet worden sein. Er könnte eine Klammerform **Tabers[heim]bach* sein und hätte dann die ältere eingedeutschte Form des PN bewahrt. Möglich ist aber auch der im ON *Tobra* (vgl. OÖ.ONB 11, 11.2.4.7. Tobra/Perg) enthaltene Gewässername. Zwar kann er als urslaw. **Dăbrā* / slaw. **Dobra* mit slaw. *dobrъ* 'gut' im Sinne von 'gutmütiger (nicht reißender, nicht verheerender) Bach' aufgefaßt werden, doch besteht die Möglichkeit eines Zusammenhanges mit slow. *dobra* 'wasserreiche Gegend' als kelt. Reliktwort **dovri* 'Wasserland' (Bezlaj, Vodna imena I, S. 137f.). Grassnig (Heimatbuch Steyregg, 1982, S. 22) weist darauf hin, daß Arme der erst in der zweiten Hälfte des 19. Jhs. hier regulierten Donau, wie sie noch 1857 die Karte von Souvent zeigt, bis an Steyregg heranreichten.

Der sicher mit den Herren von Steyer verbundene Burgenname *Steyregg* ist ein gereihtes Kompositum mit dem dafür charakteristischen GW bair.-mhd. *ekke* stn. 'Eck, winkelförmiger, spitzer Vorsprung' (Lexer I, Sp. 507) und als BW dem GewN *Steyr* (vgl. OÖ.ONB 7, 7.9.1.12. Steyr). Als antikes **Stīria* stellt er sich zu idg. **stī-* 'zusammendrängen, sich verdichten' in altind. *stíy(ā)* 'stehendes Wasser' und mit *r*-Erweiterung in lat. *stīria* 'Eiszapfen' (im Sinne von 'verdichtetes Wasser'; Pokorny, S.1010 f.) und nimmt Bezug auf den Rückstau der Steyr bei Hochwasser.

***L:*** Schwarz, S. 103; Schiffmann III, S. 448; Musil, n. 338; Wiesinger (1980a), S. 273f.; (1990), S. 275; ADNB I, S. 219; Ulm, S. 215; Ferihumer, S. 323; Lechner I, S. 122; Grabherr (1975), S. 151; Grabherr (1976), S. 351f; M. Brandl/P. Grassnigg, Heimatbuch Steyregg, 1982.

10.1.4.12. ***Windegg*** R von Steyregg 45–169

***D:*** *ˌwin'dek*

***U:*** 1857 *Windegger Au* Souvent.

***E:*** Hier ragte früher der Zwingelstein weit in die Donau, von dem man eine gute Aussicht auf St. Peter und bis nach St. Florian hatte. Er wurde 1872 für den Bau der Bahn weggesprengt. Nördlich davon erstreckte sich als Donauinsel die *Windegger Au*, wovon der Name der heutigen Rotte stammt, der semantisch wohl auf den Zwingelstein Bezug nimmt. Er ist ein Kompositum mit dem GW '*Eck*' aus bair.-mhd. *ekke* stn. 'Eck; winkelförmiger, spitzer Vorsprung' (Lexer I, Sp. 507) und '*Wind*' aus mhd. *wint* stm. (Lexer III, Sp. 913 ff.), womit auf den dem Wind ausgesetzten Felsvorsprung Bezug genommen wird.

***L:*** Schwarz, S. 107; Reisinger, n. 219; M. Brandl/P. Grassnigg, Heimatbuch Steyregg, 1982, S. 20; Dehio (2003), S. 866ff.

## 10.1.5. Feldkirchen an der Donau 1041–4042

10.1.5. 1. ***Ach*** R 13–48

***D:*** *ǭ*

***U:*** 1378 *De Ach* OÖ. Stiftsurb. III, S. 106, n. 62; 1388 *ein guet ze Ach* OÖ. UB. X, n. 618; 1404 *Item de Aech* OÖ. Stiftsurb. III, S. 198, n. 99; *1526 *Jörg zue Ach*; *Sigmundt zu Ach* Einl. Ebelsbg., Linzer Reg. E 4 a, S. 32; 1827 *Ach* Pillwein I, S. 206; 1857 *Ach* Souvent.

***E:*** Simplex '*Ach*' (siehe *-aha*-Namen im EB).

***L:*** Schwarz, S. 83

10.1.5.2. ***Au*** R 11–47

***D:*** *āu̯*

***U:*** 1378 *In Au* OÖ. Stiftsurb. III, S. 118, n. 63f.; c. 1380 *vnd di hueb dacz Aw gelegen in Veldchircher* pharr OÖ. UB. X, S. 790, n. 179; *item die hueb dacz Aw gelegen in Veltkiricher pfarr* ebd., S. 816, n. 260; 1397 C 1564 *zwo gestiftete hoffstatt in der Au bey Hoffhaimb* OÖ. UB. XI, n. 741; *1414 (1610) *Au* Strnadt, Peuerb., S. 225; *1455 *1 Hube zu Au in Veltkircher-*

*pfarr gelegen. Lehenschaft von Wessenberg* LB. S. 239, n. 189; *1526 *Vrban auf der Au; Thoman in der Au* Einl. Ebelsbg., Linzer Reg. E 4 a, S. 32; c. 1775 *Weber auf der Au* Jos. LA.; 1827 *Au* Pillwein I, S. 206; 1857 *Au* Souvent.

*E:* Simplex '*Au*' (siehe EB).

*L:* Schwarz, S. 83.

10.1.5.3. ***Audorf*** R 29–124

*D:* '*ā̜ụdẹ̄ǫv*

*U:* 1571 *zu Audorff* Urb.Wax., f. 180; c. 1775 *Audorf* Jos. LA.; 1827 *Audorf* Pillwein I, S. 206.

*E:* Gereihter *-dorf*-LN (siehe EB) mit dem BW '*Au*' (siehe EB).

*L:* Schwarz, S. 84; Böhm, S. 120.

10.1.5.4. ***Bad Mühllacken*** D 46–269

*D:* '*mū̄,lǫkɒ*

*U:* 1526 *von der Tafern am müllackher* Urb. Schaunberg, OÖLA, Starhemb. Urbare, Hs. 162, f. 459; *1564 *der Mülackher* Urb. Tolet; *1584 (1629) *am Müllackher* Urb. Ob.Wallsee, f. 2, 8, 12; *1592 *am Mülackher* Urb. Bergh., f. 16; *1621 *Müllaker* Urb. Hörl; *17. Jh. *das Wildtpadt am Milackher* Hoh. VI 794; 1756 *Das Wild= und heylsame Baad zu Mủllacken; das Mủllacker Baad=Wasser; in diesen Mủllakker=Baad; Vitriol, so daß Mủllacker=Baad führet* Ferdinand Joseph Stocker: Fontigraphia. Oder: Brunnen=Beschreibung, des uralten Wild= und Heyl=Baads Zu Mủllacken, Bey Obern=Walsee. Linz 1756, S. 9; 11–13; 1787 *Mühlackerbad* Schütz; 1827 *Müllacken, Mühlacker, Millackar, ein Dorf und Badeort mit 24 Häusern ... am Pösenbache unter der Ruine Oberwallsee* Pillwein I, S. 209; 1857 *Mühllacken* Souvent.

*E:* Ursprünglicher gereihter FlN mit dem GW '*Acker*' aus mhd. *acker* stm. (Lexer, I, Sp. 18) und dem BW '*Mühle*' (siehe EB) als LN oder BN im Sinne von 'Acker bei oder im Besitz einer Mühle'. Erst im frühen 19. Jh. erfolgte wegen der Verschleifung und gleichartigen Aussprache, aber auch im Zusammenhang mit dem Bad die volksetymologische Umdeutung des BW zu 'Lacke'. Das Bad ist seit 1526 nachgewiesen, wobei der ehem. Landsitz den zunächst adeligen Badegästen als Unterkunft diente. Heute besteht hier ein Kneipp-Kurhaus, das seit 1936 von Marienschwestern betrieben wird. Der Zusatz *Bad* erfolgte 1977.

*L:* Grabherr (1975), S. 148; Grabherr (1976), S. 340; Dehio (2003), S. 118.

10.1.5.5. ***Bergheim*** 109–424

*D:* '*bẹ̄ɒghåm*

*U:* um 1188 *Curia in Berchaem* HStA München, HL Passau-SNikola n. 1, f. 32, anders TrPassau-SNikola n. 240: *Berchaim*; 1111 F 12.JhE *ad Bercheim dimidius* OÖ. UB. II, n. 97; Dat. nach H.Koller, Tr SFlorian S. 288; 1206 *duas curias uillicationis in Percheimen* OÖ. UB. II, n. 349; *c. 1230 *Percheim* Winter, S. 277; *13. Jh. *In Percheim* Urb. Pass. I, S. 103; *1341 *Perchaim* Necr. Wilh., S. 63; 1362 *die lantstraz die da gat von Perchaim hin auz* OÖ. UB. VIII, n. 112; 1362 *di lantstraz di da gat von Perchaim hinauz und an Oberndorffer holtz* OÖ. UB. VIII, n. 113; *1414 (1610) *Perkheim* Strnadt, Peuerb., S. 225; *1415 *Sicz zw Perkhaim gelegen in Veldkircher pharr* Grabherr (1975), S. 147; *1457 *2 Güter zu Perkhaim in Veldnewnkircherpfarre gelegen* LB. 238, n. 182; 1499 C 1564 *guet Zu Perkham* Urb. Waxenberg, OÖLA, Starhemb. Urb., Hs. 200, f. 34; 1526 *zu Pergkhaim* Urb. Schaunberg, OÖLA, Starhemb. Urbare, Hs. 162, f. 470; 1571 *in Perckhamer velt* HKA 1173, f. 180; *17. Jh. *Tafehrn zu Nider Pergham; Weinberger lehen zu Nider Pergham* Urb. Eschelbg., Linzer Reg. B II D 1, S. 140f.; *1757 *Tafern zu Nider Pergham insgemein beim Schaafpaurn genannt* Urb. Hartheim, Linzer Reg. B II D 1, S. 157; c. 1775 *Bergham* Jos. LA.; 1827 *Bergheim, Perkham ... ist ein Schloß und Dorf mit 61 Häusern.* Pillwein I, S. 206; 1857 *Bergheim* Souvent.

Anm.: Möglicherweise gehören einzelne ukdl. Belege zu Bergham, Gem. Leonding, Pol. Bez. Linz-Land.

*E:* Gereihter *-heim*-LN (siehe EB) mit dem BW '*Berg*' (siehe EB) im Sinne von 'auf der Anhöhe gelegenes Heim' im Gegensatz zu dem in der Ebene befindlichen 10.1.5.7. Feldkirchen. Das unterhalb des Ortes gelegene, heute zu einer Schule umgebaute ehem. Wasserschloß ist erst ab 1415 ukdl. gesichert belegt, dürfte aber wesentlich älter sein.

*L:* Schwarz, S. 84; Schiffmann III, S. 54; Musil, n. 52; ADNB I, S. 79; Grabherr (1976), S. 330f.; Grabherr (1975), S. 147; Dehio (2003), S. 118ff.

10.1.5.6. ***Pesenbach*** D 72–297

***D:*** *'bę̄sm,bǭ*

***U: Ort:*** 1111 F 12.JhE *ad Bosinpach predium* StiA SFlorian U 1111/2, anders OÖ. UB. II, n. 97: *-bach*; Dat. nach H.Koller, Tr SFlorian S. 288; 1111 F 13.Jh. *predium in Poesinbach* OÖ. UB. II, n. 98; Dat. nach H.Koller, Tr SFlorian S. 288; 1147 C nach 1356 *de Posenpach* WeiheU SFlorian n. 16; 1149 Transs um 1165 *apud Boesenbach* D KoIII n. 273; 1149 C 12.Jh. *apud Boesenbach* UB. Stmk. I, n. 280; 1149 C 14.JhA *vineas Ascah et tres Besenpach* ebd., n. 130; Dat. nach K. Lechner, Waldegg-Muthmannsdorf S. 464; 1154 *de Bosenbach* OÖ. UB. II, n. 180; 1154 F 1236 *de Bosenbach* ebd., n. 182; Dat. nach A. Zauner, Wilhering S. 213;1156–76 *E. de Bosembach* Tr Aldersbach fol. 28, Dr: OÖ. UB. II, n. 234; Dat. nach UB Bab 4/1, n. 790; um 1158 *E. de Posenpach* Tr Passau-SNikola n. 92; 1158 *apud Besenbach* D FI n. 202; 1161 *de Bosenbach* OÖ. UB. II, n. 213; 1177–82 C um 1300 *E. de Posenbach* UB. Bab. I, n. 46; 1190 *de Posenpac* Tr Reichersberg n. 200; 12.JhII *D. de Bosnbach* Necr 2, 393 Sp. 119; 1221 *Pősenbach* OÖ. UB. II, n. 432; *c. 1220 *Posenbach* Urb. Pass. II, S. 88; 1220–40 *Erkhengerus de Posenbach et Aerbo de Posenbach ... et Vlricus de Posenbach et Perhta de Posenbach* Trad. Pass., n. 1486; 1362 *in den Posenpach* OÖ. UB. VIII, n. 112; 1362 *abhin in den Posenpach* OÖ. UB. VIII, n. 113; 1364 *auf den perch genant der Chlausperch der da leit ob der Chlausműl in dem Pősenpach* OÖ. UB. VIII, n. 191; 1378 *De curia in Pösenpach et de decima in Veldchirhen* OÖ. Stiftsurb. III, S. 107, n. 100; *1404 *in dem Pösenbach* Urk. Starh. Eferd., OÖLA; *1438 *2 Güter im Pösenbach* Urk. Starh. Eferd., OÖLA; 1445 *Item Lerchenberger hoffstat in Pösenpach* St. III, S. 225, n. 119; *c. 1510 *Posenpach, alias Treitling* Urb. Pass. II, S. 232; 1623 *St. Lienhardt im Pesenbach* Hoh. VI 796; *1764 *das gebäu Pesenbach sambt dem Mayrhof* Grabherr (1975), S. 147; c. 1775 *Besenbach* Jos. LA.; 1827 *Pösenbach, Pesenbach, Päsenbach, Bösenbach, Besenbach ... Alle diese Namen findet man in Schriften und Urkunden vom genannten Dorfe mit 32 Häusern und 45 Wohnparteyen am Bache gleichen Namens mit einigen Perlmuscheln.* Pillwein I, S. 210f.; 1857 *Pesenbach* Souvent.

***Gewässer***, l.z. Donau b. 10.1.1.3. Hagenau: 12.JhA *ubi conueniunt Povsinpach et Tiuphinpach* Tr SFlorian S. 200; 1109 *allodia inter Bosenbac et Ebresbac* OÖ. UB. II, n. 91; 1142 *a termino Aposenbach usque in viam quę dicitur Regia via iuxta ęcclesiam sancti Nicolai* D KoIII n. 82; um 1185 *Molendinum in riuo Bosbach* HStA, HL Passau- SNikola n. 1, f. 32r, anders Tr Passau-SNikola n. 240: *Ros-*.

***E:*** Gefügter *-bach*-Name (siehe EB) mit bair.-mhd. *poese* 'böse, schlecht, schlimm, übel; klein, gering, wertlos' (Lexer I, Sp. 330) im Sinne von 'bösartiger, schädigender Bach' mit Bezug auf verheerende Auswirkungen bei Hochwasser.

***L:*** Schwarz, S. 97; Schiffmann III, S. 57; ADNB I, S. 85; Bito, S. 192; Grabherr (1975), S. 147; Grabherr (1976), S. 343f.

10.1.5.7. ***Feldkirchen an der Donau*** Markt 107–438

***D:*** älter *,vǭ̄'khīɒrɒ*, jünger *,vǭ̄'khiɒχɒ*

***U:*** 1110–30 *Heinrich de Veltchirchin* Tr Passau n. 400; 1143 *ecclesiam Veltchirchen* OÖ. UB. II, n. 143); 1179 C 13.Jh. *predia ... Veltchirchen* HL Passau 2, fol. 67', Dr: OÖ. UB. II, n. 249; 1182 C 13.Jh. *prœdia ... Veltchirchen* ebd., 3, fol. 117', Dr: OÖ. UB. II, n. 258; 1220–40 Veltchirchen Trad. Pass., n. 1334, 1487; *13. Jh. *in parrochia Veltchirch(en)* Urb. Pass.I, S. 355; 1313 *Her wolfker der pharrer von Veldchirchen* OÖ. UB. V, n. 117; 1332 *in Veldchiricher pfarr* OÖ. UB. VI, n. 66; 1347 *in der Pharr ze Veldchirchen* OÖ. UB. VII, n. 3; 1347 *an dem VIerstperg in Veldchirher Pharr* ebd., n. 6; 1348 *fpharrer* [sic!] *dacz Veldkyrchen* OÖ. UB. VII, n. 48; 1362 *ain holtz ... und haizt an dem obern hart und leit in Veldchircher pharr; all gemain ze Veldchirhen* OÖ. UB. VIII, n. 112; 1362 *und leit in Veldchircher pharr* OÖ. UB. VIII, n. 113; 1362 *und leit in Veldchircher pharr* ebd., n. 114; 1375 *und gen Veldchirichen* ebd., n. 727; 1378 *De curia in Pösenpach et de decima in Veldchirhen* OÖ. Stiftsurb. III, S. 107, n. 100; c. 1380 *vnd di hueb dacz Aw gelegen in Veldchircher pharr* OÖ. UB. X, S. 790, n. 179; *item die hueb dacz Aw gelegen in Veltkiricher pfarr* ebd., S. 816, n. 260; 1388 *in Veltchircher pfarr* ebd., n. 618; 1388 *in Veldkircher pharr* ebd., n. 642; 1397 *auf dem Mursperig in Veldchiricher pharr* OÖ. UB. XI, n. 646; 1399 *an dem Aygen gelegen in Veldkiricher pfarr* ebd., n. 965; *1401 *Weingarten ... in Veldkirchnerpfarr* Urk. Starh. Eferd., OÖLA; c. 1416 *in Veldkirer pharr; ain hofstat Zw Veldkirchen* Wallseer Lb., NÖLA, Nö. Reg. 17a, f. 22; *1423 *in Veldkircher Pfarr* Urk. Starh. Eferd., OÖLA; *1437 *Veltkircher Pfarr* Urk. Starh. Eferd., OÖLA; 1446 *gelegen in Veldkiricher pharr* Lf. LB., NÖLA, NÖ. Regierung 17, Hs.6, f. 13;*1457 *2 Güter zu Perkhaim in Veldnewnkircherpfarre gelegen* LB. 238, n. 182; 1499 C 1564 *Ambt Veltkhirchen* Urb. Waxenberg, OÖLA, Starhemb. Urb., Hs. 200, f. 34; *1544 *Feldkirchen im Werth* Eder, S. 48; 1571 *Veltkhircher Pfarr* HKA 1173, f. 180; *c. 1670 *Pfarrer zu Veldtkhürchen* Urb. Ebelsbg., Linzer Reg. E 4 a, S. 78; c. 1775 *Feldkirchen* Jos. LA.; 1827 *Feldkirchen. Dieses Pfarrdorf liegt südlich nahe an der Donau.* Pillwein I, S. 207; 1857 *Feldkirchen* Souvent.

***E:*** Gereihter *-kirchen*-LN (siehe EB) mit dem BW mhd. *vëlt* stn. 'Feld, Boden, ebene Fläche' (Lexer III, Sp. 57f.) im Sinne von 'im Feld = in der Ebene gelegene Kirche'.

***L:*** Schwarz, S. 86; Schiffmann III, S. 151; Pesta, S. 421; ADNB I, S. 348.

10.1.5.8. ***Vogging*** W 6–22

***D:*** *'vokiŋ*

***U:*** 1378 *Item Hainricus de Voching* OÖ. Stiftsurb. III, S. 118, n. 44; 1449 C 20. Jh. *Hennsl am Ort zu vokhing* Urb. Wallsee, OÖLA, HA Greinburg, Hs. 11, f. 31; 1526 *Zu vokhing* Urb. Schaunberg, OÖLA, Starhemb. Urb., Hs. 162, f. 461; *1550 *Vocking* BHK. 23, S. 34; *1584 (1629) *Vockhing* Urb. Ob.-Wallsee, f. 15; *1591 *Vockhing* Urb. Esch., f. 6; c. 1775 *Fogding* Jos. LA.; 1827 *Vocking* Pillwein I, S. 206; 1857 *Vogging* Souvent.

***E:*** Wahrscheinlich echter *-ing*-BN (siehe EB) mit dem ahd. PN *Focko* (Förstemann I, Sp. 546 f.; Kaufmann, S. 127).

***L:*** Schwarz, S. 86; Schiffmann III, S. 159; Kouril, n. 2523.

10.1.5.9. ***Freudenstein*** D 69–214

***D:*** *'vrãį(d)n‚šdǭᵬ*

***U:*** 1308 C 17. Jh. *Ich frid. Herrn Rugers Průschenkhen chint von vreudenstain; daz haus zu Vreudenstain* OÖ. UB. V, n. 6; *1319 *Freudenstain* Necr. Wilh., S. 46; 1332 *datz dem Tumel bei vreudenstain* OÖ. UB. VI, n. 66; 1333 *das haus ze Vreydenstein* ebd., n. 82; 1340 *daz Hows ze Vrewdenstain* ebd., n. 351; c. 1343 *Item Chunr. Leitner prope Vreudenstain* OÖ. Stiftsurb. III, S. 392, n. 2; *1348 *Vraudenstain* Necr. Wilh., S. 93; 1362 *purgraf ze Vraudenstain* OÖ. UB. VIII, n. 114; *1371 (1439) *Freidenstain* Urb. Schaunbg., f. 220; 1376 *phleger ze frewdenstain* OÖ. UB. IX, n. 122; 1394 *auf meiner vesst Fräwdenstayn* OÖ. UB. XI, n. 306; 1396 *phleger ze Fräwdenstain* ebd., n. 557; 1396 *phleger ze Frewdenstain* ebd., n. 558; c. 1416 *Frewdenstain* Wallseer Lb., NÖLA, Nö. Reg. 17a, f. 22; 1446 *die Herrschft gen frewdenstain* Lf. LB., NÖLA, NÖ. Regierung 17, Hs. 6, f. 13; 1449 C 20. Jh. *Niklas wirt zu Freudenstain von der Tafern* Urb. Wallsee, OÖLA, HA Greinburg, Hs. 11, f. 31; *c. 1510 *Freidnstain* Taid. Wilh., f. 36; *1591 *Freidenstain* Urb. Esch., f. 13; *1592 *Freyden-, Freyen-, Freinstein* Urb. Bergh., f. 15, 27, 31; 1747 *Freydenstain. Das öde, zerstöhrte in Mihel=Viertel dis Lands zwischen Landshaag und Ottenshaim an der Land=Strassen gelegene Schloß Freydenstain (von welchen bloß noch einiges altes Gemäur verhanden)* ... Hoheneck, Genealogie III, S. XIX; c. 1775 *Freidenstein* Jos. LA.; 1827 *Freudenstein, Freydenstein, Freydensteina, eine Schloßruine auf einem mäßigen Hügel, und ein Dorf mit 52 Häusern.* Pillwein I, S. 208; 1857 *Freudenstein* Souvent.

***E:*** Gefügter Burgenname mit dem GW mhd. *stein* stm. 'Stein, Fels' (Lexer II. Sp. 1161f.) und dem BW mhd. *vröüde* stswf. 'Freude, Frohsinn' (Lexer III, Sp. 537) als Wunschname im Sinne von 'Burg, auf der Freude herrschen möge'. Die Burg wurde wohl in der ersten Hälfte des 13. Jhs. auf einer Rückfallkuppe am Rand des Feldkirchener Beckens erbaut und verfiel schon seit dem dritten Viertel des 14. Jhs. zur Ruine.

***L:*** Schwarz, S. 86f.; Schiffmann III, S. 166; Reisinger, n. 63; Grabherr (1975), S. 147; Grabherr (1976), S. 333f.; Dehio (2003), S. 122.

10.1.5.10. ***Gerling*** ZH 5–27 = 10.1.13.9. ***Gerling/Herzogsdorf***

***D:*** *'gę̄ɒliŋ*

***U:*** *1220–40 *Ekchardus de Gerhalming* Trad. Pass., n. 1325; 1287 *Pircheih sitam iuxta Gerhalming* OÖ. UB. IV, n. 67; 1378 *Item in*

*Gerolming* OÖ. Stiftsurb. III, S. 120, n. 155; 1499 C 1564 *Jacob Zu Gerharling* Urb. Waxenberg, OÖLA, Starhemb. Urb., Hs. 200, f. 31; *1591 *Gerhalting* Urb. Esch., f. 2, 5, 11; *1669 *Gerling* Urb. Esch., S. 37; 1857 *Gerling* Souvent.

***E:*** Echter *-ing*-Name (siehe EB) mit dem ahd. PN *Gêrhalm* (Förstemann I, Sp. 580).

***L:*** Schwarz, S. 87; Schiffmann III, S. 179.

10.1.5.11. ***Hart, Ober-*** ZH 29–107; ***Unterhart*** R 17–59

***D:*** *hǫɒχt*

***U:*** 1362 *ain holtz ... und haizt an dem obern hart und leit in Veldchircher pharr* OÖ. UB. VIII, n. 112; 1362 *ain holtz haizt an dem obern Hart und leit in Veldchircher pharr* OÖ. UB. VIII, n. 113; 1362 *ain holtz haizt an dem Mülperg an dem Hart und leit in Veldchircher pharr* ebd., n. 114; 1827 *Oberhart*; *Unterhart* Pillwein I, S. 206; 1857 *Ob. Unt. Hart* Souvent.

***E:*** Simplex mhd. *hart* stm. 'Wald' (Lexer I, Sp. 1189). Die ukdl. und amtl. Unterscheidung von zwei Ortsteilen ist volkstümlich nicht gebräuchlich.

***L:*** Schwarz, S. 89.

10.1.5.12. ***Hofham*** 8–46

***D:*** *'hōvhåm*

***U:*** 1378 *Item Glossus in Hofhaim* OÖ. Stiftsurb. III, S. 118, n. 69; 1388 *ain guet dacz Hofhaym* OÖ. UB. X, n. 618; 1397 C 1564 *zwo gestiftete hoffstatt in der Au bey Hoffhaimb* OÖ. UB. XI, n. 741; *1425 *Andre Herleinsperger zu Hoffhaim*; *1433 und *1441 *Dankchart der Herleinsperger zu Hoffhaim* Grabherr (1975), S. 148; 1499 C 1564 *Wilhalbm aufm guet Zu Hoffhaim* Urb. Waxenberg, OÖLA, Starhemb. Urb., Hs. 200, f. 33; c. 1775 *Hofham* Jos. LA.; 1827 *Hofham* Pillwein I, S. 206; 1857 *Hofham* Souvent.

***E:*** Gereihter *-heim*-Name (siehe EB) mit mhd. *hof* stm. 'Hof' (Lexer I, Sp. 1320 f.; siehe *-hofen*, *Hof* im EB) entweder als LN im Sinne von 'Ansitz bei einem Hof' oder als AN im Sinne von 'als Wirtschaftshof dienender Ansitz', vielleicht wegen des Namenbezugs von 10.1.5.3. Bergheim.

***L:*** Schwarz, S. 90; Schiffmann III, S. 245; Musil, n. 134; Grabherr (1975), S. 148.

10.1.5.13. ***Lacken*** D 92–365

***D:*** *d 'lǫkɒ*

***U:*** 1378 *genant ainer auf der Lakchn ... alles gelegen in Höfleiner Pfarr* OÖ. UB. IX, n. 336; 1827 *Lacken* Pillwein I, S. 206; 1857 *Lacken* Souvent.

***E:*** Dat. Sing. von bair.-mhd. *lackhe* swf. 'Lache, Pfütze' (Lexer I, Sp. 1808; Schmeller I, 1432).

***L:*** Schwarz, S. 93; Schiffmann III, S. 298.

10.1.5.14. ***Landshaag, Ober-*** D 104–380; ***Unterlandshaag*** D 27–114

***D:*** *s 'låndsǭg, auch 'ōwɒ,låndsǭg, 'įntɒ-*

***U:*** c. 1190 *ad portum contra Ahscha* Tr Passau-SNikola n. 240; 1218 *Datum apud Lantshabe* OÖ. UB. II, n. 403; 1258 *videlicet in Lantzhabe* OÖ. UB. III, n. 265; c. 1260 *Curia villicalis In lantshabe* ebd., n. 289; 13. Jh. *In lantshabe que est urbor.* MB. 29/2, S. 220; Urb. Pass.I, S. 104; 1359 *uervar ze Lantzhag* Archiv 97, S. 283; 1362 *uncz an Stophels VIrgen vergen march von Lanzhag* ebd., n. 114; 1392 *Vlreich Schoppel verig ze Lantzhag* OÖ. UB. XI, n. 79; 1499 C 1564 *Ambt Lanndshag* Urb. Waxenberg, OÖLA, Starhemb. Urb., Hs. 200, f. 33; 1526 *Wolfgang Mayr zu Lanczhaag* Einl. Ebelsbg., Linzer Reg. E 4 a, S. 32; 1571 *Lanndshag*; *Maut als Lanndshag, Guglwaldt vnnd S. Merten* HKA, NÖHA W 31/A, f. 292; 319; c. 1775 *Lands Haag* Jos. LA.; 1827 *Oberlandshag*; *Unterlandshag* Pillwein I, S. 206.

***E:*** Gegenüber von Aschach, wo sich wegen der natürlichen Aufstauung der Donau durch das als *Kachlet* bezeichnete einstige Hindernis schon zu Beginn des 10. Jhs. eine Mautstelle befand, wurde ein Hafen angelegt, der 1190 ukdl. als lat. *portum* erstmals bezeugt ist und dem mhd. *habe* 'Hafen' (Lexer I, Sp. 1129) entspricht. Letzteres bildet das GW des gefügten Kompositums mit dem BW mhd. *lant* stn. 'Land' (Lexer I, Sp. 1822) wohl im Sinne von 'durch Land geschützter Hafen'. Hier haben sich nämlich durch Ablagerungen zwei Landzungen gebildet, so daß die Schiffe im dahinter liegenden stillen Wasser abgestellt werden konnten. Wohl dadurch kam es schon im 14. Jh. zur volksetymologischen Umbildung des GW *-hab* zu *-hag*. Obwohl Schwarz dabei an mhd. *hac* stmn. 'Einfriedung, umhegter Platz'

(Lexer I, Sp. 1136 f.) denkt, wird es sich dabei vielmehr um die in der Donauschiffahrt gebräuchliche, in 10.1.1.3. Hagenau/Goldwörth enthaltene Bezeichnung *Hagen* mit der Bedeutung 'hinter einer Sandbank gelegene Einbuchtung' handeln (siehe dort).

***L:*** Schwarz, S. 93; Schiffmann III, S. 301; ADNB I, S. 645.

10.1.5.15. ***Mühldorf*** R 19–96

***D:*** *'mǖdǭɒv*

***U:*** 1347 *vnd mit Nyclas des Mvldorfer jnsigel* OÖ. UB. VII, n. 6; 1378 *In Muldorf* OÖ. Stiftsurb. III, S. 118, n. 51; *1414 (1610) *Mildorf* Strnadt, Peuerb., S. 225; *1466 *Wolfgang der Premsser zu Muldorff* Grabherr (1975), S. 148; *1526 *Prennßer zu Müldorff* Einl. Ebelsbg., Linzer Reg. E 4 a, S. 32; *1527 (1656) *Mülldorff* ZR. Höflein; *1584 (1629) *Müllerstorff* Urb. Ob.-Wallsee, f. 7; c. 1775 *Mihldorf* Jos. LA.; 1827 *Mühldorf* Pillwein I, S. 206; 1857 *Mühldorf* Souvent.

***E:*** Gereihter *-dorf*-LN (siehe EB) mit dem BW 'Mühle' (siehe EB).

***L:*** Schwarz, S. 95; Böhm, S. 248f.; Grabherr (1975), S. 148; Grabherr (1976), S. 338f.

10.1.5.16. ***Mühlholz*** Hf 1–4 = 10.1.12.5. ***Mühlholz/Sankt Gotthard im Mühlkreis*** = 10.1.13.19. ***Mühlholz/Herzogsdorf***

***D:*** *'mǖhǭi̯ds*

***U:*** 1362 *ain holtz haizt an dem Mülperg an dem Hart und leit in Veldchircher pharr* OÖ. UB. VIII, n. 114; 1388 *dem erbern chnecht Ulreich dem Mulholczer* OÖ. UB. X, n. 618; 1827 *Mühlholz* Pillwein I, S. 212; 1857 *Mühlholz* Souvent.

***E:*** Ursprünglich der FlN *Mühlberg*, ein gereihter *-berg*-Name (siehe EB) mit dem BW '*Mühle*' (siehe EB), der wohl einen oberhalb einer Mühle gelegenen oder zu einer Mühle gehörenden 'Berg' bezeichnete. Dann mit mhd. *holz* stn. 'Holz, Gehölz, Wald' (Lexer I, Sp. 1329) verbundene Klammerform *Mühl[berg]holz*.

***L:*** Schwarz, S. 95; Schiffmann III, S. 341.

10.1.5.17. ***Oberndorf*** D 48–200

***D:*** *'ōwɒn,dę̄ǫv*

***U:*** um 1140 *Chunrat de Oberndorf* Tr. Passau-SNikola, n. 92; 1313 *sechs phvnt gelts ze Oberndorf* OÖ. UB. V, n. 117; 1362 *und an Oberndorffer holtz* OÖ. UB. VIII, n. 112; 1362 *und an Oberndorffer holtz* OÖ. UB. VIII, n. 113; 1378 *De Oberndorf* OÖ. Stiftsurb. III, S. 106, n. 53; *1414 (1610) *Oberndorf* Strnadt, Peuerb., S. 225; c. 1416 *Zu Oberndorff auf der Gestettn* Wallseer Lb., NÖLA, Nö. Reg. 17a, f.22; 1449 C 20. Jh. *Der Weber zu Oberndorf* Urb. Wallsee, OÖLA, HA Greinburg, Hs. 11, f. 34; *1462 *Oberndorf* Jb. d. Mus. 1909, S. 34; *c. 1510 *Oberndorff bey Frawnstain* Urb. Pass. II, S. 232; 1526 *von dem Zehent Zu oberndorff* Urb. Schaunbg., f. 470; *1527 (1656) *Oberndorff* ZR. Höflein; 1827 *Oberndorf* Pillwein I, S. 206.

***E:*** Gereihter *-dorf*-LN (siehe EB) mit dem BW mhd. *ober* 'ober, oberhalb' (Lexer II, Sp. 132f.) wohl wegen der höheren Lage am Bergrand im Gegensatz zu 10.1.5.3. Audorf und 10.1.5.15. Mühldorf in der Ebene.

***L:*** Schwarz, S. 96; Böhm, S. 259, 263; ADNB II, S. 802.

10.1.5.18. ***Oberstraß*** 5–23 = 10.1.12.6. ***Oberstraß/St. Gotthard im Mühlkreis***

***D:*** *šdrǫß*

***U:*** *1526 *Eckmayr zu Straß* Einl. Ebelsberg, Linzer Reg. E 4 a, S. 33; 1827 *Oberstraß* Pillwein I, S. 212; 1857 *Ob. Straß* Souvent.

***E:*** Ursprünglich und ma. Simplex 'Straß' (siehe EB), seit dem 19. Jh. mit dem BW mhd. *ober* 'ober, oberhalb' (Lexer II, Sp. 132f.) wohl mit Bezug auf den oberen, durch ein Bergland führenden Teil der Straße nach Rohrbach im Gegensatz zum unteren, in der Ebene verlaufenden, von 10.1.2.4. Ottensheim ausgehenden Teilstück.

***L:*** Schwarz, S. 104.

10.1.5.19. ***Oberwallsee*** R 57–181 = 10.1.13.22. ***Oberwallsee/Herzogsdorf***

***D:*** *'wǭi̯sę̄*

***U:*** 1364 *unser lieber getrewr Eberhard von Walsse von Lyncz unser hauptman ob der Enns ... daz er und sein erben ein newe vest gepawen mugen und sullen auf den perch genant der Chlausperch der da leit ob der Chlausmůl in dem Pősenpach ... Und wan der erwirdig name dez egenanten geslechts Walsse yecz und nyndert ist in unserm lande ze Österreich von vesten wegen, darumb haben wir dieselben newn vest genant*

*Walsse der wort, daz derselb name Walsse nicht vertilgt noch des vergezzen werde, sunder daz des also ewichleich in unsern landen werde gedacht* OÖ. UB. VIII, n. 191; 1371 C 1439 *Neun Walssee* Urb. Schaunbg., f. 221; ? 1376 *Der geben ist ze Walsse* OÖ. UB. IX, n. 1; ? 1390 *phleger zu Walse* OÖ. UB. X, n. 781; 1392 *phleger ze Newnwalsse* OÖ. UB. XI, n. 86; *1415 *Ober Wallsee* Urk. Starh. Eferd., OÖLA; c. 1416 *Ober Walsse*; *in Obern Wallsseer Landgericht* Wallseer Lb., NÖLA, Nö. Reg. 17a, f. 22; *1423 *Gut genannnt auf dem Anger bei Obern Walsse in Veldkircher Pfarr* Urk. Starh. Eferd., OÖLA; *1427 *Wilhalmen von Neundling, diczeit phlegeͣr zu Oberwallsse* Linzer Reg., C III A1, n. 228; *1434 *in Veldkirchner Pfarr und Oberwallseergericht* Urk. Starh. Eferd., OÖLA; *1446 *Oberwallsseer Landgericht* Urk. Starh. Eferd., OÖLA; 1537 *wo hernach in dem gewelb Walsee brieff gefunden worden* HKA, NÖHA W 17, f. 10; 1604 *Guett Obern Walsee* ebd., f. 1; *c. 1670 *Landgericht Obern Walsee*; *Herrschaft Obern Walsee* Urb. Ebelsbg., Linzer Reg. E 4 a, S. 66; 1747 *Ober=Walsee: Das in dem Mihel=Viertl dises Lands auf einem zimblich hohen Berg oberhalb des Pesenbach gelegene nach alter Arth erbaute ... Schloß Ober=Walsee/ hat Herr Eberhard von Walsee / der Dritte dises Nahmens ... Anno 1364 erbauet*; *Genealogia der alt vornehmen und mächtigen Familiae der Herren von Walsee. Von im Land zu Schwaben entsprossenen ur=alten und mächtigen Familia der Heren von Walsee.* Hoheneck, Genealogie II, S. 599; 782; 1827 *Oberwallsee, Walsea superior, ein Dorf mit 35 Häusern ... von welchem die Schloßruine oberhalb Müllacken mit der schönen Aussicht das merkwürdigste ist.* Pillwein I, S. 210; 1857 *Ob. Wallsee* Souvent.

***E:*** Wie die Gründungsurkunde von 1364 besagt, übertrug der Landesfürst, Herzog Rudolf IV. der Stifter, dem Landeshauptmann von Oberösterreich, Eberhard von Wallsee, der aus dem schwäbisch-vorderösterreichischen Geschlecht der Wallseer stammte, Grund am Pesenbach, um sich und seinen Erben eine neue Burg zu erbauen. Sie verfiel im 18. Jh. und ist heute Ruine. Da der österreichische Hauptsitz des Geschlechtes in Niederösterreich im Bezirk Amstetten lag, mußte ein unterscheidender Zusatz gemacht werden, der zunächst '*neu*' aus mhd. *niuwe* (Lexer II, Sp. 92 f.) war. Da aber die Wallseer die ihnen übertragene niederösterreichische Sindelburg verfallen ließen und sich 1383–88 ebenfalls mit landesfürstlicher Erlaubnis dort eine neue, gleichfalls *Neuenwallsee* genannte Burg errichteten, kam es zu Verwechslungen. Deswegen wurden zu Beginn des 15. Jhs. die neuen unterscheidenden Zusätze '*ober*' für die oberösterreichische und '*nieder*' für die niederösterreichische Burg eingeführt. Das Geschlecht der Wallseer stammte aus dem heutigen Bad Waldsee, Landkreis Ravensburg, dessen Name auf 851 *Walahse* mit dem ahd. PN *Wal(a)h* zurückgeht.

***L:*** Schwarz, S. 105; Schiffmann III, S. 353; Lechner I, S. 85 und 602f.; Grabherr (1975), S. 148; Grabherr (1976), S. 340f.; Dehio (2003), S. 127ff.

10.1.5.20. ***Rosenleiten*** 50–195

***D:*** *ˌrēǫsn'lāį(d)n*

***U:*** 1449 C 20. Jh. *von ainem weingartn an der Rosnleiten* Urb. Wallsee, OÖLA, HA Greinburg, Hs. 11, f. 31; 1526 *von der Rosnleutn* Urb. Schaunbg., f. 467; *16. Jh. *Rosenleuten* Anschl. Ob.-Wallsee; c. 1775 *Rosenleitten* Jos. LA.; 1827 *Rosenleiten* Pillwein I, S. 207.

***E:*** Gereihter *-leiten*-AN (siehe EB) mit dem Nom. Plur. von mhd. *rôse* swf. 'Rose' (Lexer II, Sp. 490f.) im Sinne von 'Leite mit wilden Rosen, Heckenrosen'.

***L:*** Schwarz, S. 100; Grabherr (1975), S. 147.

10.1.5.21. ***Weidet*** R 36–139

***D:*** *'wāįrɒd*

***U:*** *1448 *auf dem Sewrer im Weidach*; *auf dem genannten Sewrergut im Weidach in Veltkircher Pfarr* Urk. Starh. Eferd., OÖLA; 1449 C 20. Jh. *Hennsl mair im Weidach*; *Von erst von 15 guetern Im weidach* Urb. Wallsee, OÖLA, HA Greinburg, Hs. 11, f. 32f.; *1526 *Lienhart Oberpaur zu Weydach vom Ackher* Einl. Ebelsberg, Linzer Reg. E 4 a, S. 32; *1592 *am Weidach* Urb. Bergh., f. 16. *1666 *Feürer im Weydet, oberwallseeischer Underthan* Urb. Wilhering, Archiv Linz I, S. 7f.; c. 1775 *Weidet*; *Weidinger* (HNN); *Weidinger Hauffen* (FlN) Jos. LA.; 1827 *Weitöd* Pillwein I, S. 206; 1857 *Weidet* Souvent.

***E:*** *-ahi*-LN (siehe EB) mhd. *wîdach* stn. 'Ort, wo viele Weiden stehen' von mhd. *wîde* swf.

'Weide' (Lexer III, Sp. 821). Die ma. Aussprache zeigt Rhotazismus von *-d-* zu *-r-*, wobei die Rotte im Augebiet nächst der Donau liegt.

***L:*** Schwarz, S. 106.

## 10.1.6. Walding 821–2841

10.1.6.1. ***Bach*** R 77–319

***D:*** *bǭ*

***U:*** c. 1775 *Bach* Jos. LA.; 1827 *Bach* Pillwein I, S. 216; 1857 *Bach* Souvent.

***E:*** Simplex '*Bach*' (siehe EB).

***L:*** Schwarz, S. 84; Bito, S. 80.

10.1.6.2. ***Pösting*** R 31–129

***D:*** *'bestịŋ*

***U:*** 1397 *Wernhart der Pöstinger* OÖ. UB. XI, n. 646; *1591 *Pößing* Urb. Esch., f. 12; *1592 *Lienh. Pestinger zu Pesting* Urb. Bergh., f. 17; *c. 1640 *Pössting* Einl. Köpp., f. 156; *1652/56 *Wolf Pestinger* Urb. Wildbg., Linzer Reg. B II, D 2, S. 43; 1669 *Pösting* Urb. Esch., S. 531, 536; 1787 *Besting* Schütz; 1827 *Pösting* Pillwein I, S. 216; 1857 *Pösting* Souvent.

***E:*** Über den Namen des mit *Pösting* zusammenhängenden 10.1.7.6. *Pöstlingberges*, dessen Gipfel am Nordwestrand des Stadtgebietes von Linz liegt und der eine weithin sichtbare, ins 18. Jh. zurückgehende Wallfahrtskirche trägt und auf dessen Westabhang sich der Sprengel 10.1.3.3. Pöstlingberg/Puchenau mit dem Ortsfriedhof von 10.1.3.4. Puchenau befindet, ist seit dem ausgehenden 19. Jh. viel und kontroversiell diskutiert worden. Daran beteiligt waren auch Schwarz, der kurz über die geäußerten Meinungen berichtet, und Schiffmann, der bei Berücksichtigung von Namentypus, Namenbildung und parallelen Ortsnamen aus heutiger Sicht der sich anhand der ukdl. Überlieferung ergebenden Etymologie am nächsten kam. Danach ergibt sich, daß in erster Linie sowohl für *Pösting* als auch für *Pöstlingberg* der FN *Pestinger* als Herkunftsname auf *-er* belegt ist, der gelegentlich zu *Pössing* vereinfacht und seit dem 18. Jh. zu *Pöstlinger* erweitert wird, wobei ⟨*ö*⟩ die Wiedergabe der heute noch geltenden ma. Aussprache mit geschlossenem [*e*] verkörpert. Da es sich beim *Pöstlingberg* ursprünglich um die beiden dort befindlichen Bauernhäuser *Ober-* und *Niederpöstinger* handelt, nach denen der Berg benannt wurde, muß der Ausgangspunkt für den FN der ON *Pösting* sein. Als solcher kommt trotz der ukdl. Überlieferungslage mit FN, will man nicht an gleichnamige niederösterreichische Orte denken, nur das hier befindliche *Pösting* in Frage. Der ON ist slaw. Herkunft und geht auf **Pěštěnika* von slaw. *pěsъkъ* 'Sand' in slow. *pesek*, tschech. *písek*, sorb. *pěsk* (Vasmer II, S. 347f.; Bezlaj II. S. 28; Schuster-Šewc II, S. 1058) zurück (Šmilauer, S. 142). Der Ort liegt tatsächlich am Austritt eines heute namenlosen linken Seitenbaches des Pesenbaches aus dem Bergland in die Ebene, wo es zur Geschiebe- und Sandablagerung kommt (man vgl. dazu auch die ehem. Goldwäscherei im Sand des benachbarten 10.1.1.2. Goldwörth). Die Eindeutschung erfolgte in ahd. Zeit ab dem 9. Jh., als slaw. *ě* bereits mit ahd. Primärumlauts-*e* und nicht mehr wie in der zweiten Hälfte des 8. Jhs. mit $\hat{e}_2$ wiedergegeben wurde. Die ahd. Integrierungsform lautete daher **Pestinicha*, das über mhd. **Pestnich* dann wohl im 13./14. Jh. an die *-ing*-Namen (siehe unechte *-ing*-Namen im EB) angeglichen wurde.

***L:*** Schwarz, S. 97; Schiffmann, Land ob der Enns, S. 210; Schiffmann III, S. 74; Kouril, n. 1791; E. Schuster: Etymologie der nö. Ortsnamen I, S. 315.

10.1.6.3. ***Purwörth*** R 12–55

***D:*** *'bū̆ɒwēɒd*

***U:*** 1273 *predium in Purgwerd* OÖ. UB. III, n. 439; c. 1343 *In Purgwerd* OÖ. Stiftsurb. III, S. 392, n. 5; 1367 *im Purigwerd nahent pey Oetenshaim* OÖ. UB. VIII, n. 315; 1378 *Item in Purberd in pomerio* OÖ. Stiftsurb. III, S. 118, n. 36; c. 1416 *ain gutl Zw puerwerd in Waltinger pharr* Wallseer Lb., NÖLA, Nö. Reg. 17a, f. 22; 1446 *ain gut zu purdwerd* Lf. LB., NÖLA, NÖ. Regierung 17, Hs.6, f. 151; *1481 *Pürbern* Urb. Steyreck; *c. 1510 *Purberd* Taid. Wilh., f. 36; *1526 *Vischer zue Puerwerdt* Einl. Ebelsberg, Linzer Reg. E 4 a, S. 33; 1526 *Zu Purwert* Urb. Schaunbg., f. 458; c. 1775 *Purwörth* Jos. LA.; 1827 *Purwörth* Pillwein I, S. 216; 1857 *Purwörth* Souvent.

***E:*** Gefügter LN mit dem BW bair.-mhd. *purkh* stf. 'befestigter Ort, Burg' (Lexer I, Sp. 390) und dem GW mhd. *wert, -des* stm. 'Insel;

Halbinsel; erhöhtes wasserfreies Gelände zwischen Sümpfen' (Lexer III, Sp. 796). Wahrscheinlich war die ursprüngliche Donauinsel in irgendeiner Weise befestigt.

***L:*** Schwarz, S. 98; Schiffmann III, S. 96.

10.1.6.4. ***Haid*** W 5–28

***D:*** *hǭɒd*

***U:*** *1378 *Haid* OÖ. Stiftsurb. III, S. 118, n. 32; 1827 *Heid* Pillwein I, S. 216; 1857 *Haid* Souvent.

***E:*** Von mhd. *heide* stf. 'ebenes, unbebautes, wildbewachsenes Land; Heide' (Lexer I, Sp. 1207).

***L:*** Schwarz, S. 89; Schiffmann III, S. 211.

10.1.6.5. ***Jörgensbühl*** 172–507

***D:*** *'jēɒxš,bīxö*

***U:*** c. 1343 *Item ad s. Georium de curia 2 partes* OÖ. Stiftsurb. III, S. 117, n. 14; 1378 *Item Rudlieb de Rœt ad s. Georgium* ebd., S. 395, n. 83; 1526 *Petter Reitter bey sandt Jeorgen* Urb. Schaunberg, OÖLA, Starhemb. Urb., Hs. 162, f. 458; *1591 *sannt Jörgen* Urb. Esch., f. 13; 1827 *Jörgensbichl*; *Die nördlich* [von Walding] *auf einem Hügel gelegene, gesperrte, kleine Georgenkirche kaufte ein Bauersmann* Pillwein I, S. 216; 218; 1857 *Jörgerbichl* Souvent.

***E:*** Seit dem 19. Jh. gefügtes Kompositum mit dem GW bair.-mhd. *pühel* stm. 'Hügel' (Lexer I, Sp. 379; siehe 'Pichl' im EB) und als BW dem volkstümlichen Namen *Jörg(en)* für den Heiligennamen *Georg* nach dem Patrozinium der mittelalterlichen, 1786 gesperrten Kapelle. Der Berg hieß im Mittelalter *Chotwein*, siehe10.1.12.8. Sankt Gotthard im Mühlkreis.

***L:*** Schwarz, S. 91; Schiffmann III, S. 261; Ferihumer, S. 284.

10.1.6.6. ***Lindham*** R 60–214

***D:*** *'lindhåm*

***U:*** um 1150 *curia ... in Lintheimen* Tr Passau-SNikola n. 154; um 1160 *predium ... Lintheim* ebd. n. 169; *13. Jh. *Linthaim* Urb. Nic., f. 12; 1247 *Linthaim* OÖ. UB. III, n. 138; 1360 *vnsern hof gelegen ze Linthaim* OÖ. UB. VII, n. 714; 1449 C 20. Jh. *Mitterhof zu Linthaim* Urb. Wallsee, OÖLA, HA Greinburg, Hs. 11, f. 32; 1827 *Lindham* Pillwein I, S. 216; 1857 *Lindham* Souvent.

***E:*** Gereihter *-heim*-LN (siehe EB) mit dem BW bair.-mhd. *linte* swf. 'Linde' (Lexer I, Sp. 1924).

***L:*** Schwarz, S. 95; Musil, n. 175.

10.1.6.7. ***Mursberg*** R 94–277

***D:*** *'mṵ̄ɒšbę̄ɒg*

***U:*** *1335 *Murroczperg* Necr. Wilh., S. 119; c. 1343 *Item de Murrenperig*; *Item de Murroltzperig* OÖ. Stiftsurb. III, S. 395, n. 85; S. 401, n. 79; *1345 *Murreczperig* Necr. Wilh., S. 192; 201; *1371 (1439) *Mürsperg* Urb. Schaunbg., f. 220; 1397 *auf dem Mursperig in Veldchiricher pharr* OÖ. UB. XI, n. 646; *c. 1510 *Muersperg* Archiv Linz II 217, n. 59; *1523 *Mursperger* Urb. Wilh., f. 55; *1526 *Caspar Paur zue Mueßperg* Einl. Ebelsberg, Linzer Reg. E 4 a, S. 32; 1549 *Must-, Mus-, Mursperg* Urb. Ott., f. 6, 23, 32; *1559 *Ursperg* Urb. Neuhaus, f. 4; *1669 *Ursperg* Urb. Esch., S. 107, 526 ff.; *1787 *Ursberg* Schütz; 1827 *Mursberg, Murschberg, Musberg. Dieses bisher unbeachtete, nirgends genannte Dorf ... hat ein bedeutendes Steinkohlen und Alaunbergwerk.* Pillwein I, S. 217; 1857 *Mursberg* Souvent.

***E:*** Gefügter *-berg*-BN (siehe EB) wohl mit dem ahd. PN *Môrolt* (Förstemann I, Sp. 1118), der wahrscheinlich unter dem Einfluß des Übernamens *Murr(e)* von 'murren' (Brechenmacher II, S. 297; Kohlheim, S. 467) volksetymologisch zu **Murrolt* abgewandelt wurde.

***L:*** Schiffmann III, S. 343; März, S. 191.

10.1.6.8. ***Rodl*** R 15–76

***D:*** *'rę̄ǫ(d)l*

***U: Ort***: 1378 *Item in Rotel an der Widem* OÖ. Stiftsurb. III, S. 118, n. 27; 1449 C 20. Jh. *Haintzl auf der Rötl* Urb. Wallsee, OÖLA, HA Greinburg, Hs. 11, f. 33; *1466 *Ratel* Necr. Wilh., S. 72; 1526 *eine Tafern zu Rodl* Urb. Schaunberg, OÖLA, Starhemb. Urb., Hs. 162, f. 457; *1591 *Ratl* Urb. Esch., f. 12; *1627 *Radl* Archiv Linz I, S. 8.

***Ein abgekommener Ort***: 777 Vf 10.JhII C 1302 *ad Ascha duas uineas et ad Raotula tres* H.Wolfram, Salzburg, Bayern, Österreich S. 376, anders OÖ. UB. II, n. 2: *Racotulv* Dat. nach H.Fichtenau, Stiftbrief S. 83 ff.; 789 F 10.JhII *in Rotala vineas tres* HU Passau n. 1, Dr: D KdGr n. 247; 791 C 12.JhM *in alio loco qui* *dicitur Raotola vineas tres cum tribus viniatoribus nec non piscatores duos* D KdGr n. 169; um 906 C 13.Jh. *in Rotalariis ... loca* HL Passau 3, fol. 58', DrM Boica 28 b, 203 n. 4; 1155 *A. ... de Rotel* OÖ. UB. II, n. 185; 1161 *S. de Rotalae* ebd., n. 212; 1161 *predium ... in uilla, que uocatur Rotele* ebd., n. 213; 1179 *Ch. de Rotele* HU Passau-Dk n. 13, Dr: M Boica 28 b, 121 n. 19; um 1180 C 12. JhE *C. de Rötele* Tr Garsten n. 197; 1192 C 1245–55 *Ch. de Rotel* UB SPölten I, n. 17; um 1175–80 *C. de Rotile* Tr Aldersbach fol. 28; Dat. nach A.Zauner, Wilhering S. 160; 12.Jh. *S. de Rotel l.* Necr 4, 271; 12.Jh. *L. de Rotele* ebd. S. 274;. 1827 *Rodel* Pillwein I, S. 216.

***Gewässer (Große und Kleine Rodl):*** 1110 *a capite Rotilich usque dum idem riuulus Rotilam influat* OÖ. UB. II, n. 92; um 1110–30 *usque ad fontem fluvii qui dicitur Rotala, in latitudine ... per decursus ... fluminum ... Ilzisę et Rotilę* KU Passau-Niedernburg n. 3, Dr: D HII n. 217; 1198 F um 1254–65 *in flumen nomine Rötil* Zauner: Passauer BischofsU S. 480f.; 1212 *usque ad riuulum, qui Roetel dicitur* OÖ. UB. II, n. 375; *13. Jh. *in flumen dictum Rôtel*; *ad fluvium Rotil* Urb. Pass.I, S. 2631; c. 1220 *de haipach protrahitur ad fluuim, qui dicitur Rotel, a fluuio, qui dicitur Rotel, usque in Wilanstanne* OÖ. UB. I, S. 481, n. 4; 1287 *Census ex altera parte Rotule*; *Decime ecclesie in Wilhering ex alia parte fluvii Rotile*; *Iste sunt decime ex alia parte fluvii Rotile* OÖ. Stiftsurb. III, S. 368; *1435 *die Rötel* GB. Leonf., f. 76; 1446 *die Mul auf der klain Rotel in Wessenberger herschaft* Lf. LB., NÖLA, NÖ. Regierung 17, Hs.6, f. 36; 1449 C 20. Jh. *Die march dez gerichts Zu oberwalsse. Von erst hebt sich an in der chlain Rötl vnd get in die gross Rötl, vnd von der grossn rötl vntz mittn in die Tunaw* Urb. Wallsee, OÖLA, HA Greinburg, Hs. 11, f. 34; *1456 *Prugkmüll auf der grossen Rötl in Gremensteter pharr und in Wechsenberger Landgericht gelegen* Nbl. IV, S. 138; 1499 C 1564 *Vischwaid in genngen in ersten die retten fecht sich an bej der Zwetl*; *vnd enndt sich in der Rötl*; *enndt sich in der Rettlach*; *Vnd geet in die Rotl*; *Item die Rödl*; *Röttlach* Urb. Waxenberg, OÖLA, Starhemb. Urb., Hs. 200, f. 47, 48; 1499 C 1564 *von der Vischwaid auf der khlainen Rädl* Urb. Waxenberg, OÖLA, Starhemb. Urb., Hs. 200, f. 46; *1565 *die Redtl* Urb. Freist., f. 232; *1569 *Röttl, Rattl, Ratl* Urb. Aschpan, f. 165; 1571 *Mer ain vischwasser die Rettl*; *ain Vischwasser auf der grossen Rettl*; *ain Vischwasser genannt die khlain Rettl, so sich anhebt bei dem Rechperg* Urb. Waxenberg, HKA 1173, f. 11; 12, 13; *1590 *die Retl* Urb. Freist., f. 1; *1591 *die Rathl* Urb. Esch., f. 12; *1593 *auf der Wimb an der Rotl*; *bis zum Hammerschmitt in die Rätl* Archiv 94, S. 251; *1669 *die Ratl* Urb. Esch., S. 11; 1857 *Rodl* Souvent.

***E:*** GewN bair.-frühahd. *Rautula*, bair.-ahd. *Rôtula*, bair.-spätahd. *Rôtila* zu ahd./mhd. *rôt* 'rot' (Lexer II, Sp. 502 f.). Damit dürfte Bezug genommen worden sein auf die rötliche Färbung des Granitgesteins im Flußbett und des das Flußtal im Bergland begleitenden westlichen Abfalls. In Verbindung mit der *Mühl*, der *Gusen* und der *Visnitz* kann bereits mit germanischer Bildung als **Rautulō* gerechnet werden. Weniger wahrscheinlich ist von Schwarz ursprünglich angenommene bereits vorgermanische Bildung, die dann allerdings idg.-voreinzelsprachlich, nicht keltisch sein müßte. Teilweise kam es, wie die Schreibungen mit ⟨*ö*, *ö*, *e*, *ä*⟩ zeigen, zum Umlaut durch das zu ahd. *-ila* abgeschwächte Suffix, doch setzte sich im 17. Jh. die nicht umgelautete Form durch. Die *Kleine Rodl* trug zunächst den von der ahd. Form ausgehenden slawisierten Namen **Rotъlika*.

***L:*** Schwarz, S. 99 f.; Wiesinger (1980a), S. 276 f.; ADNB II, S. 879.

10.1.6.9. ***Rottenegg*** R 44–34 =10.1.12.7. ***Rottenegg/St. Gotthard im Mühlkreis***

10.1.6.10. ***Schwarzgrub*** R 40–136

***D:*** *ˌšwǫɒds'grūɒb*

***U:*** 1360 *zdem Gerœwt auf der Swarczgrueb* OÖ. UB. VII, n. 714; *1402 *Sytz zu Swartzgrub* Urk. Starh. Eferd., OÖLA; 1827 *in der Schwarzgrub, eine Viertel Stunde von Walding, stoßt man auf Schloßgräben.* Pillwein I, S. 219; 1857 *Schwarzgrub* Souvent.

***E:*** Gereihtes Kompositum mit dem GW mhd. *gruobe* stswf. 'Grube, Vertiefung; Steinbruch' (Lexer I, Sp. 1104) und dem BW mhd. *swarz* 'schwarz' (Lexer II, Sp. 1343) als AN oder als BN mit dem gleichbedeutenden FN *Schwarz*, der im Mühlviertel mehrfach ukdl.

belegt ist, u. a. in der Pfarre 11.1.17. Hellmonsöd als 1370 *Ulrich der Swarz; Sigharz dez Swarczen; Eberlein und Leb di Swarczen* OÖ. UB. VIII, n. 465.

***L:*** Schwarz, S. 89; Grabherr (1975), S. 152.

10.1.6.11. ***Siedlung*** Sdlg 22–69

***D:*** –

***U:*** –

***E:*** Die Siedlung entstand nach dem Zweiten Weltkrieg.

***L:*** –

10.1.6.12. ***Walding*** D 249–997

***D:*** *'wǭidi̥ŋ*

***U:*** 1317 *Ortolf von walting* OÖ. UB. V, n. 182; 1378 *vnd die Wis ze Walting* OÖ. UB. XI, n. 339; 1378 *Item in Walting Streutwizhof* OÖ. Stiftsurb. III, S. 117, n. 1; c. 1416 *in Waltinger pharr* Wallseer Lb., NÖLA, Nö. Reg. 17a, f. 22; *1449 C 20. Jh. *Walting* Urb. Wallsee, OÖLA, HA Greinburg, Hs. 11, f. 58; *1481/87 *Zu Frawnperg in Waltinger pharr* Lf. LB., NÖLA, NÖ. Regierung 17, Hs. 7, f. 13; *1487 *Edel Michel der Haberstorffer zu Walting* Grabherr (1975), S. 152; 1827 *Walding, Oberwalding, ein Dorf mit 51 Häusern, 67 Wohnparteyen, und 296 Einwohnern am linken Ufer der Rottel.* Pillwein I, S. 218; 1857 *Walding* Souvent.

***E:*** Wahrscheinlich echter *-ing*-BN (siehe EB) vom ahd. PN *Walto* (Förstemann I, Sp. 1499). Die Lautgruppe *-lt*-hat den Sekundärumlaut verhindert.

***L:*** Schwarz, S. 105; Schiffmann III, S. 466; Kouril, n. 2547; Grabherr (1975), S. 152; Grabherr (1976), S. 356.

## 10.1.7. Gramastetten 924–3663

10.1.7.1. ***Amberg*** R 16–60; ***Großamberg*** ZH 56–187 = 10.1.3.8. ***Großamberg/Puchenau***

10.1.7.2. ***Amesberger-Siedlung*** Sdlg von Hamberg; ***Amesberger*** Hf von Hamberg 2–5

***D:*** HN *'ā̰mɒs,bę̄ɒgɒ*

***U:*** *1676 *Amoßberger* Urb. Gram., f. 40; 1857 *Amesberger* Souvent.

***E:*** Der HN ist ein *-er*-Herkunftsname vom *-berg*-AN (siehe EB) mit mhd. **âmeiz* 'Rodung, Holzschlag' von mhd. *meiz* stm. 'Holzschlag' (Lexer I, Sp. 2090) mit dem Präfix mhd. *â-* (Lexer I, Sp. 1; WBÖ I, Sp. 32). Die Siedlung entstand in den 1970er Jahren auf Gründen des Hofes.

***L:*** Schwarz, S. 83; Schiffmann III, S. 25.

10.1.7.3. ***Anger*** W 3–26

***D:*** *'ā̰ŋɒ*

***U:*** 1827 *Anger* Pillwein I, S. 214; 1857 *Anger* Souvent.

***E:*** Mhd. *anger* stm. 'Grasland, Ackerland, Anger' (Lexer I, Sp. 70f.).

***L:*** Schwarz, S. 83.

10.1.7.4. ***Asenbaum*** R von Feldsdorf 6–37

***D:*** *'ǭsn,bā̃m*

***U:*** 1285 C *Siboto et Ditmarus dicti Asenboum* OÖ. UB. IV, n. 38; *13. Jh. *Ditmarus Asenpaum* Urb. Pass.I, S. 273; ? 1396 C 1642 *Michel Asembaum* OÖ. UB. XI, n. 635; 1499 *Asmpawm Zw Arnnperg* Urb. Wildberg, OÖLA, Starhemb. Urb., Hs. 204, f. 27; *1544 *Asenpämb zu Märnperg* Urb. Wildbg., f. 122; *1603 *Aßmpaumb zu Närnperg*; *1623 *Aßmpäm am Ärnperg* Hoh. VI 804, 816; *1627 *Asenbaum Eva*; *Asenbaum Johann* Heider, Gramast., T. 1, S. 1; *1629 *Asenbaum Paul* Heider, Gramast., T. 1, S. 1; *1631 *Asenbaum Michael* Heider, Gramast., T. 1, S. 2; *1636 *Asenpaum Maria* ebd., S. 3; *1646 *Asenpaumb zu Närnperg* Einl. Starh., f. 115; 1857 *Asenbaum* Souvent.

***E:*** FN *Asenbaum* als Übername für einen Zimmermann oder einen starken Kerl (Brechenmacher I, S. 44; Kohlheim, S. 93) von bair.-mhd. *âsenpoum* stm. 'Stützbalken' (Schmeller I, Sp. 155; WBÖ II, Sp. 622f.).

***L:*** Schiffmann III, S. 32.

10.1.7.5. ***Au*** W von Anger 6–25

***D:*** *āu̯*

***U:*** –

***E:*** Simplex '*Au*' (siehe EB).

***L:*** –

10.1.7.6. ***Pöstlingberg*** Sdlg 123–534 = 10.1.3.3. ***Pöstlingberg*** ZH 76–293 = Stt von Linz/Bezirk Linz-Stadt

***D:*** *'bestli̥ŋ,bę̄ɒg*

***U:*** 1499 *Pesstinger* Urb. Wildberg, OÖLA, Starhemb. Urb., Hs. 204, f. 19; *1544 *Lienhart*

*under Pästinger von der Hofstatt daselbst, dient dem Wastian Oberpästinger in sein Behausung* Urb. Wildbg., Linzer Reg. B II, D 2, S. 14; *1545 *Sebastian Oberpesstinger; Lienhart Vnnderpöstinger von seiner Hofstatt gibt er den Dienst den hinachgemelten Sebastian Oberpöstinger in seine Behausung; mehrgenannten Sebastian Oberpösstinger* ebd., S. 17ff.; *c. 1580 *Pesstinger* Urb. Viced., f. 176; *1585/87 *Leopold Pestinger* Urb. Wildbg., Linzer Reg. B II, D 2, S. 26; *1635 *Ober Pöstinger* Urb. Starh., f. 260; *1669 *Ober, Nider Pössting* Urb. Esch., S. 506; *1741 *Wirt, Pöstlingberg* Heider, Gramastetten, H., S. 16; 1827 *Die Pfarre Pöstlingberg besteht aus vier Ortschaften: Altlichtenberg, Einberg, Neulichtenberg und Pöstlingberg. Pöstlingberg ist seit 1748 ein besuchter Wallfahrtsort mit 39 Häusern* Pillwein I, S. 316; 1857 *Pöstlingberg* Souvent.

***E:*** Siehe 10.1.6.2. Pösting/Walding.

***L:*** Schwarz, S. 97; Schiffmann III, S. 74; März, S. 212.

10.1.7.7. ***Bruckmühle*** Mü von Gramastetten

***D:*** *d 'bruk,mü̃*

***U:*** *1456 *1/2 Mühle genannt die Prugkmüll auf der grossen Rötl in Gremensteter pharr und in Wechsenberger Landgericht gelegen* LB. 138, n. 100; *1456 *die Prukmüll* ebd., S. 191, n. 149.

***E:*** Mühle an der Großen Rodl, ein Kompositum mit dem GW '*Mühle*' (siehe EB) und dem BW bair.-mhd. *prukke* stf. 'Brücke' (Lexer I, Sp. 363) im Sinne von 'Mühle bei einer Brücke'.

***L:*** Schwarz, S. 84.

10.1.7.8. ***Tannbrunnen*** R von Gramastetten (6–34)

***D:*** *dā̃'bru̯n*

***U:*** ?*1408 *Hof zu Tannäch* Urk. Starh. Eferd., OÖLA.

***E:*** Ursprünglich wohl *-ahi*-Bildung (siehe EB) *tannach* von mhd. *tanne* stswf. 'Tanne' (Lexer II, Sp. 1404), dann gereihter LN mit dem GW bair.-mhd. *prunne* swm. 'Quelle, Brunnen' (Lexer I, Sp. 366).

***L:***

10.1.7.9. (***Diesenleiten)*** R von Pöstlingberg 4–10

***D:*** *,dīɒsn'lāi̯(d)n*

***U:*** 1310 C 1495 *Item ain pach genant in der Tuerschlewtten* OÖ. Weist. I, S. 223; 1787 *Dissenleithen* Schütz; 1857 *Disleiten-Bach* Souvent.

***E:*** Der GewN *Diesenbach* stammt nicht von bair.-mhd. *diezzen* 'rauschen, tosen', sondern ist ein gefügter *-bach*-BN (siehe EB) mit dem ahd. PN *Turs* aus *Tursi/Turis* (Förstemann I, Sp. 1469; Kaufmann, S. 361), so daß Umlaut zu mhd. *Türs* eintreten konnte. Schiffmann belegt ihn als FN u. a. 1235 *Hugo, Otto Tursones* OÖ UB. III, n. 31; *1362 *Anna Turs* (Strnadt, Velden, S. 214), *1525 *Hans Türsch* Urb. Reich. Der *-leiten*-Name (siehe EB) ist aus der Klammerform mhd. **Türsen[bach]lîten* entstanden.

***L:*** Schiffmann III, S. 109.

10.1.7.10. ***Türkstetten*** ZH 60–280

***D:*** *,diɒk'šdē(d)n*

***U:*** 1180 *possessiones in Duringensteten* OÖ. UB. II, n. 252; 1206 *situm est in durigenstetin* OÖ. UB. II, n. 351; 13. Jh. *scilicet Durinstetin recipiente* ebd., n. 332; 1285 *quondam residentis in Durchsteten* OÖ. UB. IV, n. 38; 1287 *Feodum in Důrchstetin; feodo in Důrichsteten; Důrchstetin superius; In superiori Důrichsteten; Durchstetin curia; De curia in Důrichsteten; Feodum Důrchstetin; Feodum in in Důrichsteten* OÖ. Stiftsurb. III, S. 365, n. 34–39; 1354 *Marquardus de Durichsteten* ebd., S. 411, n. 38; *1345 *Durchstetten* Necr. Wilh., S. 188; *1504 *Türchschtetn* Urb. Lichtenhag, f. 9; *1523 *Durchstetten* Urb. Wilh., f. 49; *1571 *Dirchstetten* Urb. Wax., f. 197; *1669 *Türckhstetten* Urb. Esch., S. 590; 1857 *Türkstetten* Souvent.

***E:*** Gereihter *-stetten*-BN (siehe EB) mit dem Dat. Plur. des ahd. PN *During* (Förstemann I, Sp. 1468), so daß dieser zunächst als Simplex mhd. **ze [den] Duringen* bestand, ehe er mit *-stetten* verbunden wurde.

***L:*** Schwarz, S. 105; Schiffmann III, S. 121; Pesta, S. 470f.; ADNB I, S. 294.

10.1.7.11. ***Ebmer*** Hf von Maierleiten 1–11

***D:*** *dɒ 'ē(b)mɒ*

***U:*** 1857 *Ebmer* Souvent.

***E:*** HN auf *-er* von mhd. *ëbene* stf. 'Ebene' (Lexer I, Sp. 500).

***L:*** –

10.1.7.12. ***Eckerstorfer-Siedlung*** Sdlg von Feldsdorf 6–8

***D:*** HN *'šdu̯mɒ*

***U:*** –

***E:*** Die in den 1960er Jahren entstehende Siedlung, die volkstümlich *Stummer-Siedlung*, amtlich aber *Eckerstorfer-Siedlung* heißt, geht zurück auf den Hof *Stummer z' Lassersdorf* in 10.1.7.29. Lassersdorf des Besitzers mit dem FN *Eckerstorfer*, der die Grundstücke verkaufte. Der HN *Stummer* ist wahrscheinlich Assimilierung von *Stubner* von mhd. *stube* swf. 'Stube, heizbarer Raum; Bad-, Trinkstube; Herberge' (Lexer II, Sp. 1257) als Bezeichnung für einen Bader (Brechenmacher II, S. 695; Kohlheim, S. 651). Der FN *Eckerstorfer* ist ein Herkunftsname auf *-er* von *Eckersdorf*, Gem. Haibach, PB Eferding (1190–1204 *Eckerichisdorf* Trad. Passau n. 1106 mit dem bair.-ahd. PN *Ekkirîh* ). In den 1990er Jahren wurde der Siedlungsname ersetzt durch den Straßennamen *Birkenweg*.

***L:*** –

10.1.7.13. ***Elendsimmerl*** W von Großamberg 6–20 =10.1.8.5. ***Elendsimmerl/Lichtenberg***

10.1.7.14. ***Feldsdorf*** ZH 28–137

***D:*** *'vǭdšdẹǫv*

***U:*** 1287 *De Felsdorf* OÖ. Stiftsurb. III, S. 369, n. 50; c. 1343 *Item de Wegelzdorf* ebd., S. 403, n. 49; 1377 *Charleins des Geitzensteter von Vellstorff ... jnsiglen* OÖ. UB. IX, n. 284; c. 1416 *ain Hoff Zw Veldtzdorf; am Hof Zu Veldsdorff* Wallseer Lb., NÖLA, Nö. Reg. 17a, f. 22; 35; 1446 *ain hof zu Velczdorf In Greymensteter pharr* Lf. LB., NÖLA, NÖ. Regierung 17, Hs. 6, f. 36;*1455 *1 Hube zu Veldstorf in Gremesteterpfarre* LB. S. 95, n. 80; *1456 *Vellestorf* Nbl. IV, S. 404; 1499 *Zu Veldstorff* Urb. Wildberg, OÖLA, Starhemb. Urb., Hs. 204, f. 27; *1504 *Velzschtarf* Urb. Lichtenhag, f. 6; *1569 *Vetzldorff* Urb. Aschpan, f. 176. *1669 *Hans Khogler am Limerhof zu Feldtstorf* Urb. Eschelbg., Linzer Reg. B II D 1, S. 106; 1827 *Feldstorf* Pillwein I, S. 214; 1857 *Feldsdorf* Souvent.

***E:*** Ursprünglich gefügter *-dorf*-BN (siehe EB) mit dem slaw. PN *Bělъ* von slaw. *bělъ* 'weiß' (Miklosich, Slav. Personennamen, S. 38f.) mit bair.-ahd. Integrierung von slaw. *b-* als *v-* seit dem 9. Jh. und starker Flexion wegen des bereits verklungenen *ъ*. Im 15. Jh. erfolgte durch Einschub eines Gleitlautes *d-/-t-* vor dem Zischlaut volksetymologische Umdeutung zu '*Feld*'.

***L:*** Schwarz, S. 86; Schiffmann III, S. 151; Böhm, S. 166.

10.1.7.15. ***Fürtgraben*** R von Feldsdorf 14–32

***D:*** *'viɒχ,krǭ(b)m*

***U:*** 1287 *De Viht due domus*; c. 1343 *De Vieht due domos* OÖ. Stiftsurb. S. 369, n. 48; S. 403, n. 47.

***E:*** Siehe 10.1.7.15. Fürtner-Siedlung.

***L:*** –

10.1.7.16. ***Fürtner-Siedlung*** Sdlg von Feldsdorf 5–8, ***Fürtner*** Hf von Feldsdorf

***D:*** HN *'viɒtnɒ*

***U:*** 1857 *Ob., Unt. Fichtner* Souvent.

***E:*** Der HN *Fürtner* ist eigentlich *Fichtner*, wie er noch 1857 von Souvent geschrieben wird, und somit eine *-er*-Ableitung vom LN mhd. **ze [der] viehten* von mhd. *viehte* swstf. 'Fichte' (Lexer III, Sp. 337). Danach der LN 10.1.7.15. *Fürtgraben* mit dem GW 'Graben' von mhd. *grabe* swm. (Lexer I, Sp. 1064). Da mhd. *ü* zu [*i*] entrundet wird und die Lautfolge mhd. *-rt-* ma. [*χt*] lautet, kam es zur doppelt hyperkorrekten amtl. Schreibung, wodurch die ursprüngliche Bedeutung verdeckt und vor allem der Name des Grabens volksetymologisch zu *Furt* gestellt wird. Die Siedlung entstand um 1975.

***L:*** –

10.1.7.17. ***Gass-Siedlung*** Sdlg von Großamberg 7–30

***D:*** –

***U:*** –

***E:*** Die Siedlung entstand in den 1960er Jahren auf Gründen des Hofes *Oberkoglerhof* (1857 *Ob. Kogler* Souvent), dessen damaliger Besitzer *Gass* hieß. Es ist ein Wohnstättenname von mhd. *gazze* swf. 'Gasse' (Lexer I, Sp. 745; Kohlheim, S. 262).

***L:*** –

10.1.7.18. ***Geizersgraben-Siedlung*** Sdlg von Gramastetten

***D:*** HN *'gāi̯dsɒ,šdēdɒ*

***U:* Geizerstetten**: 1205 *Heinricus de gicinstetin* OÖ. UB. II, n. 351; *13. Jh. *Otacharus de Geiceinsteten* Urb. Pass.I, S. 273; 1337 *bruder von Gaeytzesteten* OÖ. UB. VI, n. 249; 1340 *Hermans des Geytzesteter Tŏchter* ebd., n. 349; 1364 *Herman der Geytzestetår* OÖ. UB. VIII, n. 162; 1366 *discretum virum Hermannum dictum Geiczensteter* ebd., n. 261; 1377 *Charleins des Geitzensteter von Vellstorff vnd Hermans des Geitzensteter ... jnsiglen* OÖ. UB. IX, n. 284; c. 1380 *Anna die Geyczensteterin hat ze lehen: 1 hof ze Geiczensteten; Anna Geiczesteterin hat ze lehen von Starchenberch: einen halben hof ze Geiczensteten, der ir veterleich erb ist; ain halben hof ze Gewtschensteten gelegen in Greymhartsteter pharr* OÖ. UB. X, S. 787, n. 173; S. 823, n. 270; S. 856, n. 354; *1415 *Geuczensteten* Secker, S. 196; c. 1416 *den hof Zw Greytzensteten vnd die hoffstat dabey* Wallseer Lb., NÖLA, Nö. Reg. 17a, f. *1504 *Greizaschteterhoff; Grezaschteten* Urb. Lichtenhag, f. 6; *1669 *Geitzlstötterhof* Urb. Esch., f. 490; *1676 *Geitzen-; Geitzestetten* Urb. Gram., f. 44; 1857 *Pargfrieder* Souvent.

***E:*** Der Hof *Pargfrieder* trägt den Vulgonamen *Geizerstätter*. Letzterer ist ein gefügter *-stetten-* BN (siehe EB) mit dem mhd. PN**Gîtzo*. Er geht auf den ahd. PN *Gitzo* aus **Gid-so* zurück (Förstemann I, Sp. 637, 644; Kaufmann, S. 148) und wird Expressivdehnung erfahren haben. Die Siedlung entstand in den 1960er Jahren auf den dem Hof gegenüber liegenden Hang. Beide trennt der *Geizersgraben*, eine Klammerform *Geizer[stätter]graben*.

***L:*** Schiffmann III, S. 178; Grabherr (1975), S. 146.

10.1.7.19. ***Görzer*** Hf von Stötten 1–5

***D:*** *gẹ̄ɒdsɒ*

***U:*** c. 1343 *Item Gorzer* OÖ. Stiftsurb., S. 392, n. 6; *c. 1510 *Gortzer* Taid. Wilh., f. 35; *1523 *Görczer* Urb. Wilh., f. 53; 1571 *Hanns Gertzer* Urb. Waxemberg, HKA f. 196; 1857 *Görtzer* Souvent.

***E:*** Slaw. **Gorica*, Diminutiv von slaw. *gora* 'Berg' (Berneker I, S. 328f.; Vasmer I, S. 293; Bezlaj I, S. 162; Schuster-Šewc I, S. 321f.).

***L:*** Schwarz, S. 87; Schiffmann III, S. 185; Fuchs, S. 54.

10.1.7.20. ***Gramastetten*** Markt 217–1084

***D:*** *ˌgrɑ̃mɒ'šdē(d)n*

***U:*** 1110 *ecclesiam in loco ... Grimhartesstetin, constructam cum dote* OÖ. UB. II, n. 92; 1154 F 1236 *in parrochia Gimarstetin* OÖ. UB. II, n. 182; Dat. nach A.Zauner, U Wilhering S. 213; 1198–1216 F 1236 *decimas a parrochia Grimarsteten concambio* ebd., n. 319; Dat. w.o. S. 214; 1180 *ecclesiam Crimarsteten* ebd., n. 252; 1200–20 *de Grimarsteten* Tr Passau n. 875; 1200–20 *de Grimhersteten H.* ebd., n. 1187; 1204 *in ecclesiam Grimhartesstetin* OÖ. UB. II, n. 344; 1206 *et ecclesiam in grimarstetin* ebd., n. 351; *1200–20 *Richmanus de Grimarsteten; parrochia in Greimarstetten; Item de Grimhersteten Hartfrid* Trad. Pass. n. 875; 943; 1187; 1220–40 *de parrochia in Greimarsteten; Ita de Gremarsteten*, ebd., n. 1343, 1240 *ecclesiam parrochialem Grimarstetn* OÖ. UB. III, n. 71; 1252 C *ecclesiam parrochialem Greymarsteten* ebd., n. 197; 1258 *Curiam in Greymharsteten* ebd., n. 269; 1291 *in Greymhartssteten* OÖ. UB. IV, n. 154; 1292 *ecclesiam parochialem in Greimatsteten* ebd., n. 191; 1300 *Ecclesia in Grimarsteten* ebd., n. 400; 1311 *Ludwicus rector Ecclesie in Greimarsteten* OÖ. UB. V, n. 59; 1317 *Her Ludweich pharrer ze Greymarsteten* ebd., n. 182; 1335 *in Greimharsteter pharr* OÖ. UB. VI, n. 164; 1341 *Ludweig der pfharrer ze Greymhartzsteten* ebd., n. 369; c. 1343 *Nota de orto Greimarsteten* OÖ. Stiftsurb. III, S. 403, n. 11; *1345 *Greymharstetten; Greimhartstetten* Necr. Wilh., S. 51; 179; 1348 *vnsern hof in Greimhartstetter pharre auf dem perg* OÖ. UB. VII, n. 88; 1353 *an dem Mŏs im Greymhartsteterpharre* ebd., n. 300; 1355 *Ödhof in Greymhartsteter pfarre* ebd., n. 398; 1356 *ze Greben enhalben dez Haselpachs in Greymerstetter pharr* ebd., n. 429; 1356 *der hof ze Greinhartsteten* ebd., n. 457; 1361 *gelegen in Greymhartsteter pfarr* OÖ. UB. VIII, n. 43; 1364 *in Greymarsteter pharr* ebd., n. 182; 1368 *gelegen in Greymhartsteter pharr* ebd., n. 364; 1374 *sand Larentzen gotshaws ze Greimhartzsteten* ebd., n. 680; *1371 *Gremlsteten* Urb. Schaunbg., f. 221; 1376 *gelegn ist in Greymharczsteter pharre* OÖ. UB. IX, n. 26; 1377 *in Greÿmhartsteter pharr in wåchsenwerger Graffschaft* ebd., n. 274; 1379 *an dem liechtenperig gelegen jn Greymestetner pharr vnd jn wassenberger gericht* ebd., n. 514;

1382 C 1673 *pfarrer ze Gramhardtstetten* OÖ. UB. X, n. 197; 1383 *auf dem Aigen zu Aleinstorf in Greymhartsteter pharr* ebd., n. 296; 1384 *ain hof zu Luchenöd gelegen in Greymharczsteter pharr* ebd., n. 360; 1384 C *an der Stuben gelegen in Gremhartzsteter pharr und in Wassenberger grafschaft* ebd., n. 394; 1385 *auf dem Perig gelegen in Greymharczsteter pharr* ebd., n. 406; 1378 *der Chnolhoff in Greymerstetter pharr* ebd., n. 369; 1392 C *Hainreich Smelcz zdr czit gesessen ze Greimarsteten* OÖ. UB. XI, n. 161; 1393 *gelegen in Graimhartstaeter pfarr* OÖ. UB. XI, n. 215; 1394 *gelegen am Haennperig in Greymhartsteter pfarr und in Wazzenberger gericht* OÖ. UB. XI, n. 303; 1398 *yn Greynmasteter pharr* ebd., n. 829; 1399 *zenachst dem hof an der Wys in Greymharczsteter pharr und in Wassenberger herschaft* ebd., n. 913; *1415 *Nyclas Chastner, Pfarrer zu Greymhartstetten* Urk. Starh. Eferd., OÖLA; *1439 *in Greymensteter Pfarr* Urk. Starh. Eferd., OÖLA; c. 1416 *gelegen in gremanstetter pharr; in Gremensteter pharr; in Gremenstetter pharr; in Grämasteter pharr* Wallseer Lb., NÖLA, Nö. Reg. 17a, f. 22; 35; *1437 *Gramlsteten* Linzer Reg., C III A1, n. 306; *1455 *1 Gut genannt im Henper in Grentlsteterpfarr* LB. S. 42, n. 26; * 1455 *in Gremesteterpfarr* ebd., S. 70, n. 55; 1455 *auf der Nideröd bei Gramensteten und in Gramensteterpfarre gelegen* ebd., S. 403, n. 295; *1489 *Gramharstetten* Necr. Wilh., S. 188; *c. 1510 *gegeben sex khirchen, namblich Grämänstetten; in Grämestetter pfarr* Archiv Linz, S. 207, n. 13, 23; 1512 *Gramanstettn* Urb. Waxenberg, HKA, NÖHA W 31/A, f. 38; *1518 (1539) *Grammästetten* ZR. Zwettl; *1523 *Grämensteten* Urb. Wilh., f. 40; 1526 *Gramastetter Pfarr* Urb. Schaunberg, OÖLA, Starhemb. Urb., Hs. 162, f. 456, 458; *1550 *Gräml-stetten* Urb. Wart., f. 33; *1569 C 1627 *Grämastetter Pfarr; Pyrhinger-Hof zu Grämästetten* Linzer Reg., D I A 1, S. 53; *1569 *Grämasteten* Urb. Aschpan, f. 165; *16. Jh. *Gramanstetten* Urb. Ob.-Wallsee, f. 12; 1575 *das Gottshauß Gramastetn; Burger des Markhts Gramastetn* Anschlag Waxenberg, HKA, NÖHA, W 31/A, f. 453; 463; c. 1775 *Gramastäden* Jos. LA.; 1827 *Zu Gramastetten wird vorzüglich guter Zwieback gebacken* Pillwein I, S. 215; 1857 *Gramastätten* Souvent.

***E:*** Gefügter *-stetten*-BN (siehe EB) mit dem ahd. PN *Grîmhart* (Förstemann I, Sp. 671) mit ma. [*ã*] als Reliktlautung aus [*ai̯*] für mhd. *î* (vgl. Kranzmayer, Histor. Lautgeographie, S.49).

***L:*** Schwarz, S. 88; Schiffmann III, S. 190; Pesta, S. 464f.; ADNB I, S. 439.

10.1.7.21. ***Hals*** ZH 22–79

***D:*** *hǭi̯s*

***U:*** 1287 *De Collo* OÖ. Stiftsurb. III, S. 369, n. 37; *1336 *Herbort der Perndorffer ob dem Hals;* *1410 *den Sicz aufm Halls* Grabherr (1975), S. 148; 1443–1480 *die Stawblmul vnder dem Syttzs am Halls gelegen* Lf. Lb., NÖLA, NÖ. Regierung 17, Hs. 4, f. 183; *1456 *Steibelmülhle unter dem Sitz hals gelegen; 1 Drittel aus dem Sitz auf dem Hals* LB. 355, n. 257f.; 1489/93 *den Sitz Zum Halls* Lf. Lb., NÖLA, NÖ. Regierung 17, Hs. 8, f. 41; *1495 *Halsergut* Necr. Wilh., S. 51; ?*1583 C 1627 *am Halspach, der von Wildberg herausrinnt; bis an den genannten Halspach* Urb. Steyreck, Linzer Reg. E 5, S. 63; *1669 *Abraham Reneder von dem Mayrhof bei dem Adeligen Sitz Halß* Urb. Eschelbg., Linzer Reg. B II D 1, S. 110; 1827 *Hals* Pillwein I, S. 214; 1857 *Hals* Souvent.

***E:*** Mhd. *hals* stm. 'Hals; fortlaufende, schmale Anhöhe' (Lexer I, Sp. 1154f.), lat. *collum*.

***L:*** Schwarz, S. 89; Schiffmann III, S. 215; Grabherr (1975), S. 148.

10.1.7.22. ***Hamberg*** ZH 60–205; ***Ober-Hamberger*** Hf von Hamberg; ***Unter-Hamberger*** Hf von Hamberg

***D:*** *'hãmbę̄ɒg*

***U:*** 1305 *mein Hub ze Hænperg* UB IV, n. 509; 1322 *zv der halben Hvbe ze Hænnperg* OÖ. UB. V, n. 343; 1322 *der Halben Hvbe ze Hænnberg* ebd., n. 344; c. 1343 *Iten de Hænperig* OÖ. Stiftsurb. III, S. 395, n. 84; 1394 *gelegen am Haennperig in Greymhartsteter pfarr und in Wazzenberger gericht* OÖ. UB. XI, n. 303; *1504 *Hänperg* Urb. Lichtenhag, f. 6; *1569 *Hamperg* Urb. Aschpan, f. 165; c. 1775 *D: Hamberg* Jos. LA.; 1857 *Hamberg; Ob. Hamberger; Unt. Hamberger* Souvent.

***E:*** *-berg*-BN (siehe EB) mit dem ahd. PN *Hano* (Förstemann I, Sp. 746; Kaufmann, S. 171) mit Sekundärumlaut aus dem Gen. ahd. *Hanin*.

***L:*** Schwarz, S. 89; Schiffmann III, S. 216.

10.1.7.23. ***Hinternußböck-Siedlung*** Sdlg von Wieshof

***D:*** HN *'nūsbek*

***U:*** *1484 *Nuspach* Necr. Wilh., S. 51; 1857 *Vord. Nußböck* Souvent.

***E:*** Der Hof *Hinternußböck* leitet seinen Namen als Einwohnername mit bair.mhd. **peckhe* aus bair.-ahd. *pecch(i)o* 'Bachanwohner' (WBÖ 2, Sp. 774 f.) vom *Nußbach* her, ein heute namenloses linkes Seitenbächlein der Kleinen Rodl. Es ist ein *-bach*-AN (siehe EB) mit mhd. *nuz* stf. 'Nuß' (Lexer II, Sp. 126) in der Verkürzung für *nuzpoum* 'Nußbaum' im Sinne von 'Bach, der durch eine Gegend mit Nußbäumen fließt'. Der Zusatz *Hinter-* unterscheidet vom Hof *Vordernußböck*, der im selben Ortsteil westlich oberhalb der Ranitz liegt. Die Siedlung entstand in den 1970er Jahren auf Gründen des Hofes *Hinternußböck*.

***L:*** –

10.1.7.24. ***Hofbauer-Siedlung*** Sdlg von Türkstetten (7–42)

***D:*** –

***U:*** –

***E:*** Im niederösterreichischen Waldviertel verfügte der Hofbauer über einen größeren Hof als andere und hatte eine amtliche Funktion inne. Leider fehlen entsprechende Forschungen für Oberösterreich, doch dürfte der Hofbauer in besonderer Weise mit einer Grundherrschaft verbunden gewesen sein. Der Name der in den 1960er Jahren entstandenen Siedlung geht einerseits auf den angrenzend gelegenen Hof *Haslinger* (1857 *Haslinger* Souvent) und andererseits auf den ehem. Transportunternehmer mit dem FN *Hofbauer* zurück. Der SdlN wurde 1994 durch *Linzerstraße* ersetzt.

***L:*** –

10.1.7.25. ***Hopfauer*** W von Großamberg 4–11

***D:*** HN *'hopf,ā̃u̯-ɒ*

***U:*** 1206 *in ... Huphowe* UB II, n. 351; 1287 *Hopfaůwe superius*; *De superiori Hopfawe* OÖ. Stiftsurb. III, S. 363, n. 13; * 1398 *Hopfau* Necr, Wilh., S. 83; *1523 *Hopfauer* Urb. Wilh., f. 43; 1571 *Hanns Hophauer am Liechtenperg* Urb. Waxenberg, HKA 1173, f. 196; 1857 *Hopfauer* Souvent.

***E:*** Der HN *Hopfauer* ist eine *-er*-Ableitung von mhd. **hopf(e)ouwe*, ein gereihter *-au*-AN (siehe EB) mit mhd. *hopfe* swm. 'Hopfen' (Lexer I, Sp. 1336f.) im Sinne von 'Au, wo (wilder) Hopfen wächst'.

***L:*** –

10.1.7.26. ***Hörhager*** R von Großamberg 19–78

***D:*** HN *'hīɒ,hǭgɒ*

***U:*** 13. Jh. *et Herhage* OÖ. UB. II, S. 480, n. 332; 1287 *Herhog*; *De feodo in Herhog*; c. 1343 *De Herhag* OÖ. Stiftsurb. III, S. 364, n. 30; S. 397, n. 19; 1356 *vnd dacz Herhag* OÖ. UB. VII, n. 472; *1510 *Herhager* Taid. Wilh., f. 34; *1544 *Herhager* Urb. Wildbg., f. 168; *1676 *Hörhager* Urb. Gram., f. 18; 1857 *Hiehager* Souvent.

***E:*** HN mit dem FN *Hörhager*, *Hirhager*, *Hörhacker*, *Hirhacker*. Unter einem *Hörhag* (mhd. **herhac*) oder *Hörgraben* verstand man im Spätmittelalter einen Trennstreifen, meist einen Graben, der Herrschaften voneinander trennte. Zugrunde liegt, wie auch die ma. Hebung zeigt, mhd. *her* stn. 'Heer, Menge, Schau' (Lexer I, Sp. 1250f.) im Sinne von 'Allgemeinheit, Gemeinde, Öffentlichkeit' (vgl. OÖ.ONB 11, 11.5.8.2. Deutsch Hörschlag/Rainbach).

***L:*** Schiffmann III, S. 242.

10.1.7.27. ***Kalvarienberg*** R von Türkstetten (8–25)

***D:*** –

***U:*** 1857 *Calvarienberg* Souvent.

***E:*** Der Kreuzweg mit der Kalvarienbergkirche wurde 1831 auf dem Galgenbühel nach dem Entwurf des Maurermeisters Johann Rammerstorfer aus 10.2.1.14. Oberneukirchen errichtet.

***L:*** Schwarz, S. 91; Ulm, S. 87; Dehio (2003), S. 209f.

10.1.7.28. (***Klammleitenmühle***) Sä von Lichtenhag 1–18

***D:*** *ĩ dɒ ,glåm'lā̃i̯(d)n*

***U:*** *1481/87 *die Vessten Liechtenhag. Item die Hub dabey genannt Clam vnd ain gut genannt in der Leiten* Lf. Lb., NÖLA, NÖ. Regierung 17, Hs. 7, f.77; *1569 *Clamleiten* Urb. Aschpan, f. 178; 1827 *Eine Viertel Stunde vom Markte ist die schöne Klammleiten* Pillwein I, S. 215.

*E:* Als *Klammleiten*, ein *-leiten*-LN (siehe EB) mit dem BW mhd. *klam* stm. 'Bergspalte, Schlucht' (Lexer I, Sp. 1603f.), wird der Abhang zur Schlucht der Großen Rodl bzw. diese selbst unterhalb der Ruine Lichtenhag bezeichnet. Die dort befindliche frühere Mühle wurde in ein Sägewerk umgebaut und trägt nur mehr amtlich den Namen *Klammleitenmühle*.

*L:* Schwarz, S. 92.

10.1.7.29. ***Koglerau*** Wes von Großamberg 9–3

*D:* ˌ*khōglɒ'rāu̯*

*U:* Schiffmann unterscheidet: 1.) Kogler, einz. Hsr., 0. Gr.-Arnberg, G. Gramastetten, 1206 *decimam in Cugile* OÖ. UB. II, n. 351, 1216 *Cogele* ebd., n. 393; 1287 *Cogil*; *De Chogel* OÖ. Stiftsurb. III, S. 362, n. 6f; *1523 *Ober, Nider Khogler* Urb. Wilh., f. 42; 1857 *Ob. Kogler*; *Nied. Kogler* Souvent.

2.) Kögler (Kogler, Kegler), Bhs., O. Gr. Arnberg, G. Gramastetten, 1287 *Cogelin*; *De Chógel* OÖ. Stiftsurb. III, S. 363, n. 10; *c. 1510 *Khögler* Taid. Wilh., f. 34; *1523 *Khogler* Urb. Wilh., f. 42.

*E:* Gereihter *-au*-BN (siehe EB) mit dem HN und FN *Kogler*, eine *-er*-Ableitung von *Kogel* 'kegelförmiger Berg' (Schmeller I, Sp. 1231), wohl Nebenform zu mhd. *gugel(e)* swstf. 'über den Kopf zu ziehende Kapuze' (Lexer I, Sp.1113; Kohlheim, S. 385). Die Wochenendsiedlung entstand Ende der 1960er Jahre.

*L:* –

10.1.7.30. ***Lassersdorf*** D 13–71

*D:* '*lǫßɒš,dę̄ǫɒ*

*U:* 1287 *De Lazzenstorf Hertwicus* OÖ. Stiftsurb. III, S. 369, n. 57; c. 1343 *Item Geyger de Lazzensdorf*; *Lazzeinsdorf* ebd., S. 393, n. 31; *1371 (1439) *Lassleindorff* Urb. Schaunbg., f. 221; c. 1380 *ain gut ze Lazzenstorff* OÖ. UB. X, S. 830, n. 292; c. 1385 *ain gut ze Lassendorf* ebd., S. 874, n. 30; *1455 *1 Gut zu Lassenstorf* LB. S. 333, n. 256; *1523 *Lassestorff* Urb. Wilh., f. 56; *1526 *Lassaßdorf* Urb. Ott. Spit., f. 3; *1533 *Lassastarff* Urb. Gram., f. 3; 1558 *Zu Sanndt Lassendorff* Einl. Greis., OÖLA, f. 461; 1571 *Geörg Oberedter bei Lassastorf* HKA 1173, f.; *c. 1640 *Lasslaßdorf* Einl. Köpp., f. 152; 1827 *Lassersdorf* Pillwein I, S. 214; 1857 *Laßersdorf* Souvent.

*E:* Gefügter *-dorf*-BN (siehe EB) mit dem slaw. PN *Vladislavъ* (Miklosich, Slav. Personennamen, S. 41f.), der, wie der steirische ON *Lasselsdorf* zeigt, mhd. **Lazlau* lautete (ADNB I, S. 648). Dazu wurde eine kosende Kurzform mhd. **Lazzî*, Gen. *-înes* gebildet, die den überlieferten ukdl. Formen unseres ON zugrunde liegt.

*L:* Schwarz, S. 93f.; Schiffmann III, S. 304; Böhm, S. 228f.

10.1.7.31. ***Leitner-Gründe*** W von Großamberg 3–7

*D:* –

*U:* 1857 *Leitner* Souvent.

*E:* In den 1970er Jahren auf Gründen des ehem. Hofes *Leitner*, ein FN als *-er*-Ableitung von mhd. *lîte* smf. 'Leite, Bergabhang' (Lexer I, Sp. 1939, siehe *-leiten-* in EB; Brechenmacher II, S. 172; Kohlheim, S. 418), entstandene Wohnhäuser, seit 1994 *Leitnergasse* genannt.

*L:* –

10.1.7.32. ***Lichtenberg**, **Neu-*** R 30–56 = 10.1.8.12. ***Lichtenberg**, **Alt-**; **Neu-/ Lichtenberg***

10.1.7.33. ***Lichtenhag*** ZH 22–70

*D:* '*liɒχtn,hǭg*

*U:* ?1167 *Chunrat de Hage* OÖ. UB. II, n. 228; ?1231 *Wernhardus de Hage* OÖ. UB. III, n. 1; ?1300 C 15. Jh. *wernhardus de Hage* OÖ. UB. IV, n. 392; *1455 *Liechtenhag* LB. Lad., f. 73; *1467 *Liechtenhag* Linzer Reg., C III A1, n. 619; *1676 *Schloß Lichtenhag* Urb. Gram., f. 42; *1481/87 *die Vessten Liechtenhag* Lf. Lb., NÖLA, NÖ. Regierung 17, Hs. 7, f. 77; *1630 *Urbari über die Herrschaft Eschlberg und Lichtenhag* Urb. Eschelbg., Linzer Reg. B II D 1, S. 94; 1732 *Das meistentheils verödete / und nur annoch in etwelch wenigen Wohnungen bestehende alte Schloß Liechtenhag / liget auf einem gähen Felsen / dessen Fuß die vorbey fliessende grössere Rottel benetzet.* Hoheneck, Genealogie II, S. 597; 1747 *Liechtenhaag. Das meistentheils zusmmen gefallen, und öd ligende Schloß Liechtenhaag ligt auf einer gähen Felsen an der vorbey fliessenden grösseren Rotel unweit des Marckts Grämmästötten in dem so genannten Mihel=Viertel, und ist ein Stammen=Hauß der abgestorbenen Familiae der Herren von Haag* *(nachmalen AEspan von Haag genannt) gewesen. ... Die Uralte Familia der Herren von Haag/ welche aus Bayern in dises Land kommen ...* Hoheneck, Genealogie III, S. XXII; 219; c. 1775 *Altes Schloß Lichtenhag* Jos. LA.; 1827 *Lichtenhag; das Schloß liegt in Ruinen; im Lichtenhager Holze fließt eine Bergquelle* Pillwein I, S. 214; 216; 1857 *Lichtenhaag* Souvent.

***E:*** Obwohl ein Geschlecht der Herren von Hag seit dem 12. Jh. besonders in Quellen aus Reichersberg, Raitenhaslach und Passau nachgewiesen ist (vgl. ADNB I, S. 480), bleibt fraglich, ob einzelne Nennungen im OÖ.UB. auf Lichtenhag zu beziehen sind, welcher Burgenname ukdl. erst im 15. Jh. auftritt. Es ist ein gefügter AN mit dem GW mhd. *hac* stm. 'Einfriedung eines Ortes zu dessen Schutz und Verteidigung' (Lexer I, Sp. 1136f.) und dem BW mhd. *lieht* 'hell, strahlend, leuchtend' (Lexer I, Sp. 1906) im Sinne von 'leuchtender, befestigter Ort'. Es ist kein typischer Burgenname des 12./13. Jhs., was mit den erhaltenen, ins 15. Jh. verweisenden spätgot. Bauteilen der Burgruine auf einem hoch aufragenden, steil zur Großen Rodel abfallenden Felsen korrespondiert.

***L:*** Schwarz, S. 94; Grabherr (1975), S. 148; Grabherr (1976), S. 336f.; Dehio (2003), S. 211f.

10.1.7.34. ***Limberg*** ZH 24–89

***D:*** *'lim,bę̄ɒg*

***U:*** 1287 *et Lintperge* OÖ. Stiftsurb. III, S. 370, n. 76; *1523 *Lynndperger* Urb. Wilh. f. 57; 1827 *Limberg* Pillwein I, S. 214; 1857 *Limberg* Souvent.

***E:*** Gereihter *-berg*-Name (siehe EB) mit dem BW bair.-mhd. *linte* swstf. 'Linde' (Lexer I, Sp. 1924).

***L:*** Schwarz, S. 94; Schiffmann III, S. 314; März, S. 174.

10.1.7.35. ***Lindhamer*** Hf von Wieshof

***D:*** *dɒ 'lind,håmɒ*

***U:*** 1149 C um 1165 *curtis Lintheim* D Korn n. 273; 1149 C 12.Jh. *curtis Lintheim* UB Stmk I, n. 280; 1152–54 *O. de Linhthein* StiA Wilhering U c. 1146, anders OÖ. UB. II, n. 153: *Linthheim*; Dat. nach A.Zauner, Wilhering S. 203; 1154 *O. de Linthaim* OÖ. UB. II, n. 180; 1154 F 1236 *O. de Lintheim* OÖ. UB. II, n. 182; Dat. nach A. Zauner, Wilhering S. 213; 1155–61 *O. de Lintheim* ebd., n. 186; 1158 *curtis ... Lindheim* D FI n. 202; 1206 *Vlricus de lintheim* OÖ. UB. II, n. 351; 1242 *decimam meam in Lintheim et in Curia Rothele* OÖ. UB. III, n. 104; 1247 C 14. Jh. *in Linthaim* OÖ. UB. III, n. 138; 1287 *De Lintheim; Item de Lintheim* OÖ. Stiftsurb. III, S. 369, n. 60f.; 1374 *unser gůt gelegen ze Lynthaym in Greymhartzstetêr pharr in Wechsenberger grafschafft; Das vorgenant gůt ze Lynthaim* OÖ. UB. VIII, n. 680; *c. 1510 *Linthaim* Taid. Wilh., f. 32; 1857 *Lindhamer* Souvent.

***E:*** Gereihter *-heim*-LN (siehe EB) mit dem BW bair.-mhd. *linte* swstf. 'Linde' (Lexer I, Sp. 1924).

***L:*** Schwarz, S. 95; Musil, n. 174; ADNB I, S. 676f.

10.1.7.36. ***Lummerstorfer-Siedlung*** Sdlg von Gramastetten (12–22)

***D:*** HN *'vīɒ,rę̄dɒ*

***U:*** 1857 *Führeder* Souvent.

***E:*** Die Siedlung entstand in den 1970er Jahren beim Hof mit dem Vulgonamen *Fiereder* des Besitzers *Lummerstorfer*. Der Einwohner- und FN *Füreder* geht auf den gereihten LN mhd. **Vüroede* 'vor der Öde (gelegen)' zurück, der, wie der HN und FlN *Fürholz* 'vor dem Gehölz = Wald (gelegen)' gebildet ist. Der FN *Lummerstorfer* ist ein Herkunftsname auf *-er* vom ON *Lummersdorf*, Gem. St. Johann am Windberg/Pol. Bez. Rohrbach (1276 *Ludweigsdorf*, 1349 *Ludmanstorf*), ein gefügter *-dorf*-BN (siehe EB) mit dem ahd. PN *Ludewîg* (Förstemann I, Sp. 855ff.). Die Siedlungsname wurde 1994 durch Straßennamen abgelöst.

***L:*** –

10.1.7.37. ***Mahringer-Höller-Siedlung*** Sdlg von Großamberg 16–52

***D:*** –

***U:*** –

***E:*** Die in den 1970er Jahren entstandene Siedlung wurde mit den FN der Besitzer des ersten und des letzten Hauses an der Straße benannt. Der FN *Mahringer* ist ein Herkunftsname auf *-er* vom ON 10.1.13.17. *Mahring*, der FN *Höller* ein eben solcher vom FlN *Höll* von mhd. *helle* stswf. 'Tal, Schlucht, enger Raum, Hölle' (Lexer I, Sp. 1232; Kohlheim, S. 331).

Der SdlN wurde 1994 durch mehrere Straßennamen ersetzt.

***L:*** –

10.1.7.38. ***Maierleiten*** Wes 14–5 = 10.1.12.4. ***Maierleiten/St. Gotthard im Mühlkreis***

10.1.7.39. ***Mitterweg*** R von Gramastetten (8–28)

***D:*** *'mitɒ,wēg*

***U:*** –

***E:*** Der *Mitterweg*, ein gereihter LN mit dem GW '*Weg*' (siehe EB) und dem Adjektiv 'mitter' aus mhd. *mitter* 'in der Mitte befindlich, mitter' (Lexer I, Sp. 2190) bezieht sich auf den Weg, der am Südende des ursprünglichen Ortes zwischen den beiden großen Feldern mit den FlN *Hinter den Gärten*, heute *Gartnerstraße*, und *Schmiedberg*, wo sich einst eine Schmiede befand, mitten hindurch führte. Nach dem Zweiten Weltkrieg wurden die beiden Felder teilweise verbaut.

***L:*** –

10.1.7.40. ***Neuhauser-Siedlung*** Sdlg von Großamberg 7–22

***D:*** –

***U:*** *c. 1510 *Nehauser* Taid. Wilh., f. 315; *1523 *Neuhausser* Urb. Wilh., f. 44.

***E:*** Der Name der in den 1970er Jahren entstandenen Siedlung geht auf den nicht mehr existierenden Hof *Neuhauser* zurück, ein FN als Herkunftsname auf *-er* von einem ON *Neuhaus*, z. B. Neuhaus/Gurten (vgl. OÖ.ONB 2, 2.2.3.9. Neuhaus) oder ein gleichgebildeter Einwohnername von einem HN als neu errichtetes Haus, jeweils gereiht mit '*Haus*' aus mhd. *hûs* stn. (Lexer I, Sp. 1399f.) und '*neu*' aus mhd. *niuwe* (Lexer II, Sp. 92f.) Der SdlN wurde 1994 durch den Straßennamen *Neuhauserweg* ersetzt.

***L:*** –

10.1.7.41. ***Ranitzmühle*** Hf von Wieshof

***D:*** *'rā̃nitß,mṻ*; HN *'raŋitßɒ*, GewN *'rā̃nitß*

***U: Ragnitzmühle***: *c. 1510 *Rägnitzmülner* Taid. Wilh., f. 35; *1523 *Ragniczmüllner* Urb. Wilh., f. 55; 1857 *Ranitzm[ühle]* Souvent.

***Ragnitzer*** Bhs., in 10.1.13.14. Hofing: 1287 *De Regenz* OÖ. Stiftsurb. III, S. 369, n. 22; c. 1343 *De Regens* ebd., S. 402, n. 21; *1504 *Regnizer* Urb. Lichtenhag, f. 9; *1569 *Rägnitz* Urb. Aschpann, f. 165; *1669 *Jakob Räckhniczer von seinem Häusl* Urb. Eschelbg., Linzer Reg. B II D 1, S. 112; *1676 *Rägnitzer* Urb. Gram., f. 14; 1857 *Ragnitzer* Souvent.

***Ranitz, Gewässer***: 1499 C 1564 *Regnitz. Vacht sich an. Zum Neundorff vnd wert bis an die Regnitz Müll* Urb. Waxenberg, OÖLA, Starhemb. Urb., Hs. 200, f. 47; 1571 *ain Pach die Ragnitz genannt, hebt sich an bey dem Staininger Zu Neudorff biß an die Ratznitzmüll so dem Gottshauß Wilhering Zuegehört, ain halbe meill lanng, hat Khreussen, Phrillen, Gründtl vnd Ältl* Urb. Waxenberg, HKA 1173, f. 13; *1676 *die Ragnitz* Urb. Gram., f. 71; 1857 *Ranitz* Souvent.

***E:*** Gewässername slaw. **Rakovьnica* oder **Rakьnica* von slaw. *rakъ* 'Krebs' in slow., tschech., sorb. *rak* (Vasmer II, S. 487; Bezlaj III, S. 147; Schuster-Šewc III, S. 1204). Er wurde als ahd. **Rakinitza* / mhd. *Räknitz* mit Sekundärumlaut eingedeutscht. Zu derartigen Bildungen vgl. Šmilauer, S.151; Bezlaj, Vodna imena II, S. 140; ADNB II, S. 833. Die seit dem 16. Jh. ukdl. belegte Mühle, ein gereihter *Mühlen*-Name (siehe EB), wurde aufgelassen, doch besteht noch der damit verbundene Hof. Das Urbar von 1571 bringt noch das Vorkommen von Krebsen (*Khreussen*).

***L:*** Schwarz, S. 98f.; Schiffmann III, S. 362, Kronsteiner (1978), S. 30; Kronsteiner (1980), S. 225.

10.1.7.42. ***Rath-Siedlung*** Sdlg von Feldsdorf

***D:*** HN *dɒ 'mǭɒ ĩ 'vrāį̌šbę̄ɒg*

***U:*** 1857 *Freisberg*-Souvent. (1287 *Frellingsberg*; c. 1343 *Vreilingersperig* OÖ. Stiftsurb. III, S. 369, n. 49, S. 403, n. 48)

***E:*** Die Siedlung entstand in den 1970er Jahren auf Gründen des Hofes *Mair in Freysberg* des Besitzers *Rath* und wurde 1994 unbenannt in *Freysberg-Straße*. Der HN *Freysberg* ist ein gefügter *-berg*-BN (siehe EB) mit mhd. *vrîlinc* stm. 'Freier, nicht Leibeigener' (Lexer III, Sp. 519) als bair.-mhd. **Vrîlinkhspërkh*, dessen Mittelglied dann zur Erreichung von Zweisilbigkeit ausgelassen wurde. Der FN *Rath* ist entweder Verkürzung eines zweigliedrigen PN mit mhd. *rât* stm. 'Rat, Ratschlag' (Lexer II, Sp.

346 f.) oder gleichbedeutender Übername im Sinne von 'Ratgeber' (Brechenmacher II, S. 374; Kohlheim, S. 524).

***L:*** Schwarz, S. 86; Schiffmann III, S. 166.

10.1.7.43. ***Reumühle*** R von Wieshof (3–11)

***D:*** *'rāįmū̃*

***U:*** 1499 C 1564 *Rachmüll* Urb. Waxenberg, OÖLA, Starhemb. Urb., Hs. 200, f. 46; *1504 *Reichmül* Urb. Lichtenhag, f. 9; *1523 *die ober, die nider Reichmul* Urb. Wilh., f. 58; *1533 *Reichmülner* Urb. Gram., f. 4; 1571 *Reichmüll* Urb. Waxemberg, HKA f. 13; *1584 *die ober- und niedere Reichmühl*; *die obere Reichemühl* Archiv 94, S. 248; *c. 1650 *von der obernn Reichenmüll* Anschl. Rot; 1857 *Ob. Unt. Reit M*[*ühle*] Souvent.

***E:*** Die beiden früheren, an der Kleinen Rodel gelegenen Mühlen haben einen gereihten '*-mühl*'-BN (siehe EB) mit dem FN *Reich* von mhd. *rîche* 'vornehm, edel, gewaltig, vermögend, reich' (Lexer II, Sp. 416f.) als Übername im Sinne von 'vermögender, reicher Mensch' (Brechenmacher II, S. 387; Kohlheim, S. 531). Der ukdl. Erstbeleg zeigt, daß früher ländlich-bäuerliche Monophthongierung von [*aį*] aus mhd. *î* zu [*ā*] erfolgt war, das später wieder durch den höherschichtigen Diphthong ersetzt wurde. Die Schreibungen seit dem 19. Jh. spiegeln den nicht mehr verstandenen Sinn der ma. konstanten und regulären Aussprache des Namens, in dem Souvent einen *-reit*-Namen (siehe EB) vermutet, während die heutige amtl. Schreibung wegen der Umlautentrundung hyperkorrekt ist und dadurch volksetymologisch einen Zusammenhang mit *Reue* suggeriert.

***L:*** –

10.1.7.44. ***Rodlberg-Siedlung*** Sdlg von Gramastetten (13–42)

***D:*** –

***U:*** HN Rodelham: 1161 *A. de Rotelheim* OÖ. UB. II, n. 213; ?1170–80 *predium Ro̊delheim* Tr Asbach n. 56; 1206 *Rotelheimen*; 13. Jh. *Rotelheim* OÖ. UB. II, n. 332; 349; c. 1287 *De Rotelheim* OÖ. Stiftsurb. III, S. 368, n. 71; c. 1343 *Chunrad de Ratelhaim* ebd., S. 391, n. 1.

***E:*** Der abgekommene Hof trug den HN *Rodelheim*, ein gereihter *-heim*-LN (siehe EB) mit dem GewN 10.1.6.8. *Rodl*. In Anlehnung daran wurde die seit Ende der 1960er Jahre dort über der Großen Rodl entstandene Siedlung *Rodelberg-Siedlung* genannt.

***L:*** März, S. 234; ADNB I, S. 886.

10.1.7.45. ***Schichlgraben*** R von Lassersdorf 3–11

***D:*** *'šiɒχö,grǭ(b)m*

***U:*** –

***E:*** Gereihter BN mit dem GW '*Graben*' von mhd. *grabe* swm. (Lexer I, Sp. 1064) und als BW dem FN *Schiech(e)l*, *Schich(e)l*, eine *-el*-Ableitung von mhd. *schiech* 'scheu, verzagt, abschreckend, häßlich' (Lexer II, -Sp. 724; Schmeller II, Sp. 390) im Sinne von 'abstoßender, häßlicher Mensch'.

***L:*** –

10.1.7.46. ***Schießstätte*** Sdlg von Pöstlingberg 9–25 = 10. 1. 3. 11. ***Schießstätte / Puchenau***

10.1.7.47. ***Schlagberg*** ZH 13–22

***D:*** *'šlǭgbę̄ɒg*

***U:*** 1206 *in ... Slafberc* OÖ. UB. II, n. 351; 1287 *Slafperge. De Slafperge* OÖ. Stiftsurb. III, S. 362, n. 5; 1354 *Item Slafperger* ebd., S. 410, n. 14; *1523 *Schlaffperger* Urb. Wilh., f. 41; 1676 Schlabergen Urb. Gram., f. 20; *1787 *Schlagberger* Schütz; 1857 *Schlagberg* Souvent.

***E:*** Wegen der einfachen ⟨*f*⟩-Schreibung in den älteren ukdl. Belegen wird man mit Schiffmann eher an einen gereihten *-berg*-BN (siehe EB) mit dem FN *Schlaf* von mhd. *slâf* stm. 'Schlaf' (Lexer II, Sp.952) als Übername im Sinn von 'geruhsamer Mensch; Langschläfer'(Brechenmacher II, S. 516; Kohlheim, S. 580) denken als mit Schwarz an einen gereihten *-berg*-AN mit dem Adj. mhd. *slaf*, *-ffes* 'schlaff, welk' (Lexer II, Sp. 952), womit sich kein einsehbarer Sinn ergibt. Der unverstandene Name wurde volksetymologisch zu einem Rodungsnamen mit *Schlag* (siehe EB) abgeändert und somit neu motiviert.

***L:*** Schwarz, S. 101; Schiffmann III, S. 409; Baumgartner, n. 557; März, S. 252.

10.1.7.48. ***Schmiedberg*** R von Gramastetten (6–72)

***D:*** *'šmipę̄ɒg*

*U:* –

*E:* Gereihter *-berg*-BN (siehe EB) mit dem FN *Schmid* von mhd. *smit* stm. 'Schmied' (Lexer II, Sp. 1015; Brechenmacher II, S. 538; Kohlheim, S. 585f.)

*L:* März, S. 254.

10.1.7.49. ***Spendlingbauer-Siedlung*** Sdlg von Hamberg 6–8

*D:* HN *dɒ 'šbẹndlịŋ,bāụ*

*U:* *c. 1560 *Spenndlwidmayr* Anschl. Rot., f. 2; *c. 1650 *Spendling Wibmer* Anschl. Rot.; *1669 *Spenlingwimber* Urb. Esch., S. 20; *1676 *Spenlingwibmer* Urb. Gram., f. 40; 1857 *Spendlingbauer* Souvent.

*E:* Der HN *Spendlingbauer* ist ukdl. ein Mehrfachkompositum. Seine älteste Form ist *Spendlingwidemmayer*, das dann um das Drittglied bei *-er*-Ableitung zu *Spendlingwimmer* reduziert wird. Ein 'Widum' von mhd. *widem* swstm; stf. ist eine 'Dotierung einer Kirche', meist ein der (Pfarr)kirche gehörendes Grundstück mit Haus (Lexer III, Sp. 821f.), wovon sich der Einwohner- und FN *Wimmer* herleitet. *Spendl* kommt von mhd. *spënel* f. 'Stecknadel' (Lexer II, Sp. 1078f.) und ist als FN *Sperl* Übername für den Erzeuger von Stecknadeln (Kohlheim, S. 628). Der ursprüngliche HN bezieht sich also auf einen Meierhof (von mhd. *meier* stm. 'Meier, Oberbauer; Großbauer, der die Aufsicht über die Güter seines Grundherrn führt' [Lexer I, Sp. 2074 f.; Schmeller I, Sp. 552]), der ein kirchliches Widum war und von einem Mann namens *Spendl* geführt wurde. Vereinfachend wurde er als *-inger*-Ableitung (siehe EB) *Spendlinger* genannt, woraus als unechter *-ing*-Name (siehe EB) der HN *Spendling* entstand, der dann mit '*Bauer*' kombiniert wurde. Die Siedlung entstand auf Gründen des Hofes in den 1970er Jahren. Der Siedlungsname wurde 1994 in den Namen *Spendlingbauernstraße* abgeändert.

*L:* –

10.1.7.50. ***Stäubelmühle*** Mü von Hals (1–8)

*D:* *'šdāịwe,mū̃*

*U:* 1443–1480 *die Stawblmul vnder dem Syttzs am Halls gelegen* Lf. Lb., NÖLA, NÖ. Regierung 17, Hs. 4, f. 183; 1440–1480 *dj Ståwbl Mul vnder dem Syttz Am Halls* Lf. Lb., NÖLA, NÖ. Regierung 17, Hs. 5, f. 13; *1456 *Steibelmülhle unter dem Sitz hals gelegen* LB. 355, n. 257; *1592 *Steubelmüll* Urb. Bergh., f. 10; 1857 *Stäubl M[ühle].* Souvent.

*E:* Gereihter *-mühlen*-BN (siehe EB) mit dem FN *Steub(e)l* (vgl. 1381 C 1641 *Chunrat der Steubel von der kurtzen Zwettl* OÖ. UB. X, n., 113) von mhd. *stöüben* 'stäuben, Staub aufwirbeln' (Lexer II, Sp 1215 f.) als Übername für einen Müller (vgl. *Stäuber*, Kohlheim, S. 635). Der Mühlenbetrieb wurde 1975 eingestellt.

*L:* –

10.1.7.51. ***Stötten*** (amtl. für 10.1.7.18. ***Görzer***) = 10.1.13.24. ***Stötten / Herzogsdorf***

10.1.7.52. ***Überlendner-Siedlung*** von Hamberg 10–28

*D:* HN *'īwɒ,lẹndnɒ*

*U:* 1857 *Überländer* Souvent.

*E:* Der ehem. Bauernhof *Überlendner* wurde in ein Privathaus umgebaut, das aber weiterhin den HN als Vulgonamen führt. Als *Überlend* von mhd. *überlende* stn. 'lediges Gut, Feld' (Lexer III, Sp. 1639) wird ein lediges Grundstück oder Haus bezeichnet, das durch Erbschaft oder Kauf einem anderen Gut hinzugefügt wird, also "über das eigene Land hinausgeht". Der HN ist eine *-ner*-Ableitung als Einwohnername. Die Siedlung entstand seit den 1960er Jahren. Ihr Name wurde 1994 in *Überlendnerstraße* abgeändert.

*L:* Schiffmann III, S. 459.

10.1.7.53. ***Wallner-Siedlung*** Sdlg von Hamberg 6–15

*D:* HN *'wǭinɒ*

*U:* 1392 *seinen zehent dacz den Waldner* OÖ. UB. XI, n. 161; *1544 *Jörg Wallner bey Grämenstetten* Urb. Lob., f. 32; 1857 *Wallner* Souvent.

*E:* HN *Wallner*, eine *-ner*-Ableitung als Einwohnername von mhd. *wald* stm. 'Wald' (Lexer III, Sp. 657) mit Assimilierung von *-ld-* zu *-ll-* im Sinne von 'Mann, der am oder im Wald wohnt' (Brechenmacher II, S. 739; Kohlheim, S. 694). Die Siedlung entstand in den 1960er Jahren beim noch bestehenden Hof. Ihr Name wurde 1994 in den Straßennamen *Wallnerweg* abgeändert.

*L:* Schiffmann III, S. 467.

10.1.7.54. ***Wieshof*** ZH 45–158

*D:* *'wīshōv*

*U:* 1399 *zenachst dem hof an der Wys in Greymharczsteter pharr und in Wassenberger herschaft* OÖ. UB. XI, n. 913; 1827 *Wieshof* Pillwein I, S. 214; 1857 *Wieshof* Souvent.

*E:* Gereihter *-hof*-LN (siehe EB) mit mhd. *wise* swstf. 'Wiese' (Lexer III, Sp. 938) im Sinne von 'Hof bei einer Wiese'.

*L:* Schwarz, S. 106.

10.1.7.55. ***Wolfgruber*** W von Türkstetten

*D:* HN *'wōiv,grūɒwɒ*

*U:* c. 1343 *Item Wolfsgrůber* OÖ. Stiftsurb. III, S. 395, n. 61; *c. 1510 *Wolfsgrueb* Archiv Linz II 242, n. 247; *1523 *Wollfgrueber* Urb. Wilh., f. 49; *1676 *auf der Wolffsgrueb* Urb. Gram., f. 62; 1857 *Wolfgruber* Souvent.

*E:* HN *Wolfgruber*, eine *-er*-Ableitung als Einwohnername vom zunächst gefügten, dann gereihten Kompositum mhd. *wolfgruobe* stswf. 'Wolfsgrube' (Lexer III, Sp. 967). An sich werden Tiernamen als BW gereiht, doch kann das Tier, wie gerade der in Erzählungen und Sagen häufig vorkommende Wolf, auch personifiziert werden, was zur Fügung führt. Früher wurden Wolfsgruben ausgehoben, um die gefährlichen Wölfe darin mit Ködern zu fangen und dann mit Stangen zu erschlagen.

*L:* Schiffmann III, S. 493.

### 10.1.8. Lichtenberg 555–1554

10.1.8.1. ***Asberg*** ZH 115–325

*D:* *'āsbę̄ɒg*

*U:* *1681 *Nasperger* Urb. Puch., f. 157; *1762 *Näßberger* Urb. Mist., S. 872; *1813 *Aßberger* Beitr. Mühlv. 14, S. 101; 1857 *Asberg* Souvent.

*E:* Gereihter *-berg*-Name (siehe EB) mit einem unklaren BW, das Sekundärumlaut aufweist und vielleicht auf bair. *Asen*, *Ase* 'Holzstangengerüst, Zaunstage' aus mhd. **äsene* zurückgeht (WBÖ I; S. 394 ff.). Es könnte dann ein Berg gemeint sein, wo entweder Stangenholz gewonnen wird oder, da solches für die in ganz Oberösterreich gebräuchlichen Sonnwend- oder Johannis- und die Petersfeuer verwendet wird, einen Berg bezeichnen, auf dem die entsprechenden Scheiterhaufen errichtet und abgebrannt werden (vgl. Österreichischer Vokskundeatlas, Lief. 3, Wien 1968, Kt. 52 und Kommentar, Lief. 4, Wien 1971, S. 24ff.). Das prothetische *N-* beruht dann auf der Präposition *in* oder bezüglich des ursprünglichen HN auf *beim*, ma. [*bɒn*].

*L:* März, S. 22.

10.1.8.2. ***Birnerwiese*** ZH von Asberg 6–4

*D:* *'bīɒnɒ,wīs*

*U:* *1676 *Pürchmayr* Urb. Gram., f. 6; *1693 *Pührmayr* Urb. Gram., f. 7; *1813 *Pirner* Beitr. Mühlv. 14, S. 101; 1857 *Bierner* Souvent.

*E:* Zunächst gereihter HN mit dem GW '*Maier*' aus mhd. *meier* stm. 'Meier, Oberbauer; Großbauer, der die Aufsicht über die Güter seines Grundherrn führt' (Lexer I, Sp. 2074f.; Schmeller I, Sp. 552) und dem BW bair.-mhd. *pirche* swf. 'Birke' (Lexer I, Sp. 281) – vgl. den FN *Piermay(e)r*, *Biermay(e)r*, *Pürmair* –, dann unter Weglassung des GW zum Einwohnernamen *Pirner* als *-ner*-Bildung vereinfacht und heute mit dem GW '*Wiese*' aus mhd. *wise* swstf. (Lexer III, Sp. 938) zu einem neuen Kompositum verbunden.

*L:* Schiffmann III, S. 67.

10.1.8.3. (***Trefflinger, Ober-; Unter-***) Hf v. Altlichtenberg

*D:* *'drę̄vlįŋɒ*

*U:* 1287 *Trefenic, De superiori*; *Inferius Trevinic*; *De inferiori Trefenich* OÖ. Stiftsurb. III, S. 366, n. 51f.; c. 1343 *de Trefnich inferiori*; *de Trefnich superiori* ebd., S. 394, n. 37f.; 1354 *Item de Trefnik superior* ebd., S. 411, n. 21; *c. 1510 *Trefinnckh* Archiv Linz, S. 229, n. 140; *1523 *ober, nider Treffinckh* Urb. Wilh., f. 49; *1666 *Obertrefflinger* Stroh, S. 79. 1857 *Ob.-*; *Unt.-Trefflinger* Souvent.

*E:* Slaw. **Trěbьnika* 'Rodung' zu slaw. *trěbiti* 'reinigen, roden' in slow. *trebiti* 'reinigen, roden', tschech. *tříbiti* 'sieben, läutern', nsorb. *trjebiś* 'reinigen, roden, kastrieren' (Vasmer III, S. 95f.; Schuster-Šewc, S. 1528f.), integriert seit dem 9. Jh. als ahd. **Trevinicha* mit Primärumlauts-*e* und der Substitution von slaw. *-b-* mit ahd. *-v-*. Wenn ma. offenes [*ę̄*] gilt, so ist es Reliktlautung als älterer Anschluß an Beispiele mit erhaltenem offenem [*ę/ę̄*] vor Labialen, vielleicht unter dem Einfluß von *treffen* (mhd. *trĕffen*), wie sie noch im Hausruck- und Innviertel sowie in Südböhmen begegnen. Da es sich um HN handelt, zeigen sie als Einwohnernamen Ableitung auf *-er*. Siehe auch 10.1.10.7. Treffling, Außer; Inner-; Mitter-/Engerwitzdorf.

***L:*** Schwarz, S. 104; Schiffmann III, S. 119; Kronsteiner (1978), S. 32; Kronsteiner (1980), S. 227.

10.1.8.4. ***Ebengasse*** R von Mühlberg 11–26

***D:*** *'ē(b)m,gǫßn*

***U:*** –

***E:*** Ursprünglicher FlN als gereihtes Kompositum mit dem GW mhd. *gazze* swf. 'Gasse' (Lexer I, Sp. 745) und als BW dem Adj. mhd. *ëben(e)* 'eben' (Lexer I, Sp. 499) im Sinne von 'ebener begrenzter Weg'.

***L:*** –

10.1.8.5. ***Ebner-Siedlung*** Sdlg von Altlichtenberg 18–34

***D:*** HN *'ē(b)mɒ*

***U:*** *c. 1510 *Ebmer* Taid. Wilh., f. 34; *1676 *Ebmer am Lichtenberg* Urb. Gram., f. 74; *1813 *Ehmer* Beitr. Mühlv. 14, S. 101; 1857 *Ebner* Souvent.

***E:*** Die nach dem Hof *Ebner*, einer *-er*-Ableitung von mhd. *ëbene* stf. 'Ebene' (Lexer I, Sp. 500) benannte Siedlung entstand in den 1950er Jahren.

***L:*** –

10.1.8.6. ***Elendsimmerl*** R von Neulichtenberg 48–143 = 10.1.7.12. ***Elendsimmerl / Gramastetten***

***D:*** *'ōlęnd,sĩmɒl*

***U:*** *1676 *im Elend* Urb. Gram., f. 63; *1767 *Elendgassen* Schütz.

***E:*** Von mhd. *ellende* stn. 'einsames, unwirtliches Land' (Lexer I, Sp. 539), später verbunden mit dem diminuierten Rufnamen *Simmerl* vom Apostelnamen *Simon*.

***L:*** Schiffmann III, S. 138.

10.1.8.7. ***Gis*** ZH von Asberg 8–0

***D:*** *giß*

***U:*** 1857 *Gisela Warte oder Kuhenöd* Souvent.

***E:*** Die Häuser entstanden um den Gasthof *Zur Gis* in der Nähe der Giselawarte am Lichtenberg. Der Name ist eine Abkürzung von *Gisela*. Die Warte wurde 1856 aus Anlaß der Geburt der gleichnamigen kaiserlichen Prinzessin errichtet. Siehe auch 10.1.8.11. Kunödt.

***L:*** –

10.1.8.8. ***Haselgraben*** ZH 3–8; ZH von Asberg 2–6

***D:*** *'hǭsl,grǭ(b)m*

***U:*** 1110 *contra orientem usque Hasilpach ... a ripa predicti fluminis Danubii contra septemtrionem* StiA Wilhering U 1110, anders OÖ. UB. II, n. 92: *-bach.*; *13. Jh. *infra aquam, que dicitur Hasilpach* Urb. Pass.I, S. 114. *1396 C 17. Jh. *einen hof im Haselpach bey Lintz gelegen* HHStA, Linzer Reg. C III A 1, n. 86; *1417 *Mühle im Haselpach* ebd., n. 184; * c. 1438 *durch den Haselpach* ebd., n. 315; *1490 *Straße durch den Haselbach* Wirmsb., Freist. Reg., S. 316; 371; *1495 *durch den Haslbach nach Lohnfelden* Linzer Reg., C III A1, n. 898; *1545 *Hanns Kupfferschnmidt im Haslgraben von seinem Hofstättl; Stefan Sadlleutner im Haslgraben* Urb. Wildbg., Linzer Reg. B II, D 2, S. 18f.; *1562 *Haselgraben* Wildbg.,S. 16; 1571 *Bemellts Lanndtgericht ... geett nach der Thuenau hinab biß Zum Haslgraben vnd nach dem Haslgraben hinein für das Schloß Wildperg* Urb. Waxenberg, HKA 1173, f. 1; 1575 *Lanndtgericht ... Zu Lynntz Auf halber Prugkhen ... Nach dem Haßlgraben hinein auf Helmansedt* Anschlag Waxenberg, HKA, NÖHA, W 31/A, f. 445; *1585/1587 *Hanns Khupferschmidt im Haslgramb* Urb. Wildbg., Linzer Reg. B II, D 2, S. 25; *1593 *Hanns Khupfferschmit im Haslgrabm* ebd., S. 27; *1645 *hinauf im Hasslbach nach dem Hasslgraben* Jb. d. Mus. 57, S. 12; 1857 *Haselgraben* Souvent.

***E:*** Wohl Klammerform aus *Hasel[bach]graben*. Der *Haselbach* ist ein gereihter *-bach*-Name (siehe EB) mit dem BW mhd. *hasel* stswf. 'Haselstaude' (Lexer I, Sp. 1192) im Sinne von 'Bach, an dessen Ufern Hasel(nuß)stauden wachsen'.

***L:*** Schwarz, S. 89; Schiffmann II, S. 436.

10.1.8.9. ***Holzpoldlsiedlung*** Sdlg von Neulichtenberg 78–284

***D:*** HN *'hōįds,bōį(d)l*

***U:*** –

***E:*** Der HN ist ein gereihtes Kompositum mit der diminuierten Kurzform *Poldl* von *Leopold* und mhd. *holz* stn. 'Wald' (Lexer I, Sp. 1329). Die Siedlung entstand in den 1950er Jahren im Bereich des Gasthauses *Holzpoldl*, nach dem die Straßenbezeichnung *Am Holzpoldlgut* lautet.

***L:*** –

10.1.8.10. ***Kronabitedt*** E 2–3 = 10.1.15.10. ***Kronabited/Kirchschlag***

10.1.8.11. ***Kunödt*** Gh von Kammerschlag 1–5

***D:*** *'ghū̯̄nẹ̄d*

***U:*** 1285 *vnd datz chunnode* OÖ. UB. IV, n. 40; *c. 1510 *Khüenödt* Archiv Linz II, S. 227, n. 123; *1523 *Khuenöd* Urb. Wilh., f. 45; 1857 *Gisela Warte oder Kuhenöd* Souvent.

***E:*** Gefügter *-öd*-BN (siehe EB) mit dem ahd. PN *Kuono* (Förstemann I, Sp. 372f.; Kaufmann, S. 84). Das Gasthaus gehört zum Gasthof 10.1.8.7. (zur) Gis. Seine Anschrift lautet seit 1994 „Auf der Gis 1".

***L:*** Schwarz, S. 93; Schiffmann III, S. 297; Reutner, S. 214.

10.1.8.12. ***Lichtenberg, Alt-*** R 164–469; ***Neulichtenberg*** ZH 5–16

***D:*** *'ǭi̯d-; 'nāi̯,livχtm,bẹ̄vg*

***U:*** 13. Jh. *Walther de Liechtenperch* OÖ. UB. IV, n. 392; 1220 *Otacharus de Lithenberch* OÖ. UB. II, n. 411; 1270 *Pillvngus de liechtenperg* OÖ. UB. III, n 395; 1287 *Liethinberge; Albero de Lichtenperch* OÖ. Stiftsurb. III, S. 366, n. 54; c. 1343 *Item Ulricus de Liehtenperig* ebd., S. 394, n. 39; 1379 *an dem liechtenperig gelegen jn Greymestetner pharr vnd jn wassenberger gericht* OÖ. UB. IX, n. 514; 1499 *Riedmarch am Liechtnperg* Urb. Wildberg, OÖLA, Starhemb. Urb., Hs. 204, f. 19; *c. 1510 *Liechtnperg* Taid. Wilh., f. 35; 1512 *Staininger am liechtnperg* Urb. Waxenberg, HKA, NÖHA W 31/A, f. 26; *1544 *Ambt am Liechtenperg* Urb. Wildbg., Linzer Reg. B II, D 2, S. 14; *1545 *Amt am Liechtenperg* ebd., S. 17; 1545 *Zw Liechtenperg* Urb. Riedegg, OÖLA, Starhemb. Urb., Hs. 142, f. 118; 1571 *Hanns Hophauer am Liechtenperg; Matheus Nider Khogler am Liechtenperg; Michael Aursperger am Liechtenperg; Geörg Harhager am Liechtenperg; Michael Weixelpämber am Liechten*perg HKA 1173, f. 196; *1757 *Weegmühl und Hammerschmidten am Liechtenberg; Angermayrgüthl aufm Liechtenberg; Furthhäußl am Liechtenberg* Urb. Hartheim, Linzer Reg. B II D 1, S. 153; 1827 *Altlichtenberg; Neulichtenberg* Pillwein I, S. 316; 1857 *Alt Lichtenberg; Neu Lichtenberg* Souvent.

***E:*** Gefügter *-berg*-AN (siehe EB) mit dem BW mhd. *lieht* 'hell, blank, licht' (Lexer I, Sp. 1906) wohl in der Bedeutung 'am gerodeten Berg'.

***L:*** Schwarz, S. 94; Schiffmann III, S. 312; Grabherr (1975), S. 150.

10.1.8.13. ***Lichtsberger*** R von Neulichtenberg 15–35

***D:*** *,livχtß'bẹ̄vgv*

***U:*** c. 1343 *Item Lurzperger* ebd., S. 394, n. 52; 1499 C 1564 *Sigmund von der Luercz* Urb. Waxenberg, OÖLA, Starhemb. Urb., Hs. 200, f. 40; *1523 *Lüerzperger* Urb. Wilh., f. 48; *1676 *Liertzberger* Urb. Gram., f. 17; *1681 *Lierchsperger* Urb. Puch., f. 151; *1762 *Liechsperger* Urb. Mist., S. 866; *1813 *Lirksberger* Beitr. Mühlv. 14, S. 101; 1857 *Lierzberger* Souvent.

***E:*** HN vom FN *Lürzberger* mit dem Beinamen *Lürz, Lurz*, der später zum selbständigen FN wurde und auf mhd. *lürzen* 'unrecht handeln, täuschen, betrügen' (Lexer I, Sp. 1990) zurückgeht, wobei *lurz werden, sein* im Brettspiel 'Schneider werden, matt sein' bedeutet (Schmeller I, Sp. 1503). Er wird aus der Zusammenziehung *Lürz am Berg* entstanden sein. Wegen seiner lautgerechten ma. Aussprache wird er in phonetischer Direktanzeige, wahrscheinlich aber auch in Anlehnung an den Gemeindenamen *Lichtsberger* geschrieben.

***L:*** –

10.1.8.14. ***Maierdörfl*** R von Asberg 19–37

***D:*** *'mǭv,dẹvfö*

***U:*** ca. 1826 *Mayer zu Edt* Franz. Kat.; 1857 *Maier zu Edt* Souvent.

***E:*** Ursprünglich HN *Mayer zu Edt*, mit dem FN *Mayer* von mhd. *meier* stm. 'Meier; Oberbauer; Großbauer, der die Aufsicht über die Güter seines Grundherrn führt' (Lexer I, Sp. 2074f.; Schmeller I, Sp. 552) und dem Simplex

'Öd' (siehe EB). Seit dem 20. Jh. zu einem gereihten Kompositum verbunden mit dem Diminutiv *Dörfl* vom Simplex 'Dorf' (siehe EB).

***L:*** –

10.1.8.15. ***Mühlberg*** ZH 37–93; ***Oberer Mühlberg*** ZH 3–16

***D:*** *'mūbęɒg*

***U:*** *1494 *zu Mühlberg* Linzer Reg., C III A1, n. 886; *c. 1510 *unnder Mulperger* Taid. Wilh., f. 35; 1857 *Mühlberg* Souvent.

***E:*** Gereihter *-berg*-Name (siehe EB) entweder mit dem BW 'Mühle' (siehe EB) im Sinne von 'Berg mit einer Mühle' oder 'Berg im Besitz einer Mühle' oder Klammerform *Mühl[bach]berg* im Sinne von 'Berg am Mühlbach'.

***L:*** März, S. 190.

10.1.8.16. ***Ostergraben*** R von Altlichtenberg 12–39

***D:*** *'ǫßtɒ,grǭ(b)m*

***U:*** –

***E:*** Gereihtes Kompositum mit dem GW mhd. *grabe* swm. 'Graben' (Lexer I, Sp. 1064) und als BW mhd. *ôster* 'östlich' (Lexer II, Sp. 176).

***L:*** Schiffmann III, S. 357.

## 10.1.9. Altenberg bei Linz 862–2867

10.1.9.1. ***Altenberg bei Linz*** D 160–537

***D:*** *'ǭįm,bęɒg*

***U:*** *13. Jh. *Dominus Karolus de Maltenperg* Urb. Pass.I, S. 271; 1248 *perhtoldus de Altenperge* OÖ. UB. III, n. 151; 1364 *den hof datz dem Altenperg* OÖ. UB. VIII, n. 162; 1366 *unam curiam in Altenperg* ebd., n. 261; 1374 *dem halben hof dacz dem Altenperig* ebd., n. 693; *1565 *Tafern zu sandt Elspethen* Urb. Freist., f. 219; 1590 *Thoman Stetner auf dem Altenperg* Urb. Freistadt, HKA 1159, f. 217; c. 1775 *Altenberg* Jos. LA.; 1827 *Altenberg mit 8 Häusern, 10 Wohnparteyen, und 44 Einwohnern 2 Stunden von Linz* Pillwein I, S. 386; 1857 *Altenberg* Souvent.

***E:*** Gereihter *-berg*-AN (siehe EB) und dem Adjektiv mhd. *alt* 'alt' (Lexer I, Sp. 43). Worauf sich diese Bezeichnung vergleichsweise bezieht, ist nicht bekannt. Die Pfarre mit dem Kirchenpatrozinium zur hl. Elisabeth, worauf sich der ukdl. Beleg von 1565 bezieht, entstand erst 1774 durch Abtrennung von Gallneukirchen.

***L:*** Schwarz, S. 83; Schiffmann III, S. 23; März, S. 10; Ferihumer, S. 314f.

10.1.9.2. ***Amsling*** W von Oberweitersdorf 4–32

***D:*** *'ǟmstlīŋ*

***U:*** *1481 *Ämbsling* Urb. Steyreck; 1512 *Zu Ambsling* Urb. Steyregg OÖLA, HA Steyregg, Hs. 3, f. 97; 1545 *Ambsling* Urb. Riedegg, OÖLA, Starhemb. Urb., Hs. 142, f. 59; 1555 *Zw Ambsling* Urb. Steyregg OÖLA, HA Steyregg, Hs. 4, f. 128; *1569 C 1627 *Mair zu Ambsling* Linzer Reg., D I A 1, S. 58; *17. Jh. *Mörth Gezlpaur vom Hof zu Amsling* Linzer Reg., D I A 1, S. 97; *1787 *Ampsing* DGB. Garst; c. 1775 *Amstling* Jos. LA.

***E:*** Unechter *-ing*-Name (siehe EB) von der Berufsbezeichnung bzw. dem entsprechenden FN *Ams(t)ler*, *Amschler* von mhd. **amseler* 'Vogelsteller, Vogelfänger' zu mhd. *amsel* stf. 'Amsel' (Lexer I, Sp. 53; Brechenmacher I, S. 29; Kohlheim, S. 86) mit Umformung von *-er* zu *-ing* (siehe unechte *-ing*-Namen im EB) und analogem Sekundärumlaut, wahrscheinlich zunächst als HN **Ämstlinger* mit Rückverkürzung.

***L:*** Schiffmann III, S. 25, Kouril, n. 76.

10.1.9.3. ***Bairing, Nieder-*** R 39–143; ***Oberbairing*** R 85–242

***D:*** *'bǭɒrįŋ*

***U:*** nach 1115 *predium ... Begeringin* UB. Bab.I, n. 2; 1125 *predium ... Beigirin* D LoIII Nr. 2; 1309 *et Curia in Paiering* OÖ. UB. V, n. 14; c. 1343 *Item de Pairing* OÖ. Stiftsurb. III, S. 396, n. 8; 1376 *Thoman von payring* OÖ. UB. IX, n. 40; *c. 1510 *Nidern Payring* Taid. Wilh., f. 37; *1523 *Ober Peiring* Urb. Wilh., f. 61; *1545 *nämlich Veiten Pannwinckhler zu Payring* Urb. Wildbg., Linzer Reg. B II, D 2, S. 19; *1569 C 1627 *Ponwinckhler Gut zu Obern-Payring* Linzer Reg., D I A 1, S. 54; *1583 C 1627 *Ponwinckhlerguet zu Obern Payring, so auch eine Taferne* Urb. Steyreck, Linzer Reg. E 5, S. 44; 1590 *Hanns Aichorn Zu Pairing* Urb. Freistadt, HKA 1159, f. 147; *1597 *Ponwingklerguet, ist eine Taferne zu Payrinng* Urb. Steyreck, Linzer

Reg. E 5, S. 74; 1827 *Oberbairing*; *Niederbairing* Pillwein I, S. 386; 1857 *Oberbairing*; *Niederbairing* Souvent.

***E:*** Echter *-ing*-BN (siehe EB) mit dem bair.-ahd. Stammesnamen *Bei(g)ar* 'Baier' im Gegensatz zur östlich gelegenen Slawensiedlung in 10.1.9.12. Kulm. Die seit dem 16. Jh. amtliche Unterscheidung zweier Ortsteile ist volkstümlich unüblich.

***L:*** Schwarz, S. 84; Schiffmann III, S. 41; Kouril, n. 142; ADNB I, S. 60.

10.1.9.4. ***Pargfried*** R 13–51

***D:*** *'bakvrīd*

***U:*** *1312 *ze Perfrid* Archiv Linz I, S. 1; *1489 *Parigfried* Necr. Wilh., S. 51; *1544 *Pärckhfridt* Urb. Lob., f. 32.

Anm.: In der nördlich benachbarten Gemeinde 10.1.17. Hellmonsödt findet sich ebenfalls ein Hof Pargfrieder mit eigenen ukdl. Belegen.

***E:*** Von mhd. *bërcvrit*, umgedeutet aus *bërvrit* 'Verteidigungsturm einer Burg, Bollwerk, befestigtes Haus' (Lexer I, Sp. 186f). Im 15. Jh. erfolgte Umdeutung des Erstgliedes zu mhd. *parc* 'eingehegter Ort, Umzäunung' (Lexer II, Sp. 206).

***L:*** Schwarz, S. 97; Schiffmann III, S. 44.

10.1.9.5. ***Preising*** D 10–27

***D:*** *'brāįsiŋ*

***U:*** 1378 *De Preismering* OÖ. Stiftsurb. III, S. 108, n. 42; 1404 *Item in Preysmaning* ebd., S. 203, n. 120; *1441 *Preismaning* Reg. Starh., f. 3; 1441 *datz preismaning* Urb. Riedegg., OÖLA, Starhemb. Urb., Hs. 141; *1499 *Preismaning* Archiv 104, S. 406; 1590 *Auf der Tafern Zu Preißmairing*; *Matheus Zu Preißmaning* Urb. Freistadt, HKA 1159, f. 9, 147; 1827 *Preussing* Pillwein I, S. 386; 1857 *Preising* Souvent.

***E:*** Wahrscheinlich echter *-ing*-BN (siehe EB) mit dem bair.-ahd. PN **Prîsmâr* oder **Prîsman* (Kaufmann, S. 71), der als Kurzform *Prîso* in bayerischen SN wie Preisenberg, LK Landshut (10. Jh. *Prisinperac*) und Langenpreising, LK Freising (c. 1100 *Prisingen*) enthalten ist (Förstemann II/1, Sp. 75f.).

***L:*** Schwarz, S. 95f.; Kouril, n. 1817.

10.1.9.6. ***Dornach*** R 40–140

***D:*** *'dā̃nɒ*

***U:*** c. 1775 *Dohna* Jos. LA.; 1827 *Dannach* Pillwein I, S. 386; 1857 *Dornach* Souvent.

***E:*** *-ahi*-Bildung (siehe EB) von mhd. *tanne* stswf. 'Tanne' (Lexer II, Sp. 1401) im Sinne von 'Tannenwald' mit volksetymologischer Umdeutung zu *Dornach* 'Dorngestrüpp' auf Grund teilweiser fehlender Nasalierung.

***L:*** –

10.1.9.7. ***Edt*** R 36–118

***D:*** *ę̄d*

***U:*** 1377 *Charl der Geyczesteter auf der Öde* OÖ. UB. IX, S. 264; 1827 *Oed* Pillwein I, S. 386; 1857 *Edt* Souvent.

***E:*** Simplex 'Öd' (siehe EB).

***L:*** Grabherr (1975), S. 145.

10.1.9.8. ***Hansensiedlung*** Sdlg von Stratreith

***D:*** veralteter HN *bɒn 'hā̃nsn*

***U:*** –

***E:*** Die Siedlung entstand seit den 1960er Jahren beim Hof *Hansen*, ein FN vom PN *Johann/Hans*. 1976 wurde statt der Siedlungsbezeichnung der Straßenname *Haldweg* eingeführt.

***L:*** –

10.1.9.9. ***Haslach*** R 101–293

***D:*** *'hǭslɒ*

***U:*** 1394 *Zehenten dacz obern Hasleich und dacz nider Hasleich ... in Galneunchircher phar* OÖ. UB. XI, n. 287; 1399 *ain haws dobei ze Haslach* ebd., n. 893; *1439 *Haslach* Urk. Starh. Eferd., OÖLA; *1569 C 1627 *Hueb zu Haßlach* Linzer Reg., D I A 1, S. 48; 1590 *Hanns Haßlinger* Urb. Freistadt, HKA 1159, f. 147; c. 1775 *Haslinger* Jos. LA.; 1827 *Haslach* Pillwein I, S. 386; 1857 *Haslach* Souvent.

***E:*** *-ahi*-Bildung (siehe EB) mhd. *haslach* als Kollektiv zu mhd. *hasel* (Lexer I, Sp. 1192) 'Haselstaude', 1590 und 1775 mit *-inger*-Ableitung als HN.

***L:*** –

10.1.9.10. ***Katzgraben*** R 30–106

***D:*** *'khǫtß,grǭ(b)m*

***U:*** c. 1775 *Katzleitner*; *Katzbach* Jos. LA.; ca. 1826 Katastralgemeinde *Katzgraben* Franz. Kat.; 1827 *Katzgraben* Pillwein I, S. 386; 1857 *Katzgraben* Souvent.

***E:*** Ursprünglich Flur- und Gegendname *Katzbachgraben* als Dreifachkompositum, später zur Klammerform *Katzgraben* verkürzt. Namengebend ist der durch diesen Graben fließende *Katzbach*, nach dem auch der ON *Katzbach*, Bez. Linz-Stadt (983–91 *ad Linzam autem decimam de Chazapach* Tr. Göttweig, n. 424; *985–91 *decimam de Chazapach* Trad. Pass., n. 93) benannt ist.

Es handelt sich um einen gereihten *-bach*-Namen (Siehe EB) mit ahd. *katza* stf. 'Katze' mit Bezug auf Wildkatzen. Darauf verweist auch der nordwestlich gelegene HN *Katzjager* (*1416 *dacz dem Kaczjeger* Archiv 104, S. 627; *1545 *Khatzjäger* Urb. Riedeck, f. 63; 1857 *Katzjager* Souvent).

***L:*** Schwarz, S. 91; Schiffmann III, S. 271; ADNB I, S. 586.

10.1.9.11. ***Kitzelsbach*** R 40–102 = 10.1.15.8. ***Kitzelsbach/Kirchschlag***

***D:*** *'khīdsls,bǭ*

***U:*** *1422 *Gőslpach* Linzer Reg. C III, A1, n. 204; *1445 *Gozelpach* ebd., n. 345; *1544 *Götzläspach* Urb. Wildbg., f. 169; 1545 *Gützlspach* Urb. Riedegg, OÖLA, Starhemb. Urb., Hs. 142, f. 63; *1562 *Göczleinspach* Jb. d. Mus. 57, S. 16; *1577 *Khüczleßpach* GDR. Garst.; *1696 *Gizelspach* Urb. Wildbg., f. 311; c. 1775 *Kitzelsbach* (HN und SN, Gew. ist ein kleiner Zufluß in den Haselgraben) Jos. LA.; *1787 *Kitzlsbach* Schütz; 1827 *Kitzelsbach* Pillwein I, S. 386.

***E:*** Gefügter *-bach*-BN (siehe EB) mit dem ahd. PN *Gotzilî*, Gen. *-înes* (Förstemann I, Sp. 621; Kaufmann, S. 141) mit Umlaut.

***L:*** Schwarz, S. 91; Schiffmann III, S. 278; Bito, S. 135f.

10.1.9.12. ***Kulm*** D 19–85, ZH 2–12, ***Niederkulm*** E 2–9 = 10.1.10.18. ***Niederkulm***; ***Oberkulm*** ZH 14–49

***D:*** *khṳ̄im*

***U:*** 1171 C 12.JhE *Chulm. III prediola* UB. Bab. I, n. 40; 1171 F vor 1235 *Chulm. IIIa prediola* ebd., n. 41; 1288 *Chulm iuxta Charlsperg* OÖ. UB. IV, n. 94; 1378 *De Chulben* OÖ. Stiftsurb. III, S. 108, n. 37; *1499 *in der Kulbm*; *Obern Kulben* Archiv 104, S. 405; *1550 *Nider Khulbm* Urb. Pollh., f. 34; 1590 *Ober Khulbm*; *in der Nidern Khulbm* Urb. Freistadt, HKA 1159, f. 146; *1569 C 1627 *Hofstatt zu Khulben*; *und zu Oberkhulben* Linzer Reg., D I A 1, S.48f.; *17. Jh. *auf einem Land zu Nidern Khulbm*; *beim Mörtl allda zu Nidern Khulbm* Urb. Eschelbg., Linzer Reg. B II D 1, S. 124; c. 1775 *Ober Kolben*; *Nider Kolben* Jos. LA.; 1827 *Kulm*; *Niederkulm*; *Oberkulm* Pillwein I, S. 386f.; 1857 *Kulm*; *Ob. Kulm*; *Niederkulm* Souvent.

***E:*** Im ehem. slaw. Raum Ost- und Südösterreichs häufige Bezeichnung für eine Bergkuppe von slaw. *chъlmъ* 'Hügel' in slow. *holm*, tschech. *chlum*, osorb. *cholm* (Berneker I, S. 410f.; Bezlaj I, S. 199; Schuster-Šewc I, S. 392).

***L:*** Schwarz, S. 92f.; Schiffmann III, S. 298.

10.1.9.13. ***Ramersdorf*** W 4–22

***D:*** *'rã̄mɒš,dǭɒv*

***U:*** 1404 *Item in Reymarsdarff* OÖ. Stiftsurb. III, S. 203, n. 119; 1445 *Item in Reysmarsdorf* ebd., S. 229, n. 116; *1455 *1 Hof zu Rachmanstorf in Wartpergerpfarre* LB. S. 214, n. 170; *1481 *Rämleinstorff* Urb. Steyreck; *1499 *Rämers-*; *Rämestorf* Archiv 104, S. 406; 1512 *Zu Rämanstorf* Urb. Steyregg OÖLA, HA Steyregg, Hs. 3, f. 123; *1559 *Rämastorff* Urb. Reichenst., f. 12; *1565 *Ramanß-*, *Rämastorff* Urb. Freist., f. 63, 206; 1590 *Ramastorff*; *Zu Ramenstorff* Urb. Freistadt, HKA 1159, f. 148; 217; *1590 *Rämas-*; *Ramanstorf* Archiv 104, S. 426; 1827 *Ramerstorf* Pillwein I, S. 386; 1857 *Ramersdorf* Souvent.

***E:*** Gefügter *-dorf*-BN (siehe EB) mit dem ahd. PN *Rîchmâr* (Förstemann I, Sp. 1267) oder *Regin-*, *Reimâr* (Förstemann I, Sp. 1235), deren Erstglieder auf Grund des *-ch*-Schwundes und der Monophthongierung von *ei* aus mhd *î* und $ei_2$ zu ma. [*ā*], geschrieben ⟨*ä*, *a*⟩ wurden.

***L:*** Schwarz, S. 98; Schiffmann III, S. 363; Böhm, S. 293.

10.1.9.14. ***Schwarzendorf*** D 12–54

***D:*** *'šwǫɒtßn,dǭɒv*

***U:*** 1354 *Item de Swaiczendorf* OÖ. Stiftsurb. III, S. 410, n. 22; 1441 *hannsl datz Swartzendorf* Urb. Riedegg., OÖLA, Starhemb. Urb., Hs. 141; *1499 *Swartzendorf* Archiv 104, S. 407; *c. 1510 *Swaytzendorf* Taid. Wilh., f. 37; 1512 *Zu Swaitzndorf* Urb. Steyregg OÖLA, HA Steyregg, Hs. 3, f. 34; *1523 *Schwäczendorf* Urb. Wilh., f. 60; *1565 *Schwartzendorf* Urb. Freist.,

f. 60; *1590 *Schwaitzen-*; *Schwartzendorff* Urb. Freist., f. 128, 145; c. 1775 *Schwarzendorf* Jos. LA.; 1827 *Schwarzenstorf* Pillwein I, S. 386; 1857 *Schwarzendorf* Souvent.

***E:*** Gefügter *-dorf*-AN (siehe EB) mit dem BW mhd. *swarz* 'schwarz' (Lexer II, Sp. 1343) oder Klammerform aus *Schwarzen(bach)dorf*. Die Formen mit ⟨*ai*⟩ weisen herrensprachliche Hyperkorrektion auf Grund des Zusammenfalls von mhd. *ei* und *ar* in ma. [*ǫɒ*] auf.

***L:*** Schwarz, S. 101; Böhm, S. 320.

10.1.9.15. ***Seitlingersiedlung*** Sdlg von Haslach 24–48

***D:*** HN *'sā̜idlịŋɒ*

***U:*** *1481 *Seyttling* Urb. Steyreck; *1512 *Seitling* Urb. Steyreck, f. 96; *1555 *Seidling* Urb. Steyreck, f. 128; *1569 C 1627 *Hube zu Seitling* Linzer Reg., D I A 1, S. 60; *1635 *Zeillingerguett* Urb. Starh., f. 217; *1635/64 *Christianus Seidlinger von der halben Hube zu Seidling* Urb. Lustenf., Linzer Reg. E 5, S. 143; *c. 1640 *Seidling* Einl. Köpp., f. 33; *1694/1700 *Michael Ländl zu Seidling, insgemein Seidlinger genannt, von der halben Hube* Urb. Lustenf., Linzer Reg. E 5, S. 174; c. 1775 *Seitlinger* Jos. LA.; 1857 *Seitlinger* Souvent.

***E:*** Die Siedlung entstand seit den 1960er Jahren beim Hof *Seitlinger*. Ihr Name wurde 1976 durch die Straßennamen *Seitlingerweg*, *Sonnleitenweg* und *Buchenweg* ersetzt. Der HN geht auf den FN *Seitling*, *Seidling*, *Seitlinger*, *Seidlinger* zurück, vgl. 1565 *Hanns Seidling* (Urb. Freistadt, f. 188), ein Beiname von ma. *Seitling* 'Wasserfloh (cancer pulex), ein kleines fischähnliches Tier im Quellwasser, dem Giftigkeit nachgesagt wird', belegt im Mühlviertel und südlichen Böhmerwald (WBÖ-S). Wenig wahrscheinlich ist Herkunft von mhd. *sîtelinc* stm. 'Seitenverwandter' (Lexer II, Sp. 943), siehe auch OÖ. ONB. 11, 11.5.3.45. Seitling/Lasberg. Die Siedlung entstand in den 1970er Jahren.

***L:*** Kouril, n. 2193.

10.1.9.16. ***Stadlersiedlung*** Sdlg von Oberbairing

***D:*** veralteter HN *'šdǭdlɒ*

***U:*** ? 1382 C 1673 *ze dem Stadlen gelögen auf dem Fraunberg in Wässenberger graffschafft* OÖ. UB. X, n. 197; 1499 *Stadler auf der Leyttn* Urb. Wildberg, OÖLA, Starhemb. Urb., Hs. 204, f. 23; 1590 *Matheus Stadler* Urb. Freistadt, HKA 1159, f. 146.

***E:*** LN von mhd. *stadel* stm. 'Stadel, Scheune' (Lexer II, Sp. 1127), dann Einwohnername *Stadler* als HN. Die Siedlung entstand seit den 1960er Jahren beim Hof *Stadler*. Sein Name ist ein FN auf *-er* von mhd. *stadel* stm. 'Stadel, Scheune' (Lexer II, Sp. 1127). 1976 wurde der Name der Siedlung durch die Straßennamen *Höflerweg*, *Leitenweg*, *Mitterweg* und *Höhenweg* ersetzt.

***L:*** –

10.1.9.17. ***Stöttner*** Hf von Niederwinkl; ***Stöttnersiedlung*** Sdlg von Niederwinkl

***D:*** HN *'gšdetnɒ*

***U:*** 1441 *am Stettenhof* Urb. Riedegg., OÖLA, Starhemb. Urb., Hs. 141; 1590 *Thoman Stetner* Urb. Freistadt, HKA 1159, f. 147; 1857 *Stöttner* Souvent.

***E:*** HN *Stöttner* von mhd. *stete* swstf. 'Platz, Stätte' (Lexer II, Sp. 1184) mit ma. *g*-Vorschlag, wie ihn zahlreiche mit [*š*] anlautende Wörter unmotiviert aufweisen. Die Siedlung entstand seit den 1960er Jahren. Ihr Name wurde 1976 durch *Eichenweg* ersetzt.

***L:*** –

10.1.9.18. ***Stratreith*** R 51–144 =10.1.15.13. ***Stratreith/Kirchschlag bei Linz***

***D:*** *'šdrādrā̜id*

***U:*** 1376 C *vlreich der Han von Strattrewtt* OÖ. UB. IX, n. 39; 1545 *Zw Niderstrātreit*; *Zw Oberstrātreit* Urb. Riedegg, OÖLA, Starhemb. Urb., Hs. 142, f. 63f.; *1577 *Straitreuth* GDR. Garst.; c. 1775 *Strat Reith* Jos. LA.; 1827 *Stradreut* Pillwein I, S. 386; 1857 *Stratreith* Souvent.

***E:*** Gereihter *-reit*-AN (siehe EB) mit mhd. *strît* stm. 'Streit' (Lexer II, Sp. 1239f.) im Sinne von 'Rodung, um die Streit herrscht'. Der aus mhd. *î* entstandene Diphthong [*a̜i*] wurde zu [*ā*] monophthongiert, das als Reliktlautung fortbesteht und ⟨*ä*, *a*⟩ geschrieben wird.

***L:*** Schwarz, S. 104; Schiffmann III, S. 454.

10.1.9.19. ***Wagenleitnersiedlung*** Sdlg von Katzgraben 14–23

***D:*** HN ˌ*wǭ(g)ŋ'lāi(d)nɒ*

***U:*** 1545 *An der Wagenleuten* Urb. Riedegg, OÖLA, Starhemb. Urb., Hs. 142, f. 85.

***E:*** Ursprünglich FlN wohl aus älterem *Wagnerleiten* als gereihtes Kompositum mit dem FN *Wagner* (von mhd. *wagenære* stm. 'Wagenmacher, Fuhrmann' [Lexer III, Sp. 637]) und mhd. *lîte* (siehe 'Leiten'-Namen im EB). Die Siedlung entstand seit den 1960er Jahren. Ihr Name wurde 1976 durch die Straßennamen *Katzgrabenstraße* und *Bergweg* ersetzt.

***L:*** Schiffmann III, S. 463.

10.1.9.20. ***Weignersedt*** W 7–39

***D:*** *'wā̜i̯ŋɒ,sę̄d*

***U:*** 1827 *Weignesöd* Pillwein I, S. 386; 1857 *Weignersedt* Souvent.

***E:*** *-öd*-Name (siehe EB) als Klammerform *Weigners(dorf)öd* vom benachbarten 10.1.17.11. Weignersdorf/Hellmonsödt.

***L:*** –

10.1.9.21. ***Weitrag, Ober-*** R 15–92; ***Weitra*** Hf von Oberweitrag; ***Unterweitrag*** R 32–95

***D:*** *'wai̯trǭg*

***U:*** 1125 *et molendinum ad witro*; *Uvitrach dimidium mansum* OÖ. UB. II, n. 109; 237; 1288 *in der weytra* OÖ. UB. IV, n. 94; 1349 *mul datz der Mierelln* OÖ. UB. VII, n. 151; 1378 *De Weytra* OÖ. Stiftsurb. III, S. 108, n. 38; 1441 *das lehen datz weytra*; *hofstat zu weitra* Urb. Riedegg., OÖLA, Starhemb. Urb., Hs. 141; *1499 *Weittrach* Archiv 104, S. 405; *c. 1510 *Mirelmulner* Taid. Wilh., f. 37; *1523 *Miereinmüllner* Urb. Wilh., f. 61; 1545 *guet daselbs zw Weitrag*; *in der Weitrag*; *bey Hansen Weitrager Zw Weitra* Urb. Riedegg, OÖLA, Starhemb. Urb., Hs. 142, f. 60f.; 113; 197; *1565 *Weitrach*; *Weittra* Urb. Freist., f. 60, 205; *1499 *Walltrachsmul* Archiv 104, S. 420; *1565 *Woldtrachsmill* Urb. Freist., f. 86; *1590 *Weitra* Urb. Freist., f. 217; *1590 *Waltrochßmüll* Archiv 104, S. 452; c. 1775 *Weitrag* Jos. LA.; 1857 *Oberweitrag*; *Unt. Weitrag*, *Minellen-M*[*ühle*] Souvent.

***Gewässer:*** *1544 *Weitrachpach* Urb. Wildbg., f. 189; *1696 *das Mierellerpächl in der Riedtmarch* Urb. Wildberg, f. 392; 1857 *Weitragb*[*bach*]. Souvent.

***E:*** Der GewN *Weitrag* vergleicht sich *Weitra* im nordwestlichen Waldviertel in Niederösterreich (vgl. E. Schuster, Etymologie der nö. Ortsnamen III, S. 415f.). Anzusetzen ist eine idg.-vspr. Bildung mit idg. **u̯eid-* 'drehen, biegen' im hom.-gr. *ἰδνόομαι* 'sich biegen, krümmen' (zu **ϝιδνός* 'gebogen') und lat. *vīdulus* 'geflochtener Korb' (Pokorny, S. 1124) als *-r*-Ableitung **u̯eidrā*, wobei derartige Namen mit verschiedenen Ableitungen weit verbreitet sind (vgl. J. Udolph, Die Stellung der Gewässernamen Polens innerhalb der alteuropäischen Hydronymie, 1990, S. 289ff.). Offen bleiben muß, ob wie bei den germ. Bildungen *Mühl*, *Rodl*, *Gusen* und *Visnitz* mit germ. Tradierung als **Wītrō / Wītrahwō*, ahd. **Wîtra / Wîtraha* oder mit zunächst slaw. als **Vidrava* und früher Integrierung ins Bair.-Ahd. mit Zweiter Lautverschiebung des 8. Jhs. als **Wîtra/Wîtraha* zu rechnen ist. Das seit dem 16. Jh. neuerlich auftretende auslautende *-ch/-g* beruht auf oberschichtiger Restituierung der beiden ursprünglich geschwundenen Konsonanten, wobei hier bezüglich mhd. *-ah(e) -g* Hyperkorrektion ist.

Die bei Oberweitrag gelegene, seit 1125 ukdl. bezeugte *Weitragmühle* erhielt im 14. Jh. den Namen *Mirellenmühle*. Ihr Name wurde zunächst als *Mirellenbach* auf einen Seitenbach des Weitrager Baches übertragen, wozu Schiffmann II, S. 179 schreibt *„Mirellenbach*, Bach, der unweit der Mirellen-Mühle in den Weitrager Bach mündet". Sein Name wurde dann im Laufe des 19. Jhs. auf den Weitrager Bach als linken Nebenfluß der Großen Gusen ausgedehnt, so daß dessen ursprünglicher Name allmählich verschwand. Mit *Amerelle*, *Morelle*, *Moralle Marelle* und *Marille* wurden neben der Marille/Aprikose teilweise auch verschiedene andere Steinobstfrüchte wie Kirschen und Weichseln, aber auch Pfirsiche und Pflaumen bezeichnet (Grimm, Deutsches Wörterbuch, Bd. 6, Sp. 2555; Schmeller I, Sp. 1637; P. Kretschmer, Wortgeographie der dt. Umgangssprache, Göttingen 1918, S. 89ff.). Unser ukdl. Beleg von 1349 zeigt, daß das Wort bereits im 14. Jh. bekannt war und nicht, wie allgemein angegeben, erst im 15./16. Jh. aufkam.

***L:*** Schwarz, S. 95/106; Schiffmann III, S. 477; ADNB II, S. 1111.

10.1.9.22. ***Wildberg*** H 1–4 = 10.1.15.15. ***Wildberg/Kirchschlag***

10.1.9.23. ***Wilfingersiedlung*** Sdlg von Haslach

10–23
***D:*** –
***U:*** –
***E:*** Beim Hof *Oberklammer* des Besitzers *Wilfinger* entstand seit den 1960er Jahren die Siedlung, deren Name 1976 durch die Straßennamen *Oberklammerstraße*, *Quellenweg* und *Hohlweg* ersetzt wurde. Der FN *Wilfinger* ist eine *-inger*-Ableitung vom SN *Wilfing* OÖ. ONB 7, 7.2.6.94. Wilfing, Ober-; Unter-/ Gem. Pettenbach.
***L:*** –

10.1.9.24. ***Willersdorf*** D 15–80
***D:*** *'wülɒš,dǭɒv*
***U:*** 1115 F 12. JhE/13. JhA *predium Sunzonis Wilihartisdorf* UB. Bab. I, n. 2, Dat. nach H.Koller, Markgraf Leopold, S. 89ff.; 1125 *predium ... in Willihartistorf* D LoIII., n. 2, OÖ. UB. II, n. 100, 109; 1324 *Heinrich von wilharstorf* OÖ. UB. V, n. 411; 1360 *Wilhesdorf* OÖ. UB. VII, n. 715; 1394 *gesessen ze Wilherstorf* OÖ. UB. XI, n. 287; *1397 *Wilhens-*; *Willhanssdorff* Urb. Tannbg., f. 3, 14; *1447 *Wilhersdorf* Archiv 104, S. 358; *1499 *Wilhelms-*; *Willerstorf* ebd. 104, S. 405, 408; 1499 *Zw Wilhnnsdorf* Urb. Wildberg, OÖLA, Starhemb. Urb., Hs. 204, f. 22; 1545 *Wilhenstorf*; *Wilherstorf* Urb. Riedegg, OÖLA, Starhemb. Urb., Hs. 142, f. 48, 62; *1565 *Wilhelbmstorff* Urb. Freist., f. 62; *1590 *Wilhelmstorf* Archiv 104, S. 425; *c. 1640 *Wilhelmstorf* Einl. Köpp., f. 133; c. 1775 *Wilersdorf* Jos. LA.; 1827 *Willerstorf* Pillwein I, S. 386; 1857 *Willersdorf* Souvent.
***E:*** Gefügter *-dorf*-BN (siehe EB) mit dem ahd. PN *Willihart* (Förstemann I, Sp. 1599).
***L:*** Schwarz, S. 107; Schiffmann III, S. 484; Böhm, S. 351; ADNB II, S. 1136; Grabherr (1975), S. 145.

10.1.9.25. ***Windpassing*** ZH 15–51
***D:*** *'wĩmpɒβῑŋ*
***U:*** 1344 *drin gueten ze Wintpœzzing* OÖ. OB. VI, n. 464; *1385 *Windpazzing* Archiv 104, S. 624; 1385 *ein guet gelegen ze Windpezzing in Galnewnkiricher pharr* OÖ. UB. X, S. 864, n. 1; *c. 1430 *Wintpaissing* LB. Albr. V., f. 38; *1415 *Wintpässing* Archiv 104, S. 374, n. 16; *1499 *Windpassing* ebd., n. 627; 1545 *Auff des Jörgen Guet Zw Wimpäshoven* Urb. Riedegg, OÖLA, Starhemb. Urb., Hs. 142, f. 75; 1590 *Matheus Zu Windtpässing* Urb. Freistadt, HKA 1159, f. 146; 1827 *Windpassing* Pillwein I, S. 386; 1857 *Windpassing* Souvent.

Anm.: Der Beleg von 1545 bezieht sich nach Schiffmann auf das Bauernhaus Mayrhofer in Windpassing.

***E:*** Wahrscheinlich echter *-ing*-LN (siehe EB) von bair.-mhd. **wintpôz* 'Windbruch' als spätahd. **ze Wimpôzzingen* mit Assimilierung von *-ntp-* zu *-mp-* im Sinne von 'bei den Leuten, die an einer Stelle wohnen, wo der Wind so stark bläst, daß er einen Windbruch verursachen kann oder öfters verursacht'. Wegen der späten Überlieferung sind die Schreibungen mit ⟨*ai, œ, e*⟩ Wiedergaben des bereits zu [ɒ] abgeschwächten mhd. *oe*. Vgl. OÖ.ONB 1, 1.2.4.34. Wimpassing/Lengau und OÖ.ONB 3, 3.2.4.57. Windpäßl/Sigharting.
***L:*** Schwarz, S. 107; Schiffmann III, S. 488.

10.1.9.26. ***Winkl, Nieder-*** ZH 28–88, ***Oberwinkl*** D 19–80
***D:*** *'nīdɒ-; 'ōwɒ,wũ̃ŋe*
***U:*** 1171 *cum dote sua in niderwinchel* OÖ. UB. II, n. 237; 1280 *Rvodolfus de winchil* ebd., n. 475; 1373 *Wolfhart von Winchel*; *unsern hof zu Nidernwinchel ... ligent in der Riedmarich und in Gallnewnkircher pharr*; *Agnes Wolfharcz swester von Winchel* OÖ. UB. VIII, n. 634; 1376 C 1641 *zu Niederwinkl* OÖ. UB. IX, n. 139; 1378 *Hertneyd vnd Seyfrid, geprueder von Nydern Winkchel* OÖ. UB. IX, n. 371; 1396 C 1642 *Wolffhart Rhen von Oberwinckhel* OÖ. UB. XI, n. 635; 1441 *datz winkel* Urb. Riedegg., OÖLA, Starhemb. Urb., Hs. 141; 1494; 1590 *Nidern-*; *Obernwinckhl* Archiv 104, S. 407; 428f.; c. 1775 *Ober, Nider Winkl* Jos. LA.; 1827 *Niederwinkel*; *Oberwinkel* Pillwein I, S. 386; 1857 *Ober, Nied. Winkl* Souvent.
***E:*** Von mhd. *winkel* stm. 'Winkel, Eck, abseits gelegener Ort' (Lexer III, Sp. 904) mit der Unterscheidung beider getrennter Orte als *Nieder-* und *Ober-* seit dem 12. Jh.
***L:*** Grabherr (1975), S. 145.

10.1.9.27. ***Würschendorf*** D 14–51
***D:*** *'wiɒβtįn,dǭɒv*
***U:*** c. 1270 *Haertwicus de Wischendorf* Lf. Urb. S. 146, n. 67; 13. JhE *Wieschendorf* Lb.

Kap., HHStA bl. 18, f. 25; 1337 *Ott der Wieschendorfer* OÖ. UB. VI, n. 228; *1404 *Hof zu Wieschendorf* Urk. Starh. Eferd., OÖLA; 1545 *Zw Wieschendorf* Urb. Riedegg, OÖLA, Starhemb. Urb., Hs. 142, f. 60; *1696 *Wierschendorf* Urb. Wildbg., f. 322; 1827 *Wirschendorf* Pillwein I, S. 386; 1857 *Wirschendorf* Souvent.

***E:*** *-dorf*-Name (siehe EB) mit einem unklaren BW. Schwarz, der von urkdl. Schreibungen mit *-r-* ausgeht, nimmt als gefügten AN den Komparativ von mhd. *übel(e)* 'böse, schlecht' mhd. *wirs* 'übler, schlimmer, schlechter' (Lexer III, Sp. 931) im Sinne von 'beim schlimmen, schlechten Dorf' als Spottname an. Während dabei der Diphthong ⟨*ie*⟩/[*iɒ*] als Gleitlautbildung vor *r* erklärbar ist, das dann in ⟨*sch*⟩/[*iʃ*] aufgeht, gelingt dies im Falle eines gefügten BN mit dem ahd. PN *Wisko* (Förstemann I, Sp. 1625; Kaufmann, S. 410) nicht, denn *Wischenhofen* in der Oberpfalz (12. Jh. *Wiskenhofen* [Förstemann II; Sp. 1393]) tradiert den mhd. Monophthong *i*, zumal vor ⟨*sch*⟩/[*ʃ*] keine fallende Gleitlautbildung erfolgt. Schließlich ist noch eine slaw.-dt. Mischbildung denkbar mit dem Adjektiv slaw. *vьršьnъ* 'oberhalb, oben gelegen' von slaw. *vьrchъ* 'Spitze, Gipfel, oberer Teil' in slow. *vrh*, tschech. *vrch*; osorb., nsorb. *wjerch* (Vasmer I, S. 190; Schuster-Šewc III, S. 1615f.), was die spätahd. Mischbildung **Wirsendorf* ergibt (vgl. *Wurschenaigen*, Gem. Lichtenau, Pol. Bez. Gföhl im niederösterr. Waldviertel, E. Schuster, Etymologie der niederösterr. Ortsnamen III, S. 485f.). Dies könnte bezüglich der Nachbarschaft nur auf das tiefer am Bach gelegene 10.1.9.21. Oberweitrag zutreffen, von wo aus Würschendorf auch erreichbar ist. Bei all diesen denkbaren Möglichkeiten aber müßte das in den urkdl. Belegen des 13.–15. Jhs. fehlende ⟨*r*⟩ in der Diphthonschreibung ⟨*ie*⟩ aufgegangen sein.

***L:*** Schwarz, S. 108; Böhm, S. 357f.

## 10.1.10. Engerwitzdorf 1176–5246

10.1.10.1. ***Aigen*** R 11–36

***D:*** *ǭɒŋ*

***U:*** 1386 *am Aigen* OÖ. UB. X, n. 494; 1590 *Anndre Conrath Aigner von seinem halben Aigen gueth; Hanns am Aigen gueth in der Grueb* Urb. Freistadt, HKA 1159, f. 146; 1827 *Aigen* Pillwein I, S. 387; 1857 *Aigen* Souvent.

***E:*** Von mhd. *eigen* stn. 'ererbtes, freies, nicht abgabepflichtiges Grundstück' (Lexer I, Sp. 518).

***L:*** –

10.1.10.2. ***Amberg*** R 13–76

***D:*** *'ãmbę̄ɒg*

***U:*** *1660 *Armberg* Urb. Schwertbg., f. 453.

***E:*** Siehe 10.1.3.8. Großamberg/Puchenau.

***L:*** –

10.1.10.3. ***Au*** R 10–44

***D:*** *ãṷ*

***U:*** 1386 *vnser gesazz zu Aw genant mit aller seiner zugehorung, das gelegen ist in Gallennewnkircher pharr; des obgenanten gesazz zu Aw mit aller seiner zugehorung* OÖ. UB. X, n. 472; *1494; *1590 *Au* Archiv 104, S. 417; 444; c. 1775 *Au* Jos. LA.; 1827 *Au* Pillwein I, S. 387; 1857 *Au* Souvent.

***E:*** Simplex 'Au' (Siehe EB).

***L:*** –

10.1.10.4. ***Aumühle*** Mü von Au 1–1

***D:*** *'ãṷmǖ*

***U:*** 1857 *Au M*[*ühle*]. Souvent.

***E:*** Gereihtes Kompositum mit dem GW 'Mühle' (siehe EB) und als BW den ON 10.1.10.3. Au.

***L:*** -

10.1.10.5. ***Bach*** R 29–111

***D:*** *bǭ*

***U:*** 1122–30 *R. de Bahc* Tr Göttweig n. 177; 1122–30 *Bach* ib.; 12. Jh. *H. de Pahe* Necr 4, 266; 1125 F 12 JhE/13. JhA *in locis ... Pach* OÖ. UB. II, n. 110; Dat. nach H. Koller, Markgraf Leopold S. 91; 1376 *die Volkra zu Pach* OÖ. UB. IX, n. 40; 1411 *Hanns der Volkra zu Pach* Grabherr (1975), S. 146; 1487 *Stephan von Pach* ebd.; c. 1775 *Bach* Jos. LA.; 1827 *Bach* Pillwein I, S. 391; 1857 *Bach* Souvent.

***E:*** Simplex 'Bach' (siehe EB), nach der Lage am Klenbach.

***L:*** Grabherr (1975), S. 146; ADNB I, S. 57; Bito, S. 80f.

10.1.10.6. ***Thal, Nieder-*** D 20–84; ***Oberthal*** D 16–76

***D:*** *'nīdɒ-; 'ōwɒ,dǭį*

***U:*** 1125 F 12. JhE / 13. JhA *in locis, que dicuntur ... Tal* OÖ. UB. II, n. 110; Dat. nach H. Koller, Markgraf Leopold, S. 91; c. 1230 *Beneficia in Tal* Lf. Urb. S. 95, n. 40; 1350 *zdem Tal pey Chaczleinstorf* OÖ. UB. VII, n. 201; 1378; 1445 *In Tal; im Tal* OÖ. Stiftsurb. III, S. 109, n. 92; S. 225, n. 10; *1427 *Hof zu Obertal* Urk. Starh. Eferd., OÖLA; *1437 *halben Hof zu Obernthal* ebd.; *1499 *Niderntal* Archiv 104, S. 369; 418; c. 1775 *Ober-; Nider Thall* Jos. LA.; 1827 *Oberthal; Niederthal* Pillwein I, S. 391.

***E:*** Simplex 'Tal' (siehe EB), seit dem 15. Jh. mit *ober* und *nieder* teils gereiht und teils gefügt.

***L:*** Schwarz, S. 104.

10.1.10.7. ***Treffling*, *Außer-*** R 40–149; ***Inner-*** ZH 14–56; ***Mitter-*** ZH 3–17

***D:*** *'drę̄flįn*

***U:*** 1115 F 12.JhE/13.JhA *predium Threbinicha* UB. Bab. I, n. 2; Dat. nach H.Koller, Markgraf Leopold S. 89ff.; 1151 *prediorum nomina. ... Treuenich* NÖLA, RegA U n. 2, anders OÖ. UB. II, n. 171 nach Dr. 1729: *Treunenich*; 1321 *Otte aůz der Trefeniche* OÖ. UB. VI, n. 152; 1335 *Der Ortolf in der Trefnik* OÖ. UB. V, n. 294; 1394 *hof in der Treffnikch gelegen in Gallnewnchiricher pharr* OÖ. UB. XI, n. 320, 1545 *in der Treffling* Urb. Riedegg, OÖLA, Starhemb. Urb., Hs. 142, f. 86, 87; *1563 *Trefling* Urb. Schwertbg., f. 16; *1635 *in der Tröfling* Urb. Starh., f. 215; 1827 *Außertreffling; Innertreffling; Mittertreffling* Pillwein I, S. 387; 1857 *Inn., Mitter, Auss. Treffling* Souvent.

***E:*** Siehe 10.1.8.3. Trefflinger, Ober-; Unter-/Lichtenberg.

***L:*** Schwarz, S. 104f.

10.1.10.8. ***Edtsdorf*** D 22–104

***D:*** *'ę̄dšdǭɒv*

***U:*** um 1155 C 12.JhE *predium apud Zeteisdorf* Tr Garsten n. 151; 1171 C 12.JhE *Cetheodorf mansum unum et dimidium* UB. Bab. I, n. 40; 1171 F 13.JhA *Cethcisdorf mansum I et dimidium* ebd., n. 41; *1481 *Zetstorff* Urb. Steyreck; *1486 *Setzdorf* Stültz, Pulgarn, S. 79; *1499 *Otstorf* Archiv 104, S. 419; 1512 *Zetzdorf* Urb. Steyregg OÖLA, HA Steyregg, Hs. 3, f. 35; *1525 *Zedtstorff* Urb. Reich; 1545 *bey dem Mair daselbs Zw Zetzdorff auff einem Hof* Urb. Riedegg, OÖLA, Starhemb. Urb., Hs. 142, f. 101; *1565 *Ottstorff* Urb. Freist., f. 80; *1569 C 1627 *Gosstaller zu Öztdorf; Gut zu Öztdorf* Linzer Reg., D I A 1, S. 55; *1577 *Eczstorff* GDR. Garst.; *1590 *Ödtstorf* Archiv 104, S. 446; *1619 *Etschdorff* Urb. Steyreck, S. 395; *1635/64 *Stadel zu Edtschdorff. Den 20. November (1)602 haben ... zu Ötschdorff ein Viertel aus einem Tagwerk Acker, so aus dem Hof zu Etschdorff ... gebrochen ... und darauf einen Stadel erbaut* Urb. Lustenf., Linzer Reg. E 5, S. 144; *1680 *Zetzsdorff* Urb. Schwertbg., f. 24; 1827 *Zettstorf oder Edtstorf* Pillwein I, S. 391; 1857 *Edtsdorf* Souvent.

***E:*** Gefügter *-dorf*-BN (siehe EB) mit dem slaw. PN **Čětъ, *Čěta, *Čětějь* (J.Svoboda, Alttschech. PN S. 73), mit Abfall des *c-*, das als dt. Präp. *ze* 'zu' aufgefaßt wurde.

***L:*** Schwarz, S. 85; Böhm, S. ADNB I, S. 303.

10.1.10.9. ***Engerwitzberg*** R 26–100

***D:*** *'ę̃ŋɒwīds,bę̄ɒg*

***U:*** 1827 *Engerwitzberg* Pillwein I, S. 387; 1857 *Engerwitzberg* Souvent.

***E:*** Gereihter *-berg*-LN (siehe EB) mit dem SN 10.1.10.10. Engerwitzdorf.

***L:*** März, S. 63.

10.1.10.10. ***Engerwitzdorf*** D 53–242

***D:*** *'ę̃ŋɒwīdš,dǭɒv*

***U:*** 1122–30 *St. de Engilpoltisdorf* Tr Göttweig n. 177; 1125 F 12.JhE/13.JhA *St. de Engilboldistorf* OÖ. UB. II, n. 110; 1151–67 *predium ... in loco Engilboldesdorf dicto* UB Salzbg. I, 649; 1199–1231 *Engilpoldstorf* ebd. S. 498; 1230 *Dietmarum de Engilpoldistorf; predium ipsius in Engilpoldistorf* OÖ. UB. II, n. 475; 1248 *Lupoldus de engelpoltstorf* OÖ. UB. III, n. 151; 1288 C 15. Jh *Leupoldus de Engelpoltsdorf* OÖ. UB. IV, n. 94; 1318 *herwich der engelpoltstorfer* OÖ. UB. V, n. 216; 1319 C 1511 *Herweich der Engelpolstorffer* ebd., n. 261; 1320 *Herweich von Engilpoltstorf* ebd., n. 285; 1334 C 1511 *herweich der Enngelpoltstorffer* OÖ. UB. VI, n. 120; 1337 C 1511 *Herwort der Ennglpoltstorffer* ebd., n. 225; 1345 C 1511 *mit meins ohaims Insigel herweygs des Ennglpoltsdorffer* ebd., n. 526; 13. Jh. *Item filius Dietmari de Engelpoltsdorf* Urb. Pass.I, S. 114; 1545 *Englpoltzdorffer glait* Urb. Riedegg, OÖLA, Starhemb. Urb., Hs. 142, f. 92;

*c. 1600 *Englbatzstorff*; *1633 *Engewitzstorff* Hoh. VI 317, 885; *1635 *Englbolzstorff* Urb. Starh., f. 246; *1669 (1762) *Englboltsstorff* Vischer; c. 1775 *Engerwitzdorf* Jos. LA.; 1827 *Engerwitzdorf* Pillwein I, S. 386; 1857 *Engerwitzdorf* Souvent.

***E:*** Gefügter *-dorf*-BN (siehe EB) mit dem bair.-ahd. PN *Engilpolt* (Förstemann I, Sp. 109).

***L:*** Schwarz, S. 86; Schiffmann III, S. 140; Grabherr (1975), S. 146; Böhm, S. 160.

10.1.10.11. ***Gallusberg*** ZH 15–87

***D:*** *'gālɒs,bẹ̄ɒg*

***U:*** 1378 *De Gerleinsperg*; *In Gœrleinsperg*; *In Gerlingsperg* OÖ. Stiftsurb. III, S. 108, n. 36; S. 115, n. 249; S. 159, n. 54; *1481 *Gerlains-*; *Gerlansperg* Urb. Steyreck; 1512 *Erhart Gärleinsperger* Urb. Steyregg OÖLA, HA Steyregg, Hs. 3, f. 11; 1827 *Garlesberg* Pillwein I, S. 387; 1857 *Galesberg* Souvent.

***E:*** Gefügter *-berg*-BN (siehe EB) mit dem diminuierten ahd. PN *Garilî* (Förstemann I, Sp. 602f.) und Sekundärumlaut wegen *-r-*, seit dem 19. Jh. volksetymologisch zum Heiligennamen *Gallus* umgedeutet.

***L:*** Schwarz, S. 87; März, S. 78.

10.1.10.12. ***Gratz*** W 9–27

***D:*** *grāds*

***U:*** 1404 *Item in Grœcz* OÖ. Stiftsurb. III, S. 205, n. 181; 1445 *Item von Grecz* ebd., S. 229, n. 126; 1545 *bey Petern Zw Grätz* Urb. Riedegg, OÖLA, Starhemb. Urb., Hs. 142, f. 98. c. 1775 *Gratzer* Jos. LA.; 1827 *Gratz* Pillwein I, S. 387; 1857 *Gratz* Souvent.

***E:*** Slaw. **Gradьcь* von slaw. *gradъ* 'Burg, Stadt' in slow. *grad*, tschech. *hrad*, osorb. *hród*, nsorb. *grod* (Berneker I, S. 330; Vasmer I, S. 297; Bezlaj I, S. 168; Schuster-Šewc I, S. 348) integriert ins Ahd. mit Sekundärumlaut. Die Reste einer Befestigungsanlage konnten nachgewiesen werden.

***L:*** Schwarz, S. 48; Kronsteiner (1978), S. 25; Kronsteiner (1980), S. 221; Grabherr (1975), S. 146; W. Mayrhofer, Die Slawenfestung in Gratz, in: Gallneukirchen. Ein Heimatbuch für die Gemeinden Gallneukirchen, Engerwitzdorf, Unterweitersdorf und Alberndorf. Gallneukirchen, o. J., S. 449–454.

10.1.10.13. ***Haid*** R 38–144

***D:*** *hǭɒd*

***U:*** 1827 *Heid* Pillwein I, S. 387; 1857 *Hayd* Souvent.

***E:*** FlN von mhd. *heide* 'ödes, unangebautes, mit Heidekraut und Gestrüpp bewachsenes Land' (Lexer I, Sp. 1207).

***L:*** Schwarz, S. 89.

10.1.10.14. ***Hohenstein*** ZH 10–55

***D:*** *,hǭ-ɒ'šdǭ̄ɒ̃*

***U:*** 1332 C 1632 *die hueb auf dem heiligen Stein* OÖ. UB. VI, n. 50; 1342 C 1632 *vnnser holtz gelegen ann dem höchennberg vnnd den ganntzen berg, alles, das der höchenberg haist*; *zwischenn der Reichersödt vnnd dem höchenperg dem Weeg nach* OÖ. UB. VI, n. 415; 1349 *dem gotshaus datz sand Florian zway guet datz Hoͤhenperig gelegen pey Hohenstein in der Riedmarch* UB. VII, n. 101; 1378 *De Hohenstain* OÖ. Stiftsurb. III, S. 108, n. 27; 1445 *Michel in Hochenstain* ebd., S. 243, n. 27; 17. Jh. *Filialis ecclesia seu capella S. Aegidiy in Hochenstain ad parochalem ecclesiam Gallneykürchen pertinens, quae iniuria temporum destructa, novissime anno 1680 et 1681 erecta et reaedificata est.* Passauer Bistumsmatriken, zit. nach Mayrhofer, S. 487; 1827 *Hohenstein* Pillwein I, S. 387; 1857 *Hohenstein* Souvent.

***E:*** Gefügter BN mit dem GW mhd. *stein* stm. 'Stein, Fels' (Lexer II, Sp. 1161ff.) und dem BW mhd. *hôch* 'hoch' (Lexer I, Sp. 1312f.). Die ursprüngliche Burg, von der noch die Wallanlage resthaft erhalten ist, lag auf einer am Ende eines Hanges befindlichen vorkragenden Felskuppe, die steil in eine tiefe Waldschlucht abfällt. Heute befindet sich dort die romanisch-gotische Kirche St. Ägidius des 13.–15. Jhs.

***L:*** Reisinger, n. 88; Grabherr (1975), S. 146; Ulm, S. 103; W. Mayrhofer, Die Burg auf dem Hohenstein, in: Gallneukirchen. Ein Heimatbuch für die Gemeinden Gallneukirchen, Engerwitzdorf, Unterweitersdorf und Alberndorf. Gallneukirchen o. J., S. 481–490.

10.1.10.15. ***Holzwiesen*** R 31–136

***D:*** *'hǭi̯ds,wīsn*

***U:*** 1827 *Holzwiesen* Pillwein I, S. 386; 1857 *Holzwiesen* Souvent.

***E:*** Gereihter FlN mit dem GW mhd. *wise* swstf. 'Wiese' (Lexer III, Sp. 998) und dem BW mhd. *holz* stn. 'Wald, Gehölz, Holz' (Lexer I, Sp. 1329) im Sinne von 'Wiese im oder beim Wald'.

***L:*** –

10.1.10.16. ***Klammühle*** Mü von Engerwitzberg 1–1

***D:*** *'glå̃m,mǖ*

***U:*** 1827 *Klammleiten* Pillwein I, S. 387; 1857 *Klam M[ühle]* Souvent.

***E:*** Gereihtes Kompositum mit dem GW 'Mühle' (siehe EB) und dem BW mhd. *klam, -mes* stm. 'Klemme, Fessel; Bergspalte, Schlucht, Klamm' (Lexer I, Sp. 1603f.; Schmeller I, Sp. 1329) nach der Lage im hier sehr engen Tal der Großen Gusen.

***L:*** –

10.1.10.17. ***Klendorf*** D 28–112

***D:*** *'glę̄ndǭɒɒ*

***U:*** 1125 F 12. JhE/13. JhA *in locis ... Glongendorf* OÖ. UB. II, n. 110; Dat. nach H. Koller, Markgraf Leopold S. 91; 1289 *et aree in Clendorf* OÖ. UB. III, n. 538; *1294 *Clendorf* Necr. Wilh., S. 43; 1354 *Item de Klendorf* OÖ. Stiftsurb. III, S. 409, n. 3; 1376 *fridreich von Tlandorf* UB. IX, n. 40; 1378 *de Glenndorf*; 1445 *Item Glensdorf* OÖ. Stiftsurb., III, S. 108, n. 8; S. 228, n. 98; *1477 *Glendorff* Grüll, S. 282; *1490 *Glendorf* Archiv 104, S. 369; *1508 *Glenndorff* Urb. Windhag; 1545 *Zw Glenndorff* Urb. Riedegg, OÖLA, Starhemb. Urb., Hs. 142, f. 104; c. 1775 *Glendorf* Jos. LA.; 1827 *Klendorf* Pillwein I, S. 386f.; 1857 *Klendorf* Souvent.

***E:*** *-dorf*-BN (siehe EB) wohl mit dem slaw. PN **Klenъ* (Miklosich, Slav. Personennamen, S. 66) als spätahd./frühmhd. **Klenindorf*. Dann aber ist die urkdl. Schreibung der Fälschung von 1125 aus der Zeit um 1300 mit ⟨*o*⟩ = ⟨*ö*⟩ Hyperkorrektion. Da sie das ADNB I, S. 600 als ursprünglich ansieht, wird ein slaw. PN **Klǫk-* rekonstruiert. Die ukdl. Schreibung von 1376 mit ⟨*tl*⟩ spiegelt als phonetische Direktanzeige den teilweisen ma. Wandel von anlautendem [*gl*] ⟩[*dl*] wider.

***L:*** Schwarz, S. 92; Böhm, S. 214f.; ADNB I, S. 600.

10.1.10.18. ***Kulm, Nieder-*** W 7–39 = 10.1.9.12. ***Kulm*** , ***Nieder-***; ***Ober-/ Altenberg***

10.1.10.19. ***Langwiesen*** ZH 5–17

***D:*** *'lå̃ŋ,wīsn*

***U:*** 1374 *Chuͤnrat der Rueczlersperger von Langenwisen* OÖ. UB. VIII, n. 693; 1441 *Cunrat zu altenlangwisen* Urb. Riedegg., OÖLA, Starhemb. Urb., Hs. 141; *1441 *Obern Langwisen* Reg. Starh., f. 4; *1499 *Hanns Langwieser*; *1590 *Bartholome Langwieser*; *Wolf Ober Langwieser* Archiv 104, S. 415, 442; 1827 *Langwiesen* Pillwein I, S. 387; 1857 *Langwiesen*; HNN *Ober, Unter Langwieser* Souvent.

***E:*** HN als AN aus einem FlN mit dem GW mhd. *wise* swstf. 'Wiese' (Lexer III, Sp. 938) und dem BW 'lang' von mhd. *lanc* (Lexer I, Sp. 1818) im Sinne von 'langgestreckte Wiese'.

***L:*** Schwarz, S. 93; Schiffmann III, S. 303; Grabherr (1975), S. 146.

10.1.10.20. ***Linzerberg*** R 35–137

***D:*** *'lĩntʃβɒ,bę̄ɒg*

***U:*** 1545 *von ainem Lußvnndern Linczer Perg* Urb. Riedegg, OÖLA, Starhemb. Urb., Hs. 142, f. 44; 1827 *Linzerberg* Pillwein I, S. 387.

***E:*** Gefügter *-berg*-BN (siehe EB) als ursprünglicher FlN mit dem ON *Linz* oder einem Herkunftsnamen und FN *Linzer* zu eben diesem ON, vielleicht auch nach der Lage an der Straße Gallneukirchen – Linz.

***L:*** Schwarz, S. 95; März, S. 175.

10.1.10.21. ***Martinstift*** W von Linzerberg 6–236 [!]

***D:*** –

***U:*** –

***E:*** Das Martinstift ist eine Stiftung der evangelischen Baronin Amalie von Langenau zur Pflege körperlich und geistig behinderter Menschen. Zu ihrer Verwirklichung erwarb die Baronin 1886 den Bauernhof am Linzerberg und ließ ihn in ein Pflegeheim umbauen, das 1890 eingeweiht wurde und den Dienst mit evangelischen Diakonissinnen aufnahm. Heute beherbergt das der Evangelischen Diakonie in 10.1.11.3. Gallneukirchen unterstehende Haus 21 behinderte Menschen in vier Wohngemeinschaften. Sein Name ist dreifachen Ursprungs. In erster Linie ausschlaggebend dafür war der

Geistliche Martin Boos (1762–1825). Er stammte als katholischer Priester aus Bayern und rief während seiner Pfarrtätigkeit von 1806–15 in Gallneukirchen eine auf die Aufklärung folgende, religiöse, evangelischem Gedankengut verpflichtete Erweckungsbewegung ins Leben. Da ihre Anhänger als Ketzer aus der katholischen Kirche ausgeschlossen wurden, traten sie in die lutherisch-evangelische Kirche A. B. über. Damit aber wurde auch der Name Martin Luthers (1485–1545) wichtig. Beide Vornamen gehen schließlich auf den hl. Martin von Tours († um 400) zurück, der für seine Menschenfreundlichkeit (Mantelspende) verehrt wird.

***L:*** O. Kägi: Martin Boos. Basel 1954.

10.1.10.22. ***Neubauer*** Hf von Aigen 1–5

***D:*** *bɒn ˌnāį'bāųn*

***U:*** 1512 *Newnpawr* Urb. Waxenberg, HKA, NÖHA W 31/A, f. 26; 1857 *Neubauer* Souvent.

***E:*** Ursprünglich gefügter, dann gereihter HN als AN mit dem GW bair.-mhd. *pûre* swm. 'Bauer' (Lexer I, Sp. 395) und dem BW mhd. *niuwe* 'neu' (Lexer II, Sp. 92f.) im Sinn von 'neuangelegter Bauernhof'.

***L:*** –

10.1.10.23. ***Reichenbach, Ober-*** ZH 24–107, ***Unterreichenbach*** ZH 6–29 = 10.1.4.2. ***Am Reichenbach/Steyregg***

***D:*** *ˌrāį-ɒ'bǭ*

***U:*** 13. JhE *Reichenpach* Lb. Kap., HHStA bl. 18, f. 9; 1342 C 1632 *dem Reichenpach nach* OÖ. UB. VI., n. 415; 1345 C 1632 *bey demselben Closter oder jnn dem dorff, Es sey Enhalb des Reichenbachs oder hinderhalb* OÖ. UB. VI, n. 507; *1425 C *Von einer Mühle im Reichenpach* Linzer Reg., D I A 2, S. 23; c. *1481 *Reichenpach* Strnadt, Erläut., S. 100; *1590 *durch den Wald auf den Reichenbach und an diesem auf die Mühle zu Reichenbach* Archiv 94, S. 287; *1569 C 1627 *Tagwerk Wiesmahd am Rächenpach; Tagwerk Wiesmahd am Rechenpach* Linzer Reg., D I A 1, S. 57; *1638 *unzt in den Reißenbach, der von Pulgarn herauß rindt; und wert untzt in den Reichenpach, der von Pulgarn herauß rindt* Linzer Reg., D I A 1, S.11; 19; *1638 *unzt an die Landtstraſß und in den Reichenpach* Linzer Reg., D I A 1, S. 8; 1827 *Oberreichenbach* Pillwein I, S. 387; 1857 *Reichenbach* Souvent.

***E:*** Gereihter *-bach*-AN (siehe EB) und dem BW mhd. *rîch(e)* 'reich, kräftig' (Lexer II, Sp. 416f.) im Sinne von 'wassereicher, kräftiger Bach' auf Grund des starken Gefälles von rund 9 Prozent auf einer Strecke von 6 km des nach Süden zur Donau fließenden Baches.

***L:*** Schwarz, S. 99; Schiffmann III, S. 370.

10.1.10.24. ***Reitern, Nieder-*** ZH 17–79

***D:*** *ˌnīdɒ'rāįdɒn*

***U:*** 1787 *Schefzwettl* Schütz; 1827 *Niederreutern* Pillwein I, S. 387; 1857 *Niederreitern* Souvent.

***E:*** Der ursprünglich *Schefzwettl* genannte Ort, was bis in die erste Hälfte des 20. Jhs. volkstümlich war (vgl. Schiffmann III, S. 415: *Schöfzwettl*), wurde im 19. Jh. seit franzisceischer Zeit amtlich als *Niederreitern* bezeichnet, wobei der Zusatz zur Unterscheidung von 11.5.4.25 Oberreitern/St. Oswald bei Freistadt (vgl. OÖ.ONB 11) diente, wie aus Pillwein I, S. 387 und 436 von 1827 und der Karte Souvents von 1857 hervorgeht, ehe letzteres dann 1975 seinerseits in *Ober- und Unterreitern* amtlich unterteilt wurde. Mit dem Plural *Reiter* (siehe *-reit* im EB) wurden mehrere, ein Gut bildende neugerodete Parzellen bezeichnet, wovon dann der *-er*-Einwohnername *Reiterer* abgeleitet oder ein lokativischer Dativ *Reitern* gebildet wurde (vgl. OÖ.ONB 11, 11.5.4.25. Oberreitern/St. Oswald bei Freistadt).

Zu *Schefzwettl* vgl. 10.2.2.8. Zwettl an der Rodl, das zur Unterscheidung von jenem das gereihte BW bair. *Scheff* erhielt. Es beruht auf bair.-mhd. *schëf* stn. 'Schiff' (Lexer II, Sp. 729f.; Schmeller II, Sp. 384f.) und wurde als BW von Komposita mit verschiedenen Grundwörtern für Orte gebraucht, durch die die auf der Donau arbeitenden Schiffer zu ihren Arbeitsplätzen und wieder heimwärts zogen oder in größerer Zahl wohnten. Mit *Scheffweg* als Klammerform von *Scheff[leute]weg* wurden die Saumpfade bezeichnet, auf denen Waren von der Donau nach Böhmen und umgekehrt befördert wurden. Während ein westlicher Weg von 10.1.2.4. Ottensheim an der Donau über Zwettl nach 10.2.7.5. Bad Leonfelden (vgl. 10.1.14.12. Schiefegg) führte, verlief ein östlicher Weg von

Linz an der Donau über 10.1.3.11. Gallneukirchen, an dem Niederreitern liegt, bzw. von Mauthausen an der Donau über Pregarten jeweils nach Freistadt. Ob das GW *Zwettl* mit dem entfernten 10.2.2.8. Zwettl an der Rodl in Zusammenhang steht, läßt sich nicht sagen. Es scheint vielmehr, daß es sich bei *Zwettl* und *Reitern* um zwei ursprüngliche FlN handelt, denn sie bilden ein slaw.-dt. Namenpaar, indem sich beide Bezeichnungen auf Rodung beziehen. Dann aber müßten beide Namen trotz fehlender ukdl. Belege ins Mittelalter zurückreichen.

***L:*** Hirsch, n. 535; Neweklowsky II, S. 222; F. Kaindl, Der Kampf der Stadt Freistadt um ihr Straßenvorrecht, Diss. (masch.), Wien 1960, S. 6f.

10.1.10.25. ***Schmiedgassen*** ZH 21–86

***D:*** *'šmī,kǫßn*

***U:*** 1827 *Schmiedgassen* Pillwein I, S. 387; 1857 *Schmidgassen* Souvent.

***E:*** Gereihter *-gassen*-BN (siehe EB) mit dem FN bzw. der Berufsbezeichnung *Schmied* von mhd. *smit* stm. 'Schmied' (Lexer II, Sp. 1015), in der Bedeutung 'eingezäunter Weg, Gasse, wo sich eine Schmiede befindet' oder 'dort gelegene Flur, die einem Schmied, bzw. einem Mann namens Schmi(e)d gehört'.

***L:*** Schwarz, S. 101.

10.1.10.26. ***Schweinbach*** D 77–362

***D:*** *'šwā̃į̃bǭ*

***U:*** *13. Jh. *Otto et Walcunus de Sweinpach* Urb. Pass. I, S. 272; 1290 *Ortolfus de Sweinpach* OÖ. UB. II, n. 475; *1323 *Sweinpach* Necr. Wilh., S. 74; 181; 1325 *Hainrich van Sweinpach; Seibot der Sweinpeche; Hainrich der Sweinpeche* OÖ. UB. V, n. 424; 1342 *vnser Hůb datz Sweinpach* OÖ. UB. VI, n. 413; 1342 *di hueb datz Sweinpach* ebd., n. 414; 1354 *De feodo in Sweinpach* OÖ. Stiftsurb. III, S. 40, n. 21; c. 1380 *de feodo in Sweinpach* ebd., S. 409, n. 17; 1386 *Ortel von Sweinpach; Hainczel von Sweinpach; Eckcherl von Sweinpach; Hensel Weber von Sweinpach; Hainczel Schuster von Sweinpach; Stephann der Sweinpekch* OÖ. UB. X, n. 494; 1395 *wiz gelegen pey dem Sweinpach ... die genant ist die Rapplynn* OÖ. UB. XI, n. 427; 1411 *Mertt der Floyt hat ze lehen den Sicz ze Sweinpach* Grabherr (1975), S. 146; 1422 *den Sicz ze Sweinpach* ebd.; *c. 1510 *Sweinpach* Taid. Wilh., f. 37; *1523 *Schweinpach* Urb. Wilh., f. 61; *c. 1590 *nach denen Markt Gallneukirchner Gründen bis zum Schweinbach Steeg* Archiv 94, S. 287; 1747 *Schweinbach. Das abgekommene Stammen=Hauß der Herren Schweinböcken eines abgestorbenen alten Geschlechts im Machland=Viertl.* Hoheneck, Genealogie III, S. XXV; c. 1775 *Schweinbach* Jos. LA.; 1827 *Schweinbach* Pillwein I, S. 387; 1857 *Schweinbach* Souvent.

***E:*** Gereihter *-bach*-Name (siehe EB) mit dem BW mhd. *swîn* 'Schwein, Wildschwein' (Lexer II, Sp.1374) zur Bezeichnung eines rechten Seitenbaches der Großen Gusen im Sinne von 'Bach, an dem sich Wildschweine aufhalten'.

***L:*** Schwarz, S. 102; Schiffmann III, S. 423; Grabherr (1975), S. 146; Bito, S. 219.

10.1.10.27. ***Steinreith*** ZH 14–46

***D:*** *'šdǭ̃ɒ̃rāįd*

***U:*** 1827 *Steinreut* Pillwein I, S. 387.

***E:*** *-reit*-AN (siehe EB) entweder gefügt mit dem Adjektiv mhd. *steinîn* 'von Stein, steinern' (Lexer II, Sp. 1166) als mhd. **ze [dem] steinînen rûte* oder gereiht mit dem Substantiv mhd. *stein* stm. jeweils im Sinne von 'die in steinigem Gebiet befindliche Rodung'.

***L:*** Schwarz, S. 102.

10.1.10.28. ***Weingraben*** R 6–29

***D:*** *'wā̃į̃,grǭ(b)m*

***U:*** 1827 *Weingraben* Pillwein I, S. 410; 1857 *Weingraben* Souvent.

***E:*** Obwohl die ma. Aussprache und die ukdl. Schreibungen des 19. Jhs. eindeutig *Weingraben* lauten, ist hier im Waldgebiet wohl kaum früherer Weinbau anzunehmen. Schiffmann III, S. 515 rechnet daher mit einer volksetymologischen Umformung von ma. [*'wę̄į̃ŋ,grǭ(b)m*] 'Weniggraben' mit mhd. *wênic* 'geringfügig, klein, unbedeutend' (Lexer III, Sp. 761f.). Vergleichsbeispiele sind *Weingraben*/Steinkirchen an der Trattnach, Pol. Bezirk Wels-Land (1434 *Weniggraben*) und *Weingraben*/Steinhaus, Pol. Bezirk Wels-Land (1580 *Weniggraben*). *Graben* bezieht sich auf das hier beginnende kurze, nach Norden verlaufende Engtal des Retzbaches.

*L:* Schwarz, S. 106; Schiffmann III, S. 475.

***Retzbach***

*U:* *16. Jh. *in der Relz, Relzhoff* Hoh.III. 401, 406 [wohl verschrieben für *Retz, Retzhoff*]; *1668 *in der Rebitz, Rechitz* Urb. Steyreck, f. 79, 83; *1787 *Rezhof* Schütz; ca. 1826 *Häusl an der Retz* Franz. Kat.; 1857 *Retzb*[*ach*] Souvent.

Anm.: Die Belege von 16. Jh, 1668 und 1787 beziehen sich auf den Hof *In der Retz* Gem. St. Georgen an der Gusen/Pol. Bez. Perg, der an dem Gewässer liegt.

*E:* Slaw. **Rěčica* als Diminutiv von slaw. *rěka* in slow. *reka*, tschech. *řeka*; osorb., nsorb. *rěka* (Vasmer II, S. 507f.; Bezlaj III, S. 168f.; Schuster-Šewc III, S. 1214). Der Retzbach ist ein kleiner rechter Seitenbach der Großen Gusen, der nördlich von St. Georgen an der Gusen, Pol. Bezirk Perg in diese einmündet.

*L:* Schiffmann II, S. 276; Schiffmann III, S. 377.

10.1.10.29. ***Wolfing*** W 9–46

*D:* *'wǭịvịn*

*U:* 1125 *que dicitur ... Wolfarn* OÖ. UB. II, n. 110; c. 1343 *Item de Wolfharn* OÖ. Stiftsurb. III, S. 396, n. 21; 1354 *Item de Wolvarn* ebd., S. 409, n. 8; 1395 *Hainreychen dem Schuester ze Wolfarn* OÖ. UB. XI, n. 427; *1481 *Wolfarenn* Urb. Steyreck; *1494 *Wolfarn* Archiv 104, S. 417; *c. 1510 *Wolfinger zu Wolfarn* Taid. Wilh., f. 37; *1523 *Wolfarn* Urb. Wilh., f. 60; 1559 Wolfarn Urb. Reichenst., f. 43; *1590 *Wolfarn* Archiv 104, S. 442; c. 1775 *Wolfing* Jos. LA.; 1827 *Wolfing* Pillwein I, S. 387; 1857 *Wolfing* Souvent.

*E:* *-ern*-Bildung (siehe EB) vom ahd. PN *Wolf* (Förstemann I, Sp. 1639ff.) im Sinne von 'bei den dem Wolf unterstehenden Leuten', das später zum unechten *-ing*-Namen (sieh EB) gewandelt wurde.

*L:* Schwarz, S. 108; Kouril, n. 2727.

10.1.10.30. ***Zinngießing*** ZH 25–94

*D:* *'dsīɒ,gịßịn*

*U:* *1291 *H(einrich) der Tungossinger* und *F(riedrich) der Tvngossinger* Linzer Reg., C III A1, n. 8 als Bürger von Linz genannt, 1294 *dem Tungozzinger* OÖ. UB. IV, n. 219; 1300 *Hainrich Tungassinger* ebd., n. 365; 1316 *Fridrich der Tvngazzinger* OÖ. UB. V, n. 176; *1326 *Fridreichen dem Tunguezzinger, richter ze Lincz* Linzer Reg., C III A1, n. 36; 1361 *Philipp des Tungizzinger aydem purger ze Lintz* OÖ. UB. VIII, n. 25; *1397 *ze Tungoͤzzing* Urb. Tannbg., f. 27; *1499 *Zingiessen* Archiv 104, S. 405; 1545 *bey dem Hansen Zw Zingiessing* Urb. Riedegg, OÖLA, Starhemb. Urb., Hs. 142, 1. 87; *1565 *zu Zingisser*; *Zingiessing* Urb. Freist., f. 61, 216; *c. 1600 *Zingießing* Hoh. VI 314; 1827 *Zinngüßing* Pillwein I, S. 387; 1857 *Zinngießing* Souvent.

*E:* Echter *-ing*-BN (siehe EB) mit dem ahd. PN *Tungôz* (Förstemann I, Sp. 433). Nachdem das zu mhd. *oe* umgelautete Zweitglied des PN wie mehrfach im Bairischen zu [ɒ] abgeschwächt worden war, entstand im 14. Jh. dessen volksetymologische Umformung nach bair.-mhd. *giezzen* 'gießen', was dann im 15. Jh. die weitere volksetymologische Umdeutung auch des Erstgliedes zu *Zinn* auslöste, so daß schließlich die Neumotivierung *Zinngießer* bzw. *bei den Zinngießern* = *Zinngießing* zustande kam. Unterstützend wird dabei die präpositionale Einbettung mit *ze* gewirkt haben, wie sie ukdl. 1397 vorliegt.

*L:* Schwarz, S. 108f.; Schiffmann III, S. 503; Kouril, n. 2776.

## 10.1.11. Gallneukirchen 820–4398

10.1.11.1. ***Punzenberg*** R 40–157

*D:* *'bũntßn,bẹɒg*

*U:* *1499 *Puntzenperg* Archiv 104, S. 420; 1545 *Punczenperger glaitt* Urb. Riedegg, OÖLA, Starhemb. Urb., Hs. 142, f. 116; 1775 *Punzenberg* Jos. LA.; 1827 *Punzenberg* Pillwein I, S. 387; 1857 *Bunzenberg* Souvent.

*E:* Gefügter *-berg*-BN (siehe EB) mit dem bair.-ahd. PN *Punzo* (Förstemann I, Sp. 345; Brechenmacher I, S. 247f.). In der Gegend 13. JhE *Dietmar der Puntz* LB. Kap., HHStA bl.18, f. 2; 1376 *Hanns der Puntz* OÖ. UB. IX, n. 39, sowie der HN *Punz im Pichel*, Gemeinde Engerwitzdorf (1545 *Puntz am Püchl* Urb. Riedegg, OÖLA, Starhemb. Urb., Hs. 142, f. 95).

*L:* Schwarz, S. 98; Schiffmann III, S. 95; März, S. 217.

10.1.11.2. ***Tumbach*** R 18–85

*D:* *'dũmbǭ*

*U:* 1383 *Hof ze Tumpach* OÖ. UB. X, n. 273; 1383 *hof ze Tumbach* ebd., n. 274; 1394 *hof ze Tumpach* OÖ. UB. XI, n. 314; *1441 *Tumpach*

Reg. Starh., f. 4; *1499 *Tumpach* Archiv 104, S. 420; 1545 *Auffm Thumbpach; bey Thumbpach* Urb. Riedegg, OÖLA, Starhemb. Urb., Hs. 142, f. 91, 116; *1559 *Tumpach* Urb. Reichenst., f. 15; *1590 *Paul zu Tunpach; Christof Tumpach* Archiv 104, S. 447; c. 1775 *Dumbach* Jos. LA.; 1827 *Dumbach* Pillwein I, S. 387; 1857 *Dumbach* Souvent.

***E:*** Gefügter *-bach*-BN (siehe EB) mit dem bair.-ahd. PN *Tuno* als **Tuninpah* (Förstemann I, Sp. 432f.; Kaufmann, S. 100f.) ohne Umlaut durch das Genitivflexiv und nach dessen Synkopierung mit Assimilierung des *-n* zu *-m* an den anlautenden Labial des GW. Die von Bito, S. 240 vermutete Bildung mit dem Adjektiv ahd. *dunni*/mhd. *dünne* 'dünn, schmal' scheidet mangels Umlaut aus, vgl. OÖ.ONB 11, 11.3.6.1. Dimbach/Waldhausen im Strudengau.

***L:*** Schwarz, S. 105; Bito, S. 240.

10.1.11.3. ***Gallneukirchen*** Markt 640–3593

***D:*** *'gǭlį*

***U:*** 1125 F 12.JhE/13. JhA *parrochię, que dicitur Nöenkircken* StiA SFlorian U 1125, anders OÖ. UB. II, n. 110: *Novenkirchen*; Dat. nach H.Koller, Markgraf Leopold S. 91; ? 1147 Vid 1194 *ecclesiam ... Niunchirchen* OÖLA, StiA Waldhausen U 4, Dr: OÖ. UB. II, n. 157; um 1180 C 12. JhE *in noua ecclesia sancti Galli* Tr Garsten n. 193; 1207–09 *Haertnidus plebanus de Niunchirchen*; 1220–40 *de ecclesia Niwenchirchen sancti Galli* Trad. Pass., n. 869; 1323; c. 1260 *forum in Niunchirchen*, 1272 *parochialem Ecclesiam in Gallneukirchen* OÖ. UB. III, n. 420; 1325 *gelegen dacz Sand Galen Newenchirchen in der Pfarre* OÖ. UB. V, n. 424; c. 1335 *in Galnneunchircher pfarr* OÖ. Stiftsurb. III, S. 62, n. 5, 21; 1336 *vnd dreu Guet pey sand Galn Nivnchirchen* OÖ. UB. VI, n. 196; *1345 *Gallnewchirchen* Necr. Wilh., S. 184; 1347 *mein hueb, genant Zeyrcz, dy gelegen ist in Nevnchircher pharr* OÖ. UB. VII, n. 33; 1356 *in der pharr ze sand Gallennevnchirichen in der Riedmarich* ebd., n. 429; 1356 *vnser hueb gelegen ze Haichenpach in Gallennevnchiricher pharr* ebd., n. 439; 1357 *die hůb genant Zeyrtz gelegen in Neunchircher pharr* ebd., n. 478; 1357 C 1511 *gelegen in Gallneunkircher pfarr* ebd., n. 507; 1360 C 1632 *das guet zu Mitterheumadt, das gelegenn ist Jnn Gallnewkhircher pfarr* ebd., n. 706; 14. Jh. *Galnneunchirchen* Urb. Pass.I, S. 706; 1361 *dem gotzshaûs datz sangd Gallneunchirichen* OÖ. UB. VIII, n. 25; 1362 *datz Gallnernchirichen* ebd., n. 77; 1362 *puͤrchfrid datz Gallnevnchirichen* ebd., n. 78; 1363 *in dem Purchveld ze Gallennewnchirichen; Stephan techent und pharrer ze sand Gallennewnchirchen* ebd., n. 146; 1364 *dem gotzhaws datz sand Gallnewnchirichen* ebd., n. 162; 1365 *hub datz Aych ... gelegen in sand Gallenneunchiricher pfarr* ebd., n. 220; 1366 *pey dem Karlsperg in sand Gallnneunchirchen pharr in der Riedmarch* ebd., n. 285; 1376 C *vennkchnusse ... ze Gallennewnkirchen* OÖ. UB. IX, n. 40; 1376 C 1641 *in Gallneukircher Pfarr gelegen* ebd., n. 139; 1377 *Hof ze Waltenfeld gelegen in Gallnewnchircher pfarr* ebd., n. 162; 1377 *zu Oͤbern weternperge gelegen in Gallnewnchircher pharre vnd in Vreinsteter gericht* ebd., n. 284; 1378 *hansen dem Hůter von Galnewnkirchen* ebd., n. 415; c. 1380 *gelegen in Gallen Newnkircher pharr* OÖ. UB. X, S. 736, n. 34; 1381 *gut ze Obernaich gelegen in Gallenewchircher pfarr* ebd., n. 71; 1381 *gesessen zu Weissengrub in der phar ze Gallenеunchirchen* ebd., n. 106; 1384 *vnd vnsers gotzhawss markcht ze Gallenewnchirichen* ebd., n. 348, 1386 *vnser gesazz zu Aw genant mit aller seiner zugehorung, das gelegen ist in Gallennewnkircher pharr* ebd., n. 472; 1391 *gelegen in Galnewchircher pharr* OÖ. UB. XI, n. 24; 1391 *gotzhaws ze Gallennewnchirichen* ebd., n. 40; 1393 *in Gallneunchircher pharr* ebd., n. 195; 1393 *Gotsleichnamczech ze Gallennewchirichen* ebd., n. 209; 1394 *hof in der Treffnikch gelegen in Gallnewnchiricher pharr* ebd., n. 320; 1398 *purgerin cze Galnewnchirichen; gelegen pey der Richterin in Galnewnchiricher pharr; czu sand Gallen gotshaws; des erbern hern Stephans de czeit techant vnd pharrer cze Galnewnchirichen* ebd., n. 774; c. 1415 *Galn Neunchirchen* OÖ. Stiftsurb. II, 25, n. 134; *1425 C *in Gallneunkhircher Pfarr* Linzer Reg., D I A 2, S. 23; 1441 *Vermerkt des Pfarrer widm zu Gallennewnkirchen; Die Gasse sand Gallen zeil* [Straßenname] Urb. Riedegg., OÖLA, Starhemb. Urb., Hs. 141; *1563 *Gaill Neukhirchen* Urb. Schwertbg., f. 17; *1569 C 1627 *Gallneunkhircher Pfarr: Anndree. Gut am Püchel jenseits von Neunkirchen* Linzer Reg., D I A 1, S. 48; *1583 C 1627

*Gallneunkhircher Pfarr*; *Sigmund Greil, Bürger zu Galneunkhirchen*; *an den Lynntzer Säumersteig, der gegen Galneunkhirchen geht* Urb. Steyreck, Linzer Reg. E 5, S. 44f.; 63; *1597 *Galneukhürcher Pfarr* Urb. Steyreck, Linzer Reg. E 5, S. 74; *1635/64 *Gallneükhircher Pfarr* Urb. Lustenf., Linzer Reg. E 5, S. 143; 1694/1700 *Gallneükhürcher Pfarr* Urb. Lustenf., Linzer Reg. E 5, S. 174; c. 1775 *Gallneukirchen* Jos. LA.; 1827 *Gallneukirchen, Galneikirchen, Gallenkirchen* Pillwein I, S. 387; 1857 *Gallneukirchen* Souvent.

***E:*** Gereihter *-kirchen*-AN (siehe EB) mit mhd. *niuwe* 'neu' (Lexer II, Sp. 92) im Sinne von 'neu gegründete Kirche' im Gegensatz zu einer älteren. Diese vermutet Ferihumer, S. 313 auf Grund der Verkehrs- und Besiedlungsverhältnisse in der Ur- und Großpfarre Linz. Der Zusatz *Gall-* nach dem Kirchenpatrozinium des hl. Gallus erfolgte bereits im ausgehenden 12. Jh. wohl zur Unterscheidung von einer weiteren Mühlviertler Kirchenneugründung in Pabneukirchen, Pol. Bezirk Perg der Passauer Urpfarre Saxen, deren auf den ahd. PN *Pabo* zurückgehender Zusatz erst im 14. Jh. ukdl. auftritt, vgl. OÖ.ONB 11, 11.3.9.1.Pabneukirchen. Wegen der geographischen und verkehrsgünstigen Beckenlage im Gegensatz zum waldigen Bergland im Südwesten, Westen und Norden rechnet Freihumer, S. 311f. bereits mit horstartiger Besiedlung und erster Kirchengründung in der Zeit des 9.–11. Jhs., wobei das seltene Patrozinium des im 7. Jh. im Bodenseeraum wirkenden iro-schottischen Missionars und Gründers der sich im 9. Jh. groß entwickelnden Schweizer Abtei St. Gallen auf die tragende Bedeutung des Benediktinerordens im 9. und 10. Jh. zurückgehen könnte. In Frage käme dann die kirchliche Ausstrahlung der Benediktinerklöster St. Peter in Salzburg, Mondsee, in dessen Nähe mit dem zweiten und älteren oberösterreichischen Gallus-Patrozinium Schörfling am Attersee, Pol. Bezirk Vöcklabruck liegt, das bereits im 8. Jh. urkdl. bezeugt ist (vgl. OÖ.ONB 4, 4.3.4.9. Schörfling) sowie St. Emmeram bzw. das Domstift in Regensburg, das seit 853 Besitzungen im unteren Mühlviertel hatte (vgl. OÖ.ONB 11, 11.4.4.3. Bad Zell).

Mundartlich genügt der Name des Kirchenpatrons im Genitv als *Galli*.

***L:*** Schwarz, S. 87; Schiffmann III, S. 173; Pesta, S. 421f.; Ferihumer, S. 411ff.; Ulm, S. 84f.; ADNB I, S. 786; Dehio (2003), S. 196ff.

10.1.11.4. ***Klaus*** R von Gallneukirchen

***D:*** *glāu̯s*

***U:*** –

***E:*** Von mhd. *klûse* 'Talverengung, Talsperre, Engpaß' (Lexer I, Sp. 1640) mit Bezug auf den Schweinbach (10.1.10.26).

***L:*** –

10.1.11.5. ***Oberndorf*** D 114–515 = 10.1.18.22. ***Oberndorf/Alberndorf***

10.1.11.6. ***Simling*** W 8–48

***D:*** *'dsī̮mlī̮ŋ*

***U:*** 13. JhE *Sibenling* Lb. Kap., HHStA bl. 18; *1408 *Symling* Archiv 104, S. 352; *1441 *Simling* Reg. Starh., f. 4; *1481 *Symling* Urb. Steyreck; 1512 *auf vier guetern Zu Symling* Urb. Steyregg OÖLA, HA Steyregg, Hs. 3, f. 97; 1555 *zw Schimling* Urb. Steyregg OÖLA, HA Steyregg, Hs. 4, f. 129; *1569 C 1627 *Zehent auf 4 Häusern zu Simbling* Linzer Reg., D I A 1, S. 61; *1590 *zum Simlinger Gattern* Archiv 94, S. 287; *1671 *Simling* HG. X, S. 197; c. 1775 *Zindling* Jos. LA.; 1827 *Simling* Pillwein I, S. 387; 1857 *Simling* Souvent.

***E:*** Unter einem *Siebenling* (von mhd. *siben* 'sieben', Lexer III, Sp. 898) versteht man im Rahmen der Erbteilung eines Besitzes dessen siebten Teil, eine analogische Bildung zu Vierling, siehe OÖ.ONB 7, 7.8.3.3. Fierling/ Rohr im Kremstal; OÖ.ONB 11, 11.4.7.9. Fürling/Gutau bzw. OÖ.ONB 11, 11.5.4.12. Fünfling/ Sankt Oswald bei Freistadt. Das anlautende [*d*] der ma. Form geht zurück auf die Präposition *ze* 'zu'.

***L:*** Schwarz, S. 102; Schiffmann III, S. 429; Kouril, n. 2220.

## 10.1.12. Sankt Gotthard im Mühlkreis 328–1035

10.1.12.1. ***Eschelberg*** D 28–63; ***Schloß Eschelberg*** Schl

***D:*** *'eſ̌l, bę̄ɒg*

***U:*** *1283 *Eschelberg* Hoheneck II, S. 685; auch 597; 1287 *aesbinus de eschelberch* OÖ. UB. IV, n. 67; 1354 *vnd mein vest ze Eschelberch* OÖ. UB. VII, n. 357; 1378 *Item in Eschelwerch* OÖ. Stiftsurb. III, S. 121, n. 193; *1569 *Eschlburg* Urb. Aschpan, f. 168; *1594 *Zechet Buech uber des Schloß unnd Herrschafft Eschlberg zuegeherigen Zechet, Stückh, Höff unnd Guetter* Urb. Eschelbg., Linzer Reg. B II D 1, S. 92; *1630 *Urbari über die Herrschaft Eschlberg und Lichtenhag* ebd., S. 94; 1732 *Eschelberg. Das einerseits auf einer gähen Felsen / dessen Fuß von denen daselbst zusammen kommenden vorder= und hintern Eschlbach benetzt wird/andrerseits aber auf einer zimblichen Ebene in dem Mihel=Viertl gelegene wohl erbaute Schloß Eschlberg.* Hoheneck, Genealogie II, S, 597; c. 1775 *Eschelberg Schloß* Jos. LA.; 1827 *Eschelberg, ein Schloß und Dorf mit 29 Häusern ... einerseits auf einem gähen Felsen, an dessen südlicher Spitze der vordere und hintere Eschelbach zusammenfließen, andrerseits auf einer ziemlichen Ebene.* Pillwein I, S. 212; 1857 *Eschelberg* Souvent.

***E:*** Gereihter *-berg*-AN (siehe EB) mit dem Diminutiv von mhd. *esch(e)* stf. 'Esche' (Lexer I, Sp. 708). Da die Esche feuchten Boden bevorzug, ist anzunehmen, daß der 1732 genannte *Eschlbach* den ursprünglichen Namen aufweist und *Eschelberg* als Klammerform *Eschel[bach]berg* zu verstehen ist, vgl. auch OÖ.ONB 2, 2.1.18.6. Eschlried/Tumeltsham. Von der auf einem langgestreckten, zu beiden Seien steil zu den Eschelbächen abfallenden Kamm gelegenen mittelalterlichen Burg gingen einzelne Teile in den imposanten Schloßneubau ein, den 1598 Johann Christoph von Gera errichten ließ.

***L:*** Schwarz, S. 86; Schiffmann III, S. 144; Grabherr (1975), S. 152; Grabherr (1976), S. 332f.; Ulm, S. 68; März, S. 65; Dehio (2003), S. 704ff.

10.1.12.2. ***Grasbach*** R 23–107= 10.1.13.10. ***Grasbach/Herzogsdorf***

***D:*** *'grǭsbǭ*

***U:*** 1375 *hof gelegen ze Graspach* OÖ. UB. VIII, n. 727; 1827 *Grasbach* Pillwein I, S. 212; 1857 *Grasbach* Souvent.

***E:*** Gereihter *-bach*-Name (siehe EB) mit dem BW mhd. *gras* stn. 'Gras, grasbewachsener Ort' (Lexer Sp. 1071).

***L:*** Schwarz, S. 88; Bito, S. 105f.

10.1.12.3. ***Haselwies*** R 15–56

***D:*** *'hǭsl,wīs*

***U:*** c. 1775 *Haselwiesen* Jos. LA.; 1827 *Haselwies* Pillwein I, S. 212; 1857 *Haselwies* Souvent.

***E:*** Ehem. FlN mit dem GW mhd. *wise* swstf. 'Wiese' (Lexer III, Sp. 938) und dem BW mhd. *hasel* stswf. 'Haselstaude' (Lexer I, Sp. 1192) im Sinne von 'Wiese mit Haselstauden'.

***L:*** Schwarz, S. 89.

10.1.12.4. ***Maierleiten*** ZH 35–54 = 10.1.7.38. ***Maierleiten/Gramastetten***

***D:*** *,mǭɒ'lā̜i(d)n*

***U:*** 1526 *von der maurleutn* Urb. Schaunberg, OÖLA, Starhemb. Urb., Hs. 162, f. 472; *1584 (1629) *Maurleuttner* Urb. Ob.-Wallsee, f. 8; *1676 *Maurleittner* Urb. Gram., f. 35; *1693 *Maurleithen* Urb. Gram., f. 81; c. 1775 *Mahrleiten* Jos. LA.; 1827 *Mayrleiten* Pillwein I, S. 212.

***E:*** Gefügter *-leiten*-LN (siehe EB) mit dem BW mhd. *mûre* stswf. 'Mauer' (Lexer I, Sp. 2251), später zu *Maier* umgedeutet. Als *Mauer* ist der Steilabfall ins Tal der Großen Rodl anzusehen.

***L:*** Schwarz, S. 95.

10.1.12.5. ***Mühlholz*** R 7–41 = 10.1.5.16. ***Mühlholz/Feldkirchen an der Donau*** = 10.1.13.19. ***Mühlholz/Herzogsdorf***

10.1.12.6. ***Oberstraß*** R 39–184 = 10.1.5.18. ***Oberstraß/Feldkirchen an der Donau***

10.1.12.7. ***Rottenegg*** D 91–253= 10.1.6.9. ***Rottenegg/Walding***

***D:*** *rę̄ǫ'nek*

***U:*** 1285 *Chunrat vnd Sighart di Biber von Rotenekk* OÖ. UB. IV, n. 40; 1289 *duo tagwerch prati, quod situm sub castro rottenekk iuxta fluvium dictum Rotel* OÖ. UB. VI, n. 5 Anh.; 1300 *Arnoldus de Rotenekke* ebd., n. 392; 1378 *Item molendinum in Rotenekk* OÖ. Stiftsurb. III, S. 118, n. 21; 1367 *die veste Rotenekke* OÖ. UB. VIII, n. 157; 1375 *unser vesst genant Rotenekk* *gelegen in der grafschafft ze Wæchsenberch* ebd., n. 727; 1377 *die Vestt Rotenekk* OÖ. UB. IX, n. 148; 1378 *vmb die veste Rotenegg* ebd., n. 417; 1383 *lechen sind von Rottenekk* OÖ. UB. X, n. 217; 1399 *Hänslein Ridreichs sun von Rotteneck* OÖ. UB. XI, n. 943; *1489 *Rotteneck* Necr. Wilh., S. 51; 69; 91; 1732 *Rotteneck. Das auf einem hohen felsigten Berg oberhalb der vorbey fliessenden Rottl im Mihel=Viertl gelegene zimblich wohl erbaute Schloß Rotteneck.* Hoheneck, Genealogie II, S. 598; c. 1775 *Schloß Rotenek; Dorf Rotenek* Jos. LA.; 1827 *Rotteneck, Rotheneck, Rottenegg, Rodeneck. Wir nennen da wieder Schloß und Dorf … . Das Schloß liegt auf einem Berge oberhalb der vorbey fließenden Rottel, das Dorf im Thale.* Pillwein I, S. 213; 1857 *Rottenegg* Souvent.

***E:*** Gefügter *-eck*-AN (siehe EB) als typischer Burgenname mit mhd. *rôt* 'rot' (Lexer II, Sp. 502f.) mit Bezug auf die Lage der seit 1712 verfallenen Burg auf einer vorgeschobenen rötlichen Felsnase zwischen der hier zusammenfließenden Kleinen und Großen Rodl.

***L:*** Schwarz, S. 100; Grabherr (1975), S. 152; Grabherr (1976), S. 349f., Ulm, S. 180; Dehio (2003), S. 710ff.

10.1.12.8. ***Sankt Gotthard im Mühlkreis*** R 61–181

***D:*** Bis um 1930 *gā'kẹ̄wāį*, heute *'gōdhǭɒd*

***U:*** 1558 *Hannß Von Sanndt Gothart* Einl. Greis., OÖLA, MusealA, Hs. 71, f. 449; *1650 *Waldt am Geewey bey S. Gothardten* Anschl. Rot.; *1670 *St. Gotthard* Heider, Gramast., H., S. 33; c. 1775 *St. Godhart* Jos. LA.; 1815 *gad Göbal* Höfer I, S. 257; 1827 *St. Gotthart, insgemein gad Gebal, ein Dorf … zwischen der kleinen Rottel und der Straße nach Eschelberg auf einem Berge* Pillwein I, S. 213; 1857 *St. Gotthard* Souvent.

***E:*** Obwohl erste ukdl. Nachrichten erst aus dem 16. Jh. stammen, weist die Kirche der erst 1714 errichteten Pfarre ein wesentlich höheres Alter auf, indem das sockellose flachgedeckte Langhaus noch romanisch ist und der spätgotische Chor in der Zeit um 1500 entstand. Da Gotthard, der Abt von Niederalteich in Niederbayern und dann von 1007–1012 Bischof von Hildesheim in Niedersachsen war, erst 1131 heilig gesprochen wurde, kann dieses in Oberösterreich einzigartige Patrozinium erst danach vergeben worden sein, so daß mit der Errichtung der Kirche noch im 12. oder erst im frühen 13. Jh. zu rechnen ist. Sie gehörte als Filialkirche zu 10.1.6.12. Walding, das sich erst seit dem 16. Jh. im Besitz des Stiftes St. Florian befand. Die heute abgekommene, ursprüngliche ma. Form geht zurück auf den benachbarten und wohl ursprünglichen SN der bei Schiffmann I, S. 359 als „*Gobeil* (*Göttweih*), einz. Hsr. O. St. Gotthard, G. Herzogsdorf" verzeichnet ist (1378 *Item Götwicus* OÖ. Stiftsurb. III, S. 121, n. 186; *1457 *St. Georg auf dem Berge Chotwein* Jb. d. Mus. 20, S. 277; *c. 1510 *ober, nider, ausser Gödweyg* Taid. Wilh., f. 36; *1523 *Gotweig* Urb. Wilh., f. 57; c. *1560 *am Götwey* Anschl. Rot., f. 2; *1669 *am Götweyr* Urb. Esch., S. 12; *1787 *Geweyhaus* Schütz).

Dieser seit dem ausgehenden 18. Jh. nicht mehr fortgeführte SN ist eine slaw. patronymische Bildung **Chotoviki* von einem slaw. PN *Chot-* wie in *Chotěmirъ, Chotěborъ, Chotěslavъ, Chotuna* usw. (Miklosich, Slav. Personenamen, S. 109; Kronsteiner, Alpenslaw. Personennamen, S. 29). Der SN, der sich wie *Göttweig* in Niederösterreich verhält (vgl. E. Schuster, Etymologie der nö. Ortsnamen II, S. 135), wurde als spätahd. **Kotewîch* mit Umlaut (mhd. **Götwîch*) integriert. Da auslautendes mhd. *-ch* ma. schwindet, wurde im 19. Jh. der auslautende ma. Diphthong fälschlich als Vokalisierung von auslautendem *-l* aufgefaßt und hyperkorrekt als ⟨*al*⟩ (*Gebal*) verschriftlicht.

Um das ma. *gād* vor den Heiligennamen in den Mühlviertler *Sankt*-Orten 10.1.12.8. Sankt Gotthard sowie Sankt Veit, Sankt Martin, Sankt Ulrich, Sankt Peter und Sankt Johann im Pol. Bezirk Rohrbach und noch bis ins frühe 20. Jh. in Sankt Agatha im Hausruckviertel im Pol. Bezirk Grieskirchen wurde mehrfach gerätselt. So nahm in der wissenschaftlichen Literatur Sigl (1929), S. 168ff. linguistisch und sachlich völlig unbegründbare Herleitung aus verkürztem, bedeutungsmäßig zu 'heilig' umgedeuteten griech. *ἀγαθός* 'gut' an. Während Schiffmann III, S. 392 ohne Berücksichtigung der Bedeutung und Herkunft mit einem angeblich slaw. **chata* 'Hütte' rechnete, das aber aus einer finno-ugrischen Vorstufe des Magyarischen (finn. *kota*, mag. *chás* 'Haus') ins Polnische, Ukrainische und Russische sowie dialektal teilweise auch ins Tschechische entlehnt wurde und auf das Iranische (awest. *kata-* 'Haus, Grube') zurückgeht (Berneker I, S. 385f.; Vasmer III, S. 233), ging Fuchs (1947), S. 110ff. zwar ebenfalls von slawischer Herkunft aus, aber von slaw. **jata* in tschech. *jat(k)a* 'Hütte, Schachtbank', atschech. 'Götzentempel, Höhle'; osorb. *jěta*, nsorb. *jatka* 'Hütte, Fleischbank', slow. *pojata* 'Wirtschaftsgebäude, Hütte' (Berneker I, S. 450; Vasmer III, S. 498f.; Schuster-Šewc I, S. 456f.; Bezlaj III, S. 75). Dabei vermutete Fuchs, daß dieses angenommene Lehnwort volksetymologisch mit mhd. *gadem* 'Vorratshaus' assoziiert worden sei und ein bei der Kirche befindliches Abgabehaus für den Zehent bezeichnet habe, zumal die *Sankt*-Orte des Bezirkes Rohrbach zum Stift Sankt Florian gehörten. Abgesehen davon, daß Sankt Agatha nicht Sankt Florianer Besitz war und auch die Mühlviertler Orte nicht in einem slawischen Ortsnamengebiet liegen, würde ein entlehntes slaw. *a* nicht so verbleiben, sondern ma. zu *ǭ* werden und sind solche Kompositionen in der Ortsnamenbildung nicht nachweisbar.

Was hier vorliegt, ist vielmehr eine lautlich und bedeutungsmäßig einwandfrei erklärbare deutsche präpositionale Bildung, wie sie bereits Steinhauser (1913/1975) und Kranzmayer (1930/1997) nachgewiesen haben.

Von ma. *gād* geht *gā* auf die in mhd. Zeit übliche Richtungsbildung mit der Präposition *gegen*, kontrahiert *gein*, *gên* 'nach' (Lexer I, Sp. 778) zurück. So heißt es in dem um 1200 in Passau entstandenen Nibelungenlied z. B. 222 *gegen Wormez sande herre Gêrnôt*, 1329 *der wîste si die strâze ... gegen Mûtaren*, 325 *wie Gunther gên Îslande ... fuor*. Um 1400 gilt in den Liedern des Tirolers Oswald von Wolkenstein z. B. 41, 33 *gen Haidelwerg rait ich*; 123, 2 *der ziech gen Costnitz*; 26, 51 *darnach ward ich gen Insbrugk ... gefüeret*. Diese kontrahierte Form begegnet teilweise nicht nur als ma. *gā* heute noch in Tirol, sondern regelmäßig noch in der Tiroler Sprachinsel Pladen, z. B. *i gie gan Insr lieben Vrau* 'ich gehe nach Unserer Lieben Frau' (M. Hornung, Wörterbuch der dt. Sprachinselma. von Pladen/Sappada in Karnien [Italien], Wien 1972, S. 203) und ohne Kontraktion in der Tiroler Sprachinsel-Fersental, z. B. *i gea geng Palai* 'ich gehe nach Palai' (A. Rowley, Fersentaler Wörterbuch, Hamburg 1982, S. 85).

Das auslautende *-d*, von *gād* ist der letzte Rest des reduzierten *Sankt*. Während *Sankt* entweder beibehalten wird oder schwindet, bewahren in Kärnten die vokalisch anlautenden Heiligennamen oftmals als dessen letzten Rest ma. ein anlautendes *d-*, so daß es z. B. heißt *dǫn'drēɒ* 'Sankt Andrä', *'danan* 'Sankt Anna', *'dǭɒswǭld* 'Sankt Oswald'. Auch verstärktes *t* in *to'nāt* 'St. Donat' geht darauf zurück (E. Kranzmayer, Ortsnamenbuch von Kärnten, Bd. 2, Klagenfurt 1958, S. 185ff.).

Der Ausgangspunkt der Mühlviertler ma. Bildung wird Sankt Ulrich gewesen sein, das auch seit 1188 am frühesten urkdl. bezeugt ist, indem mhd. **gein/gên Sant Uo(dal)rîch* zu *gād U(la)ra* weiterentwickelt und das *gād* dann analog auf die weiteren *Sankt*-Orte übertragen wurde.

Obwohl es sich bei *gād* zwar ursprünglich um eine Richtungsangabe handelt, ist darauf hinzuweisen, daß die präpositionale Bildung im Mhd. sowohl als Richtungs- als auch als Ortsangabe gebraucht wurde, wie die in doppelter Weise häufig auftretende präpositionale Bildung mit mhd. *ze* im Nibelungenlied zeigt, z. B. als Ortsangabe 1318 *diu burc ze Bechelâren diu was ûf getân*, 1296 *in der stat ze Pazzouwe saz ein bischof*; als Richtungsangabe 1165 *dô si ze Bechelâren kômen*, 1298 *der bischof ... ze Pazzouwe reit*. Wenn es heute also als Richtungsangabe ma. z. B. *āv gād 'meɒtn* 'auf Sankt Martin' heißt, so kann dies nicht als Einwand gegen die gegebene Erklärung vorgebracht werden, wie dies Fuchs (1947), S. 110 versucht.

***L***: Schwarz, S. 100; Pillwein I, S. 213; Schiffmann III, S. 393; Ulm, S. 183f.; Knor, S. 38f.; Dehio (2003), S. 699ff.; J. Sigl, Die „Gad"-Orte des Mühlviertels (Oberösterreich), in: Heimat und Volkstum 7 (1929), S. 168–170; W. Steinhauser, Das Wörtchen *Sankt* in den österreichischen Ortsnamen, Nachdruck von 1913 in: Österr. Namenforschung 1975/1, S. 34–37; E. Kranzmayer, Die „Gad"-Orte des Mühlviertels (Oberösterreich), Nachdruck von 1930 in: E. Kranzmayer, Kleine namenkundliche Schriften (1929–1972), hrsg. von M. Hornung, Wien

1997, S. 25f; H. Fuchs, Die slawischen Ortsnamen und die *Gad*-Orte des Windberggebietes im oberösterreichischen Mühlviertel, Diss. (masch.), Graz 1947.

## 10.1.13. Herzogsdorf 575–1971

10.1.13.1. ***Anzing*** ZH 2–6 = ***Anzing / Pol. Bez. Rohrbach***

***D:*** *'ãntβĩŋ*

***U:*** 1499 C 1564 *Merttl Zu Äntzing* Urb. Waxenberg, OÖLA, Starhemb. Urb., Hs. 200, f. 40; *1518 *Änntzing* Urb. Tolet; 1571 *Thoman Weber Zu Anzing* Urb. Waxenberg, HKA 1173, f. 177; 1857 *Anzing* Souvent.

***E:*** Trotz der späten ukdl. Erstbezeugung wahrscheinlich echter *-ing*-BN (siehe EB) mit dem ahd. PN *Anzo* (Förstemann I, Sp. 134; Kaufmann, S. 36 f.).

***L:*** Schwarz, S. 84; Schiffmann III, S. 28; Wiesinger (1977), S. 106.

10.1.13.2. ***Berndorf*** R 4–24 = 10.1.14.2. ***Berndorf / Eidenberg***

***D:*** *'bẹ̄ndẹ̄ǫv*

***U:*** 1110 *ecclesiam in loco ... Grimhartesstetin ... cum dote ... Perndorf* OÖ. UB. II, n. 92; 1200–20 *M. de Berendorf* Tr Passau n. 1161; 1221 *Chunradus de perndorf* OÖ. UB. II, n. 432; 1287 *De Perndorf* OÖ. Stiftsurb. III, S. 369, n. 23; c. 1343 *De Perendorf* ebd., S. 402, n. 22; 1446 *ain hof Zu perndorf* Lf. LB., NÖLA, NÖ. Regierung 17, Hs. 6, f. 36; *1462 *Perndorf* Necr. Wilh., S. 59; 1512 *Obermayer Zu perndorff* Urb. Waxenberg, HKA, NÖHA W 31/A, f. 26; 1857 *Perndorf* Souvent.

***E:*** Gefügter *-dorf*-BN (siehe EB) entweder gereiht mit dem Nom. Plur. von bair.-mhd. *për* swm. 'Bär' (Lexer I, Sp. 1872f.) im Sinne von 'Dorf, wo Bären auftreten' oder gefügt mit dem bair.-ahd. PN *Përo* (Förstemann I, Sp. 260).

***L:*** Schwarz, S. 84; Böhm, S. 123; ADNB I, S. 81.

10.1.13.3. ***Bogendorf*** W 4–19

***D:*** *'bǭ(g)ŋ,dẹ̄ǫv*

***U:*** 1375 *auf einen hof gelegen ze Pagendorf* OÖ. UB. VIII, n. 727; 1449 C 20. Jh. *gen pagndorf* Urb. Wallsee, OÖLA, HA Greinburg, Hs. 11, f. 34; *1526 *Pognndorffer* Urb. Ott. Spit., f. 5; 1827 *Bogendorf* Pillwein I, S. 216; 1857 *Bogendorf* Souvent.

***E:*** Gefügter *-dorf*-BN (siehe EB) mit dem bair.-ahd. PN *Pago* (Förstemann I, Sp. 231) als frühmhd. *Pagendorf* ohne Umlaut wegen des bereits abgeschwächten Genitivflexivs, später umgedeutet zu 'Bogen'.

***L:*** Schwarz, S. 84; Schiffmann III, S. 75; Böhm, S. 127.

10.1.13.4. ***Buchholz*** R 31–88

***D:*** *'bṷ̄ɒhō̜ids*

***U:*** 1300 *Hub ze Nevndorf bei wessenberch* OÖ. UB IV, n. 366; 1499 C 1564 *Vlrich Grueber vnnderm Purkholtz* Urb. Waxenberg, OÖLA, Starhemb. Urb., Hs. 200, f. 27; 1512 *Leytner peym purgkholtz* Urb. Waxenberg, HKA, NÖHA W 31/A, f. 26; 1571 *Ain Höltzl genannt das Purckhholtz ist vor Jarn das allt Schloß gestannden, ist ain clain Holtz; Geörg Grueber vnnderm Purckhholtz; Wolf Bischoff vnnderm Puechholtz* Urb. Waxenberg, HKA 1173, f. 1; 62, 63; 1669 (1762) *Purgholtz* Vischer; 1857 *Puchholz* Souvent.

***E:*** Gereihtes Kompositum mit dem GW mhd. *holz* stn. 'Wald, Gehölz' (Lexer I, Sp. 1329) und als BW bair.-mhd. *purkh* stf. 'befestigter Ort, Burg' (Lexer I, Sp. 390), später wegen des ma. Schwundes sowohl von mhd. *-g* als auch *-ch* volksetymologisch zu bair.-mhd. *puoch* stn. 'Buchenwald' (Lexer I, Sp. 386) umgedeutet. Hier befinden sich die Reste der um 1100 erbauten ersten Burg der Wilhering-Waxenberger um 1100. Um 1291 wurde die Burg verlassen und als neue Burg 10.2.1.21. Waxenberg erbaut, jeweils bedingt durch das Fortschreiten der Rodung.

***L:*** Schwarz, S. 85; Schiffmann III, S. 93.

10.1.13.5. ***Eidendorf*** D 23–108

***D:*** *'ãḭ(d)n,dẹ̄ǫv*

***U:*** 1356 *der hofe ze Ettemdo̊rf* OÖ. UB. VII, n. 457; 1499 C 1564 *Zu Euttendorff* Urb. Waxenberg, OÖLA, Starhemb. Urb., Hs. 200, f. 40; *1526 *Eyttndorf* Urb. Ott. Spit., f. 5; *1669 *Eiten-; Eidten-; Eidendorf* Urb. Esch., S. 11, 21; *1693 *Die Schmiedtauer zu Eitendorf* Grabherr (1975), S. 149; 1827 *Eidendorf* Pillwein I, S. 216; 1857 *Eidendorf* Souvent.

***E:*** Gefügter *-dorf*-BN (siehe EB) mit dem ahd. PN *Îto* (Förstemann I, Sp. 943).

***L:*** Schwarz, S. 85; Grabherr (1975), S. 149; Grabherr (1976), S. 332; Böhm, S. 157.

10.1.13.6. ***Felsleiten*** R 12–26 = 10.1.14.7. ***Felsleiten/Eidenberg***

10.1.13.7. ***Freilassing*** W 4–20

***D:*** *'vraįßįŋ*

***U:*** 1378 *Item Wolfhardus in Vreleizing* OÖ. Stiftsurb. III, S. 121, n. 185; *1418 *Freylassing* Archiv 102, S. 453; 1449 C 20. Jh. *gen freylässing* Urb. Wallsee, OÖLA, HA Greinburg, Hs. 11, f. 34; *1504 *Freiläsing* Urb. Lichtenhag, f. 8; *1526 *Freylassing* Urb. Ott. Spit., f. 4; 1827 *Freilassing* Pillwein I, S. 216; 1857 *Freulassing* Souvent.

***E:*** Zu bair.-mhd. **vrîlâzze* 'Freigelassener', entweder als echter *-ing*-BN (siehe EB) oder als Dat. Plur. **Frîlâzzen*, der zum unechten *-ing*-Namen umgeformt wurde. Die ma. Form weist Synkope der Mittelsilbe auf.

***L:*** Schwarz, S. 86; Schiffmann III, S. 165; Kouril, n. 501.

10.1.13.8. ***Gaisberg*** R 25–117

***D:*** *'gǭɒsbę̄ɒg*

***U:*** *1640 *Geisperger* JB. d. Mus. 57, S. 14; *1669 *Gaißperg* Urb. Esch., S. 9; 1857 *Gaisberg* Souvent.

***E:*** Gereihter *-berg*-Name (siehe EB) mit dem BW mhd. *geiz* stf. 'Ziege' (Lexer I, Sp. 799).

***L:*** Schwarz, S. 87; März, S. 76.

10.1.13.9. ***Gerling*** W 6–16 = 10.1.5.10. ***Gerling/Feldkirchen an der Donau***

10.1.13.10. ***Grasbach*** ZH 2–7 = 10.1.12.2. ***Grasbach/St. Gotthard im Mühlkreis***

10.1.13.11. ***Hametnerhäuseln*** E von Wigretsberg 2–4

***D:*** *dɒ 'hā̃mɒtnɒ*

***U:*** 1512 *Hamatner daselbs* Urb. Waxenberg, HKA, NÖHA W 31/A, f. 27; 1571 *Christoff Hämater hatt in sein guett Sibenzechen tagwerch Ackher* Urb. Waxenberg, HKA 1173, f. 73.

***E:*** HN *Hameter* vom FlN mhd. **höümât* stn. 'Heuwiese' (Lexer I, Sp. 1357, 2060).

***L:*** –

10.1.13.12. ***Herzogsdorf*** D 81–259

***D:*** *'hēɒdsɒš,dę̄ǫv*

***U:*** 1378 *Item in Hertzensdorf* OÖ. Stiftsurb., III, S. 121, n. 176; *1457 *Herzelendorf* Kirchl. Topogr. 18, S. 264; 1499 C 1564 *Vogtleut zu Sannt Mertten vnd zu Sannt Pongratzen gehörig*; *Annger Zu Herzogstorff*; *Schuester zu Herzogsdorff*; *Zu Hertzogstorff* Urb. Waxenberg, OÖLA, Starhemb. Urb., Hs. 200, f. 32; 32; 1512 *Haslinger bej Hertzogsdorff* Urb. Waxenberg, HKA, NÖHA W 31/A, f. 27; *1526 *Herzelendorf* Kirchl. Topogr. 18, S. 160; 1526 *zu Hertzenstorff* Urb. Schaunberg, OÖLA, Starhemb. Urb., Hs. 162, f. 472; *1527 (1656) *Hölzlstorf* ZR. Höflein, f. 1; *1544 *Herczenstorff* Urb. Wildbg., f. 124; *1556 (1565) *Hörtzlstorff* Urb. Gneiss., f. 8; *1556 (1646) *Hörzerstorff* Einl. Starh., f. 115; 1571 *Item so hatt das Gottshauß S. Mertten ain Zuekhirchen oder Capelln Herzogstorff genannt*; *Mertt Haßlinger bey Hertzenndorff*; *Vogtholden im Ambt Bey Sannct Mertten. So dem Gottßhaus daselbst bei Sanct Mertten vnnd Banngrätzen zu Hertzendorff den Grunddiennst Raichen*; *Wolf Scheußwoll Zu Hertzendorff* Urb. Waxenberg, HKA 1173, f. 22, 73; 187; 1575 *Im Ambt bej Sanndt Mörthen seindt Zechen vnnderthonnen so dem Gotzhauß daselbst vnd der Khirchen Sanndt Panngratzen den grunndt dienst geben.* Anschlag Waxenberg, HKA, NÖHA, W 31/A, f. 452; *1584 (1629) *Herzogstorff* Urb. Ober-Wallsee, f. 14; *1589 *Hertzlstorff* Urb. Gneiss., f. 9; *1592 *Herzenstarff* Urb. Bergh., f. 37; *16. Jh. *Herzensdorf* Einl. Ob.-Wallsee; 1591 *Vogtholden so zu dem Gotshauß zu sanndt Merten vnnd Panngratzen zu Hertzendorff den Grundt diennst Raichen* HKA, NÖHA G 46, f. 47; *c. 1640 *Hertzerstorff* Einl. Köpp., f. 155; 1827 *Herzogstorf selbst zählet 32 Häuser, 51 Wohnpartheyen, 223 Einwohner, und liegt eine Stunde von Eschelberg. Diese Lokalpfarre sammt einer dem heiligen Pankraz gewidmeten Pfarrkirche wurde erst unter Kaiser Joseph II. errichtet.*; *sie wurde ehevor von St. Martin aus versehen.* Pillwein I, S. 216; 1857 *Herzogsdorf* Souvent.

***E:*** Gefügter *-dorf*-BN (siehe EB) mit dem ahd. PN **Herizî* als Koseform zu einem PN wie *Heripald*, *Herinpërht* usw., vgl. *Herizo* (Förstemann I, Sp. 760ff.). Er wurde im 15. Jh. wegen der Abschwächung der Nebensilbe volksetymologisch zu *Herzog* umgedeutet. Die mehrfachen ukdl. Nennungen *St. Pankraz* beziehen sich auf das Patrozinium der Kirche von Herzogsdorf. Sie war, bevor sie 1784 als Pfarrkirche verselbständigt wurde, Filialkirche von Niederwaldkirchen, Pol. Bezirk Rohrbach. Auf Grund der ukdl. Nennungen des 16. Jhs. nimmt man jedoch an, daß die Herzogsdorfer Filialkirche damals St. Martin, Pol. Bez. Rohrbach unterstand, so daß die Zugehörigkeit zu Niederwaldkirchen erst später zustande kam.

***L:*** Schwarz, S. 90; Schiffmann III, S. 230; Böhm, S. 194; Ferihumer, S. 287; Dehio (2003), S. 290f.

10.1.13.13. ***Hilkering*** W 3–20

***D:*** *'hükɒrịn*

***U:*** um 1190 *predium in Hiltgeringen* Tr Passau-SNikola n. 229; *1371 (1439) *Hilkering* Urb. Schaunbg., f. 221; 1378 *Item in Hailkering* OÖ. Stiftsurb. III, S. 121, n. 173; *1418 *Hilkering* Archiv 102, S. 453; 1449 C 20. Jh. *gen Hilkering* Urb. Wallsee, OÖLA, HA Greinburg, Hs. 11, f. 34; *1497 *Hilkering* HG. V, S. 41; *1559 *Hilgering* Urb. Neuhaus, f. 2, *1584 (1629) *Hilchring* Urb. Ob.-Wallsee, f. 11; 1827 *Hilkering* Pillwein I, S. 216; 1857 *Hilkering* Souvent.

***E:*** Echter *-ing*-BN (siehe EB) mit dem ahd. PN *Hiltigêr* Förstemann I, Sp. 827).

***L:*** Schwarz, S. 90; Kouril, n. 925; Wiesinger (1977), S. 106; ADNB I, S. 516.

10.1.13.14. ***Hofing*** R 23–71

***D:*** *'hōvịn*

***U:*** ca. 1826 *Hofinger* Franz. Kat.; 1857 *Hofing* Souvent.

***E:*** HN als Herkunftsname *Hofinger* von 10.1.14.9. Höfer/Eidenberg (c. 1775 *Höfing*), dann Rückverkürzung aus dem HN zur späten amtl. Bezeichnung *Hofing*.

***L:*** Schwarz, S. 90; Schiffmann III, S. 245; Kouril, n. 1028.

10.1.13.15. ***Koth*** R 35–115 = ***Koth/Pol. Bez. Rohrbach***

***D:*** *khẹ̄ọd*

***U:*** 1354 *Item vidua in Luto* OÖ. Stiftsurb. III, S. 410, n. 3; *1544 *im Khot bey Herczerstorff* Urb. Wildbg., f. 124; *1556 (1646) *im Khott bey Hörzerstorff* Einl. Starh., f. 115; 1571 *Michael im Khott* Urb. Waxenberg, HKA 1173, f. 186; 1827 *Koth* Pillwein I, S. 216; 1857 *Koth* Souvent.

***E:*** Der ukdl. Beleg von 1354 lat. *lutum* bedeutet 'Kot, Lehm' wie mhd. *quât, kât* stn. 'Kot' (Lexer II, Sp. 316) und verweist auf die morastigen Bodenverhältnisse.

***L:*** Schwarz, S. 92; Schiffmann III, S. 287.

10.1.13.16. ***Leihmühle*** H von Freilassing

***D:*** *'lā̧imū̄*

***U:*** 1449 C 20. Jh. *an die leirmül* Urb. Wallsee, OÖLA, HA Greinburg, Hs. 11, f. 34; *1526 *Leyrmüllner* Urb. Ott. Spit., f. 4; *1569 *Leibmüll* Urb. Aschpan, f. 170; 1571 *biß an die Leyrmüll* Urb. Waxenberg, HKA 1173, f. 13; *1584 (1629) *Leyermüll* Urb. Ob.-Wallsee, f. 13; *1640 *Leyrmüll* Jb. d. Mus. 1899, S. 14.

***E:*** Gereihtes Kompositum mit dem GW 'Mühle' (siehe EB) und dem Stamm des Verbums mhd. *lîren* 'die Drehleier spielen, leiern' (Lexer I, Sp. 1935), wohl nach dem gleichmäßigen Geräusch des Mahlens benannt. Da auslautendes *-r* ebenso wie auslautendes *-b* ma. schwindet, kam es 1569, weil nicht mehr verstanden, zur hyperkorrekten Schreibung. Der Betrieb der an der Kleinen Rodl gelegenen Mühle wurde noch im Zweiten Weltkrieg eingestellt.

***L:*** Schwarz, S. 94.

10.1.13.17. ***Loymühle*** Sä von Neudorf 1–4

***D:*** *'lẹ̄ọmū̄*

***U:*** *c.1650 *Leomüll* Anschl. Rot.; *1676 *Loymühl* Urb. Gram., f. 79; 1857 *Loy M*[*ühle*]. Souvent.

***E:*** Kompositum mit dem GW *Mühle* (siehe EB) und dem BW mhd. *lô* stn. 'Gerberlohe' (Lexer I, Sp. 1946; Schmeller I, Sp. 1467), sonst vielfach '*Lohstampfe*' genannt, vgl. OÖ.ONB 4, 4.1.4. 61. Lohstampf/Tiefgraben. Der ukdl. Beleg von 1650 bietet eine phonetische Direktanzeige. Die zum Sägewerk umgebaute Mühle liegt an der Kleinen Rodl.

***L:*** Schwarz, S. 94.

10.1.13.18. ***Mahring*** ZH 3–8 = ***Mahring/Pol. Bez. Rohrbach***

***D:*** *'mọ̄ɒrịn*

***U:*** c.1210 *Heinricus de marharn* OÖ. UB. I, S. 525, n. 27; *1218–23 *Heinricus de Marharn*; *1220–40 *Perhta de Marharn* Trad. Pass., n. 1001, 1463; 1282 *sito in Marhorn*; *pedium in Marhorn* OÖ. UB. III, n. 606; 1449 C 20. Jh. *guet datz Marhern* Urb. Wallsee, OÖLA, HA Greinburg, Hs. 11, f. 34; 1499 C 1564 *Pinter von Märhern* Urb. Waxenberg, OÖLA, Starhemb. Urb., Hs. 200, f. 32; 1526 *Zu Marhern* Urb. Schaunberg, OÖLA, Starhemb. Urb., Hs. 162, f. 467; 1571 *Matheus Pinder Zu Vnnder Marhaim* Urb. Waxenberg, HKA 1173, f. 187; *1584 (1629) *zu Marchen* Urb. Ob.- Wallsee, f. 5.

***E:*** Ursprüngliche *-ern*-Ableitung (siehe EB) von bair.-mhd. *march* stn. 'Grenzzeichen, Grenze, abgegrenztes Gebiet' (Lexer I, Sp. 2042; Schmeller I, Sp. 1643f.), oder von bair.-mhd. *march* stn. 'Pferd, Streitroß' (Lexer I, Sp. 2041) in den Bedeutungen 'bei den Grenzbewohnern' bzw. 'bei den Pferdezüchtern'. Wahrscheinlich handelt es sich um die erstere Bedeutung, die auf das Erreichen einer vorübergehenden Rodungsgrenze Bezug nimmt. Der Name wurde später zum unechten *-ing*-Namen (siehe EB) umgeformt.

***L:*** Schwarz, S. 95; Schiffmann III, S. 322; Paichl, S. 178.

10.1.13.19. ***Mühlholz*** R 9–52 = 10.1.12.5. ***Mühlholz/Sankt Gotthard im Mühlkreis*** = 10.1.5.16. ***Mühlholz/Feldkirchen an der Donau***

10.1.13.20. ***Neudorf*** W 9–36

***D:*** *'nā̜įdē̜ǫv*

***U:*** 1264 C *allodio sito in Neudorf* OÖ. UB III, n. 343; 1270 *prope Nevndorf* ebd., n. 395; 1287 *Feodum in Nova villa* OÖ. Stiftsurb. III, S. 367, n. 65; 1300 *Hub ze Nevndorf bei wessenberch* OÖ. UB IV, n. 366; c. 1343 *Item in Nova villa* OÖ. Stiftsurb. III, S. 399, n. 77; 1499 C 1564 *Regnitz. Vacht sich an. Zum Neundorff* Urb. Waxenberg, OÖLA, Starhemb. Urb., Hs. 200, f. 47; *c. 1510 *Nondorf* Taid. Wilh., f. 35; *1523 *Neunndorff* Urb. Wilh., f. 52; 1571 *ain Pach die Ragnitz genannt, hebt sich an bey dem Staininger Zu Neudorff*; *Wolf Staininger bey Neudorff* HKA 1173, f. 13; 63; 1857 *Neudorf* Souvent.

***E:*** Gereihter *-dorf*-AN (siehe EB) mit dem BW mit dem BW mhd. *niuwe* 'neu' (Lexer II, Sp. 92) im Sinne von 'neu angelegtes Dorf (im Rodungsgebiet), siehe 10.1.13.21. Neußerling.

***L:*** Schwarz, S. 96; Böhm, S. 253.

10.1.13.21. ***Neußerling*** D 61–147

***D:*** *'naįßɒlįn*

***U:*** 1264 C *Wernhardus de Neussoltinge* OÖ. UB. III, n. 343; 1282 *mansum situm in Neuzadling* ebd., n. 601; 1287 *De dote iuxta Neuzzedling* OÖ. Stiftsurb. III, S. 368, n.11; 1305 *mein Hvb ze Prantsteten enhalb der Roteln gegen Neuzzedling vber* OÖ. UB. IV, n. 509; c. 1343 *Item de feodo in Neuzerling*; *Item Widmer iuxta Neuserling*; *In dote aput Neuzerling* OÖ. Stiftsurb. III, S. 395, n.75; S. 401, n.69; 402, n. 11; 1385 *Wernhart der Pogner von Newsserling* OÖ. UB. X, n. 445; *1455 *Von der Herrschaft Wechsenberg zu Newsserling 2 Huben und 1 Hofstatt daselbst* LB. S. 69, n. 55; 1443–1480 *ain hof bey Newsserling* Lf. Lb., NÖLA, NÖ. Regierung 17, Hs. 4, f. 182; *1457 *1 Hof, genannt Mitterhaim bei Newsserling* ebd., S. 354, n. 257; 1499 C 1564 *Wegerl auf Neuserling*; *Caspar zu Neuserling* Urb. Waxenberg, OÖLA, Starhemb. Urb., Hs. 200, f. 31, 40; 1499 *Lueger bey Newsserling*; *Ödmul Zw Newsserling* Urb. Lobenstein, OÖLA, Starhemb. Urb., Hs. 107, f. 10; 11; *1523 *Neusserling* Urb. Wilh., f. 53; 1571 *Liennhart Weigl Zu Neussering*; *Wolfganng Lueger Hatt ein Hoffstatt bei Neusarling*; *Wolf Tischler Zu Neuserling* Urb. Waxenberg, HKA 1173, f. 172, 176, 179; *1664 *Wirt zu Neusserling* Heider, Gramastetten, H., S. 325; *1680 *Neußerling* Urb. Götz., f. 234; *1731 *Neußerling* Urb. Götz., f. 206; 1857 *Neusserling* Souvent.

***E:*** Wahrscheinlich handelt es sich ursprünglich um einen in der Rodungszeit von Slawen angelegten Ort, dessen Namen in Böhmen tschech. *Novosedlo* 'Neusiedel' entspricht, das im Erstglied zu dt. *neu* (mhd. *niuwe*, Lexer II, Sp. 92f.) übersetzt und im zweitglied an das Deutsche angeglichen wurde. Ausgangspunkt könnte in Verbindung mit der ältesten Burg der Wilheringer-Waxenberger in 10.1.13.4. Buchholz das slaw. benannte, wenn auch ukdl. erst später bezeugte, 1 km nördlich davon gelegene 10.1.13.23. Stamering sein. Ebenso könnte im Zusammenhang damit 10.1.13.20. Neudorf, das 2 km nordöstlich von Stamering und 1 km nordöstlich von Buchholz liegt, die zeitgleiche deutsche Neugründung sein. Beide SN würden dann ein slaw./dt. Namenpaar bilden.

*L:* Schwarz, S. 96; Schiffmann III, S. 346; Fuchs, S. 66f.; Kouril, n. 1559.

10.1.13.22. ***Oberwallsee*** ZH 2–0 = 10.1.5.19. ***Oberwallsee/Feldkirchen an der Donau***

10.1.13.23. ***Stamering*** W 7–27

*D:* *'šdāmɒrịn*

*U:* *1411 *Pilgreim der Walch hat ze lehen den Sicz ze Stemaring* Grabherr (1975), S. 149; *1456 *1 Hof genannt Stemering* LB. S. 354, n. 357; *1456 *auf dem Hof zu Stêmering* ebd., 405, n. 399; *1457 *ganzen Zehend auf dem Hof zu Stemering* ebd. 238, n. 182; *1457 *Ganzen Zehend zu Stemering* ebd., 403, n. 395; *1468 *Lehen zu Stamering* Grabherr (1975), S. 149; 1499 C 1564 *Von dem Hoff zu Stämbring* Urb. Waxenberg, OÖLA, Starhemb. Urb., Hs. 200, f. 30; *1504 *Schtemring* Urb. Lichtenhag, f. 9; 1571 *Thoman Mair Zu Stämering* Urb. Waxenberg, HKA 1173, f. 60; *1660 *Mayer zu Stamering* Heider, Gramastetten, H., S. 324; *1676 *Stämering* Urb. Gram., f. 24; *1680 *Stämmering* Urb. Götz, f. 238; *1731 *Stämmering* Urb. Götz., f. 212; 1857 *Stamering* Souvent.

*E:* Echter *-ing*-Name (siehe EB) mit dem slaw. PN *Stojimirъ* (Miklosich, Slav. Personennamen, S. 101; Kronsteiner, Alpenslaw. Personennamen, S. 67). Obwohl die urkdl. Erstbezeugung erst aus dem 15. Jh. stammt, fällt nicht nur die dt. Namenbildung noch in die spätahd. Zeit, sondern auch die Integrierung des slaw. *oj* als spätahd./frühmhd. *öü*, das dann um 1200 über *ai* zu *ā* monophthongiert wurde (vgl. Kranzmayer, Histor. Lautgeographie, S. 66).

*L:* Schwarz, S. 102; Schiffmann III, S. 438; Fuchs, S. 88; Wiesinger (1977), S. 107; Wiesinger (1980), S. 161.

10.1.13.24. ***Stötten*** R 12–52 = 10.1.7.51. ***Stötten/Grammastetten***

*D:* *'šdē(d)n*

*U:* 1287 *De curia in Stetten* OÖ. Stiftsurb. III, S. 369, n. 55; 1857 *Stötten,* HN *Stötter* Souvent.

*E:* *-stetten*-Simplex (siehe EB).

*L:* Schwarz, S. 103.

10.1.13.25. ***Wigretsberg*** W 6–14

*D:* *'wīgɒrɒds,bẹ̄ɒg*

*U:* *1558 *Zwigersper[g]* Einl. Greis; 1571 *Lorenntz Zu Weigrasperg* Urb. Waxenberg, HKA 1173, f. 186; *1623 *Wigratzperg* Hoh. VI, 815; 1857 *Wigretsberg* Souvent.

*E:* Gefügter *-berg*-BN (siehe EB) mit dem bair.-ahd. PN *Wikker* (Förstemann I, Sp. 1582; Kaufmann, S. 401) mit Inlautverstärkung und Vokalkürzung von *wîg-*. Da bair.-ahd. *-kk-* zu ma. *-g-* lenisiert wird, erfolgt auch Dehnung des ahd./mhd. kurzen *i*. In der Lautverbindung *-rg-* trat ma. Sproßvokalbildung zu *-rɒg-* ein; die ukdl. Form von 1558 zeigt Assimilierung der Präposition mhd. *ze* 'zu'.

*L:* Schwarz, S. 106; März, S. 316.

## 10.1.14. Eidenberg 554–1534

10.1.14.1. ***Aschlberg*** ZH 31–121

*D:* *'aßl,bẹ̄ɒg*

*U:* *1504 *Äschlperg* Urb. Lichtenhag, f. 9; *1569 *Äschlperger* Urb. Aschpan, f. 169; *1676 *Aschlberger* Urb. Gram., f. 44; 1827 *Aschelberg* Pillwein I, S. 214; 1857 *Aschlberg* Souvent.

*E:* Gereihter oder gefügter *-berg*-LN (siehe EB) mit dem Diminutiv mhd. *äschelîn* von mhd. *asch* stm. 'Esche' (Lexer I, Sp. 100) als Bair.-mhd. ze **äschelîn(en) perge* mit Schwund des Nasals nach dem Liquid und *l* zur Sprecherleichterung.

*L:* Schwarz, S. 84; Schiffmann III, S. 31.

10.1.14.2. ***Berndorf*** R 5–29 = 10.1.13.2. ***Berndorf/Herzogsdorf***

10.1.14.3. ***Edt*** W 4–23

*D:* *ẹ̄d*

*U:* 1857 *Edt* Souvent.

*E:* Simplex 'Öd' (siehe EB).

*L:* –

10.1.14.4. ***Edtmayer*** E von Edt

*D:* *dɒ 'ẹ̄dmǭɒ*

*U:* 1512 *Ödmair Ambt* Urb. Waxenberg, HKA, NÖHA W 31/A, f. 23; 1571 *Maritz Ödenmair hat ainen halben Hoff; Leonhardt am Ödenhoff von seinem halben Hoff* Urb. Waxenberg, HKA 1173, f. 81; 1857 *Edtmair* Souvent.

***E:*** Kompositum mit dem GW mhd. *meier* stm. 'Meier, Oberbauer; Großbauer, der die Aufsicht über die Güter seines Grundherrn führt' (Lexer II, Sp. 2074f.; Schmeller I, Sp. 552) und dem BW 'Öd' (siehe EB) von 10.1.14.3.Edt.

***L:*** –

10.1.14.5. ***Eidenberg*** D 20–58

***D:*** *'ā̧i(d)n,bȩ̄ɒg*

***U:*** 1154 F 1236 *Ibenberch* OÖ. UB. II, n. 182, Dat. nach A. Zauner, U Gleink S. 213; 1206 *Totam partem decime in ibenberge* OÖ. UB. II, n. 351; 1209 *Ulricus senior de ibenberc* ebd., n. 360; 1215 *vlricus de Ibenperge* ebd., n. 392; 1216 *Grangiam yuenberge* ebd., n. 319; 1216 *Grangiam yuenberge* ebd., n. 393; 13. Jh. *Iwenberg* ebd., n. 351; 393; 1263 *Chalhamting apud Eibenberch* OÖ. UB. III, n. 323; 1277 *et In Eibenperg* ebd., n. 518; *13. Jh. *de Eibenperge* Urb. Pass. I, S. 264; c. 1343 *Widmer prope Eitenperig; curia in Eitenperig* OÖ. Stiftsurb. III, S. 392, n. 24; 399, n. 74; *1345 *Eytenperig* Necr. Wilh., S. 39; 1392 *Vlrich hofmaister ze Eitenperig* OÖ. UB. XI, n. 114; *1462 *Evtenperig* Necr. Wilh., S. 75; 190f.; *1510 *Eitnperg* Taid. Wilh., f. 35; *1523 *Eitnperg* Urb. Wilh., f. 46, 50, 62; 1571 *Sigmundt Offner am Waldt beim Eittenperg* Urb. Waxenberg, HKA 1173, f. 197; *1676 *Eitenberg* Urb. Gram., f. 45; c. 1775 *Eidenberg* Jos. LA.; 1827 *Eidenberg* Pillwein I, S. 214.

***E:*** Ursprünglich entweder gefügter *-berg*-BN (siehe EB) mit dem ahd. PN *Îwo* (Förstemann I, Sp. 978) oder *-berg*-LN mit dem Nom. plur. von mhd. *îwe* stf. 'Eibe' (Lexer I, Sp. 1464) im Sinne von 'Berg, wo Eiben wachsen' jeweils mit dem bair.-mhd. Wandel von *-w-* zu *-b-*. Im 14. Jh. erfolgte wohl kanzlistisch ausgelöste Angleichung an 10.1.13.5. Eidendorf/St. Gotthard im Mühlkreis.

***L:*** Schiffmann III, S. 135; März, S. 58; Grabherr (1975), S. 146; ADNB I, S. 309.

10.1.14.6. ***Eidenberger Alm*** Gh von Eidenberg 1–13

***D:*** –

***U:*** –

***E:*** Seit den 1970er Jahren bürgerte sich im Mühlviertel im Rahmen des Tourismus und der Fremdenverkehrswerbung angesichts der allgemeinen Höhenlage für besonders hochgelegene Gaststätten, die an sich alpine Bezeichnung *Alm* ein, die dann in den 1990er Jahren teilweise zu touristischen Gebietsbezeichnungen ausgeweitet wurde, wie z. B. *Mühlviertler Alm* für das Gebiet um Königswiesen und Liebenau, Pol. Bezirk Freistadt.

***L:*** –

10.1.14.7. ***Felsleiten*** ZH 15–60 =10.1.13.6. ***Felsleiten/Herzogsdorf***

***D:*** *,vȫs'lā̧i(d)n*

***U:*** *1680 *Felßleiten* Urb. Götz., f. 245; *1731 *Fölsleuthen* Urb. Götz., f. 222; 1827 *Felsleiten* Pillwein I, S. 214; 1857 *Felsleiten* Souvent.

***E:*** Bezeichnung für den zur Großen Gusen zunächst allmählich und dann steil abfallenden rechten felsigen Hang als gereihter *-leiten*-Name (siehe EB) mit mhd. *vels(e)* stswm. 'Fels' (Lexer III, Sp. 56; Schmeller I, Sp. 715).

***L:*** Schwarz, S. 86.

10.1.14.8. ***Geng, Ober-*** R 10–37; ***Untergeng*** D 34–149 = 10.1.15.4. ***Geng, Ober-/Kirchschlag bei Linz***

***D:*** *'ōwɒ-, 'ũntɒ,gȩ̃ŋ*

***U:*** c. 1343 *Item de Greblinch et Geng et Schefek* OÖ. Stiftsurb. III, S. 402, n. 86; 1356 *daz ampt in der Gengen vnd swaz dar zů̊gehŏrt* OÖ. UB. VII, n. 457; c. 1380 *vnd virzk zehent daz dritail gelegen in baiden Gengen vnd im Schefekk vnd auf der Savmstrazz* OÖ. UB. X, S. 796, n. 201; 1384 *daz tritaill gelegen in payden Gengen vnd im Scheffekk vnd auf der Sawmstrazz, der gelegen ist in Zwetlinger pharr vnd in Greymharczsteter pharr* OÖ. UB. X, n. 360; 1384 C 1641 *gelegen in peden Gengen und im Scheffeckh und auf der Saumstrass* ebd.; *1495 *zu Gengenn* Necr. Wilh., S. 51; 1512 *Im giengen* Urb. Waxenberg, HKA, NÖHA W 31/A, f. 23; 1526 *im Gengen* Urb. Schaunberg, OÖLA, Starhemb. Urb., Hs. 162, f. 472; *1544 *im aussern, innern Genngen* Urb. Wildbg., f. 164; 1571 *Gengen* (Ortschaftsbezeichnung), unter den Anwesen: *Wolfganng Moser in Gienngen* Urb. Waxenberg, HKA 1173, f. 84; 1575 *In der Genngen visch pach* Anschlag Waxenberg, HKA, NÖHA, W 31/A, f. 449; *16. Jh. *Gengen* Einl. Ob.-Wallsee; *1662 *in der Geng* Heider, Gramastetten, H., S. 324; *1676 *in, bey den Gengen* Urb.

Gram., f. 31, 64; c. 1775 *Ober*; *Unter Geng* Jos. LA.; 1827 *Obergäng*; *Untergeng* Pillwein I, S. 308; 214; 1857 *Ob. Geng*; *Unt. Geng* Souvent.

***E:*** Nom. bzw. Dat. plur. von mhd. *ganc* stm. 'Gang, Weg, Durchgang' (Lexer I, Sp. 734f.) als mhd. *die genge* bzw. *in pêden gengen*. Hier erreicht die nördlich von 10.1.7.19. Gramastetten das Engtal der Großen Rodel verlassende, auf der Anhöhe nach Norden führende (Saum)straße (vgl. 10.2.2.4. Saumstraß) nach 10.2.2.8. Zwettl wieder das Flußtal, so daß von hier ab wieder der Durchgang durch das Tal möglich ist.

***L:*** Schwarz, S. 87; Schiffmann III, S. 179.

10.1.14.9. ***Höfer*** E von Edt 2–10

***D:*** *d(e) 'hēvɒ,hā̜isɒ*

***U:*** 1356 *der hof am Chelchperch* UB. VII, n. 457; 1512 *Hans Kellnperger*; *Steffan Kellperger* Urb. Waxenberg, HKA, NÖHA W 31/A, f. 23; *1550 *Khelperg*; *1563 *Hinderhoffer* Urb. Gram., f. 7; 1571 *Wolfganng Voderkheller Perger*; *Matheuß Hinder Kheller perger* Urb. Waxenberg, HKA 1173, f. 81; c. 1775 *Höfing* Jos. LA.; 1857 *Vord. Hint. Höfer* Souvent.

Anm.: Die Zuordnung der Belege nach Schiffmann II, S. 28; III, S. 272.

***E:*** Ursprünglich gereihter *-berg*-BN (siehe EB) mit dem FN *Kelch* (Brechenmacher II, S. 81f.), vgl. *Cunr. Kelech* OÖ. UB. II, n. 212 . Dieser beruht auf bair. *Kelch* 'Kohl', das eine Kontamination von mhd. *koele* stm. 'Kohl' (Lexer I, Sp. 1663) und mhd. *kel(i)ch* stm. 'Kelch' für Auswüchse an den Wurzeln dieser Pflanze zu sein scheint (Schmeller I, Sp. 1240), sofern nicht ein Kollektivum auf mhd. *-ach *koelach* vorliegt. Später unechter *-ing*-Name (siehe EB) wahrscheinlich vom älteren Dat. Plur. mhd. **ze [den] höven* von 'Hof' (siehe EB) mit Umwandlung zum unechten *-ing*-Namen (Siehe EB). Im 19. Jh. wurden die beiden Kleinhöfe *Vorder-* und *Hinter-Höfer* genannt, womit heutiges ma. *Die Höfer Häuser* zusammenhängt.

***L:*** Schwarz, S. 90.

10.1.14.10. ***Kammerschlag*** R 5–21

***D:*** *'khā̃mɒš,šlǫg*

***U:*** *1526 *Chamerschlag* Hoh. IV 512, 514; *1592 *Cammerschlag* Urb. Bergh., f. 7.

***E:*** Gefügter *-schlag*-BN (siehe EB) mit dem FN *Kammerer* von mhd. *kameraere* stm. 'Kämmerer, Schatzmeister, Verwalter einer Herrschaft' (Lexer I, Sp. 1501; Brechenmacher II, S. 7; Kohlheim, S. 360), verkürzt um das Suffix. Nach Schiffmann III, S. 267 im Jahr 1526 im Besitze des *Hieronymus Chamrer zu Bergheim* Hoh. IV, 512, 514.

***L:*** Schwarz, S. 91; Baumgartner, n. 665.

10.1.14.11. ***Mittermühle*** W 4–6

***D:*** *'mitɒ,mṻ*

***U:*** ? 1499 *Mittermüllner* Urb. Lobenstein, OÖLA, Starhemb. Urb., Hs. 107, f. 9.

***E:*** Die nach dem Zweiten Weltkrieg aufgelassene *Mittermühle* (von mhd. *mitter* 'in der Mitte befindlich' [Lexer I, Sp. 2190] hat ihren Namen nach der Lage zwischen der südlichen, ebenfalls an der Großen Rodl gelegenen Stelzmühle und der nördlicheren, zur Gemeinde 10.2.2. Zwettl an der Rodl gehörenden, 1972 abgebrannten und abgerissenen, durch ein Gasthaus ersetzten Edelmühle (von mhd. *erle* swf. 'Erle' [Lexer I, Sp. 647]).

***L:*** –

10.1.14.12. ***Schiefegg*** ZH 17–47

***D:*** *,šīɒvek*

***U:*** c. 1200 *usque ad viam, quæ vulgo Schefwech dicitur* OÖ. UB. II, n. 316, 1212 *vsque ad uiam, que schefecke dicitur*; *de ueteri uia Schefecke deorsum usque ad riuulum, qui Roetel dicitur* OÖ. UB. II, n. 375; c. 1220 *dicitur Schefwege* OÖ. UB. I, S. 481, n. 4; c. 1260 *A Danubio a via que dicitur Schefwech*; *ultra viam dictam Schefwech* Urb. Pass.I, S. 262; c. 1343 *et Schefek* OÖ. Stiftsurb. III, S. 402, n. 86; c. 1380 *vnd virzk zehent daz dritail gelegen in baiden Gengen vnd im Schefekk vnd auf der Savmstrazz* OÖ. UB. X, S. 796, n. 201; 1384 *daz tritaill gelegen in payden Gengen vnd im Scheffekk vnd auf der Sawmstrazz, der gelegen ist in Zwetlinger pharr vnd in Greymharczsteter pharr* OÖ. UB. X, n. 360; 1384 C 1641 *gelegen in peden Gengen und im Scheffeckh und auf der Saumstrass* ebd.; 1499 C 1564 *von dem mittern Guet im Scheffeckh*; *im Schöffeckh* Urb. Waxenberg, OÖLA, Starhemb. Urb., Hs. 200, f. 20, 21; *1544 *Schiefegkh* Urb. Wildbg., f. 164; 1571 *Der Schefeckhpach fecht sich an am Schefegg Holtz, vnd geet in die Rettl*; *Wolf am Nider Schefeckh*; *Augustin Windthager* *vom mittern Schefeckhguettl; Florian Märchel im Schefeckh; Michel Hämter im Schefeckh* Urb. Waxenberg, HKA 1173, f. 12; 83; 1591 *Im Schefeckh* HKA, NÖHA G 46, f. 37; *1676 *Schifer-, Schifferekh* Urb. Gram., f. 64; 1857 *Schiefegg* Souvent.

***E:*** Gereihter *-eck*-LN (siehe EB) mit bair.-mhd. *schëf* stn. 'Schiff' (Lexer II, Sp. 729), wobei das 'Eck' von den beiden Schiefeggbächen gebildet wird. Der Ort liegt an einem der einstigen, von der Donau nach Böhmen führenden Saumpfade, nämlich von 10.1.2. Ottensheim an der Donau über 10.1.7.19. Grammastetten nach 10.2.2.8. Zwettl an der Rodl, auf dem Waren in beiden Richtungen befördert wurden, so daß solche Saumpfade *Scheffwege* genannt wurden, wie auch aus dem ukdl. Beleg von 1200 bair.-mhd. *schëfwëch* als Klammerform **schëf[liute]wëch* hervorgeht. Entsprechend hießen die hier tätigen Säumer *Scheffer, Schöffer, Schiffer* vgl. in 10.1.14.8. Gengen 1571 *Florian Schifer vom Schiffergüettl* Urb. Waxenberg, HKA 1173, f. 84, 1591 *Florian Schifer vom Schifergüetl* HKA, NÖHA G 46, f. 38. Vgl. auch 10.1.10.24. Niederreitern/Engerwitzdorf. Mit dem Einfluß der ostmitteldt. Schriftsprache auf die oberdt. in Verbindung mit der Reformation kam im 16. Jh. die Schreibung *Schiff* auf. Da die ma. Aussprache Dehnung zu [*šīɒ*] aufweist, wurde teilweise auch die Schreibung ⟨*Schief*⟩ eingeführt, wonach sich heute auch die ma. Aussprache mit [*iɒ*] richtet.

***L:*** Schwarz, S. 101; Schiffmann III, S. 407; Reisinger, n. 187; F. Pfeffer, Bausteine zur Heimatkunde, in: Oberösterr. Heimatblätter 3 (1949), S. 49f.

10.1.14.13. ***Staubgasse*** R 7–34

***D:*** *'šdā̜u̯b,gǫßn*

***U:*** *1676 *in der Staubgassen* Urb. Gram., f. 62; c. 1775 *Staubgasse* Jos. LA.

***E:*** Gereihtes Kompositum mit dem GW mhd. *gazze* swf. 'Gasse; eingegrenzter Weg' (Lexer I, Sp. 745) und dem BW mhd. *stoup* 'staubiger Boden, Staub' (Lexer II, Sp. 1216) im Sinne von 'sandiger, staubiger Weg'.

***L:*** Schwarz, S. 102.

10.1.14.14. ***Sulzmühle*** Sä von Felsleiten 1–5

***D:*** *'sūi̯dsmǖ*

***U:*** ca. 1826 *Schulzmühle*; *Schulzgraben* Franz. Kat.; 1857 *Schulz M[ühle]*. Souvent.

***E:*** Die ukdl. nur *Schulzmühle* bezeichnete Mühle an der Großen Rodl liegt in der Nähe des 1857 von Souvent angegebenen Hofes *Schulz*, südlich der Mühle mündet der *Schulzgraben* ein. Dem HN liegt der FN *Schul(t)z*, verkürzt aus mhd. *schultheize* swm. 'Schultheiß, Richter' zugrunde (Lexer II, Sp. 815; Brechenmacher II, S. 570 f.; Kohlheim, S. 601f.). Es ist nicht klar, wie es zur heutigen Form *Sulz* gekommen ist.

***L:*** Schwarz, S. 104; Schiffmann III, S. 457.

## 10.1.15. Kirchschlag bei Linz
## 535–1378

10.1.15.1. ***Davidschlag*** R 69–152

***D:*** *'dǭvɒd,šlǭg*

***U:*** 1499 *Davitschlag* Urb. Wildberg, OÖLA, Starhemb. Urb., Hs. 204, f. 11; *1544 *Davittschlag* Urb. Lob., f. 50; 1827 *Davidschlag* Pillwein I, S. 308; 1857 *Davidschlag* Souvent.

***E:*** Wohl gefügter *-schlag*-BN (siehe EB) mit dem PN und FN *David* nach dem biblischen, alttestamentarischen König David (Brechenmacher I, S. 280; Kohlheim, S. 176).

***L:*** Schwarz, S. 85; Baumgartner, n. 620.

10.1.15.2. ***Eben*** R 101–189

***D:*** *'ē(b)m*

***U:*** 1499 *Ebenn* Urb. Wildberg, OÖLA, Starhemb. Urb., Hs. 204, f.12; 1827 *Eben* Pillwein I, S. 308; 1857 *Eben* Souvent.

***E:*** Von mhd. *ëbene* stf. 'Ebene' (Lexer I, Sp. 500)

***L:*** Schwarz, S. 85.

10.1.15.3. ***Geitenedt*** R 25–52

***D:*** *,gai̯(t)'nę̄d*

***U:*** 1499 *Geyttennöd* Urb. Wildberg, OÖLA, Starhemb. Urb., Hs. 204, f. 14; *1635 *Geidenedt* Urb. Starh., f. 138; 1827 *Geidenöd* Pillwein I, S. 308; 1857 *Geidenedt* Souvent.

***E:*** Entweder gefügter *-öd*-BN (siehe EB) mit der bair. Kurzform *Geit* von *Judith*, vgl. Geitenschlag GB Ottenschlag, Niederösterreich (E. Schuster, Etymologie der niederösterr. Ortsnamen II, S. 93) oder gefügter AN mit dem Adjektiv mhd. *gîte* 'gierig, habgierig, geizig' (Lexer I, Sp. 1024) als Spottname.

***L:*** Schwarz, S. 87; Reutner, S. 178.

10.1.15.4. ***Geng, Ober-*** Hf 1–2 = 10.1.14.8. ***Geng, Ober-; Unter-/Eidenberg***

10.1.15.5. ***Glasau*** R von Davidschlag

***D:*** *'glǭsau̯*

***U:*** 1857 *Glasau* Souvent.

***E:*** Wohl ursprüngliche Klammerform *Glas(hütten)au* nach ehem. Glashütten, vgl. 10.2.6.9. Glasau/Vorderweißenbach.

***L:*** Schwarz, S. 87; Schiffmann III, S. 182.

10.1.15.6. ***Hochbuchedt*** R 20–78

***D:*** *'hǭsl,grǭ(b)m*

***U:*** 1827 *Hochbuchet* Pillwein I, S. 308; 1857 *Hochbuchet* Souvent.

***E:*** *-ahi*-Bildung (siehe EB) zu bair.-mhd. *puoche* 'Buche' (Lexer I, Sp. 386) mit dem BW mhd. *hôch* 'hoch' (Lexer I, Sp. 1312). Die Bezeichnung ist seit franziszeischer Zeit im 19. Jh. nur amtlich. Örtlich gilt dafür *Haselgraben*, siehe 10.1.8.7. Haselgraben.

*L:* –

10.1.15.7. ***Kirchschlag bei Linz*** D 166–322

***D:*** *,khīɒ'šlǭg*

***U:*** 1349 *zu der chappelln in dem Chirchslag* OÖ. UB. VII, n. 121; *1495 *Kirchslag* Reg. Starh., f. 1; *1544 *Khirchschlag* Urb. Wildbg., f. 152; *1545 *den Dienst gen Sankt Anna gen Kirchschlag* Urb. Wildbg., Linzer Reg. B II, D 2, S. 19; c. 1775 *Kirchschlag* Jos. LA.; 1827 *Kirchschlag, ein besuchter Badeort mit 21 Häusern.* Pillwein I, S. 311; 1857 *Kirchschlag* Souvent.

***E:*** Gereihter *-schlag*-BN (siehe EB) mit dem BW mhd. *kirche* swf. 'Kirche' (Lexer I, Sp. 1580f.) Es handelt sich um die Filialkirche Sankt Anna von Hellmonsödt seit dem Spätmittelalter.

***L:*** Schwarz, S. 91; Baumgartner, n. 570; Ferihumer, S. 315.

10.1.15.8. ***Kitzelsbach*** R 3–17 =10.1.9.11. ***Kitzelsbach/Altenberg***

10.1.15.9. ***Königsecker*** W von Davidschlag

***D:*** HN *dɒ ,khēnigs'ekɒ*

***U:*** *1544 *Khunigseckh* Urb. Lob., f. 45; 1857 *Königsecker* Souvent.

***E:*** HN als gefügter *-eck*-BN (siehe EB) mit dem BW mhd. *künic* stm. 'König' (Lexer I, Sp. 1774f.), das hier wohl auf den FN *König* zurückgehen wird, der einen in irgendeiner Weise hervorragenden Mann bezeichnet (Brechenmacher II, S. 88; Kohlheim, S. 387).

***L:*** –

10.1.15.10. ***Kronabited*** W 7–21 =10.1.8.10. ***Kronabitedt/Lichtenberg***

***D:*** *,grā̃nɒwīd'ẹ̄d*

***U:*** 1827 *Kronawittöd* Pillwein I, S. 308; 1857 *Kronawitet* Souvent.

***E:*** Gereihter *-öd*-LN (siehe EB) mit dem BW bair.-mhd. *khranewite* stm. 'Wacholder' (Lexer I, Sp. 1710) oder kollektive *-ahi*-Bildung bair.-mhd. **Khranewitach* mit volksetymologischer Umbildung von -[*ɒt*] zu -[*ẹ̄d*] (siehe EB).

***L:*** Schwarz, S. 92.

10.1.15.11. ***Riedl*** R 48–147

***D:*** *'rī(d)l*

***U:*** 1827 *Ridl* Pillwein I, S. 308; 1857 *Ridl* Souvent.

***E:*** Entweder von mhd. *rigel* stm. 'Riegel, Versperrung, Anhöhe, Bergrücken, steiler Bergabsatz' (Lexer II, Sp. 59f.) oder von bedeutungsverwandtem *ridel* 'Geflecht, Wulst, Anhöhe, Bergrücken' (Schmeller II, Sp. 59f.).

***L:*** –

10.1.15.12. ***Rohrach*** R 19–63

***D:*** *'rǭɒrɒ*

***U:*** 1499 *Rorach* Urb. Wildberg, OÖLA, Starhemb. Urb., Hs. 204, f. 13; 1827 *Rohrach* Pillwein I, S. 308; 1857 *Rohrach* Souvent.

***E:*** Von mhd. *rôrach* 'Röhricht' (Lexer II, Sp. 486).

***L:*** Schwarz, S. 100; Schiffmann III, S. 383.

10.1.15.13. ***Stratreith*** W 4–13 = 10.1.9.18. ***Stratreith/Altenberg***

10.1.15.14. ***Strich*** R 36–192

***D:*** *šdrīx*

***U:*** 1499 *am Strickh* HN im Amt *Zainzinger* Urb. Wildberg, OÖLA, Starhemb. Urb., Hs. 204, f. 15; *1787 *im Strik* Schütz; 1827 *Strich* Pillwein I, S. 308; 1857 *Strich* Souvent.

***E:*** Von mhd. *strich* stm. ‘Strich, Weg, Strecke’ (Lexer II, Sp. 1233f.) vgl. *Landstrich*. Nach Vollmann, Flurnamensammlung in Bayern, 3. Aufl. 1924, S. 41 werden damit schmale Ackerbeete und Landstreifen bezeichnet. Die ukdl. Schreibung von 1499 *Strickh* dürfte eine hyperkorrekte Umsetzung der älteren Schreibung mit ⟨*ch*⟩ sein, das gleicherweise nicht nur die Affrikata [*kχ*], sondern auch den Frikativ [*χ*] bezeichnete. Da für ‘Strich’ die ursprüngliche ma. Aussprache *[*šdrī*] mit Schwund des Frikativs lautete und wegen des gleichartigen Schwundes von auslautendem mhd. *-g* und *-ch* beide Laute zunächst als Frikativ [*x*] und dann als Plosiv [*g*] restituiert wurden, kam es 1787 bei Schütz zu einer neuerlichen hyperkorrekten Schreibung mit ⟨*k*⟩, während die ma. Aussprache [*šdrīx*] bis heute beibehalten wird.

***L:*** Schwarz, S. 104; Schiffmann III, S. 454.

10.1.15.15. ***Wildberg*** R 36–130 = ***Wildberg/Altenberg bei Linz***

***D:*** *'wüpẹ̄ɒg*

***U:*** 1145 C 13. Jh. *de Wilperge* HL Passau 2, f. 15; anders OÖ. UB. II, n. 148: *Hunisperge*; 12. JhI *de Vviltberc* Tr Aldersbach, f. 1; 1198 F um 1254–65 *castrum Wiltperch*; *Castro igitur Wildperch* Zauner: Passauer BischofsU, S. 480, n. 3; OÖ. UB. II, n. 316; 1212 *situm circa Wiltperch* ebd., n. 375; 1212 *situm circa Wiltperc* ebd., n. 376; 1240 *Ortolfus officialis suus de wiltperch* OÖ. UB. III, n. 80; 1245 *Castri Wiltperch* ebd., n. 124; *13. Jh. *et Wiltperch* Urb. Pass.I, S. 262; *13. JhE *Wilperch* LB. Kap., 14; 1305 *ze Wilperch in dem Hovse* OÖ. UB. III, n. 529; 1309 *ze wilperch in dem hovse* OÖ. UB. V, n. 24; 1320 *auf dem wolfmarcht pei wiltperch* ebd., n. 285; 1324 *ze wilperch jn dem Hause* ebd., n. 411; 1325 *geben dacz Wiltperge* ebd., n. 424; 1349 *ze Wilperch in dem Haus* OÖ. UB. VII, n. 121; 1370 *purchgraff datz Wilberich* OÖ. UB. VIII, n. 455; 1376 *Ruegern von Starichenberch von wilperch* OÖ. UB. IX, n. 26; 1379 *Růgern von Starchenberch dez alten von Wiltperig* ebd., n. 479; c. 1380 *Caspar vnd Gundakcher die Starhemberger von Waltperg* OÖ. UB. X, S. 840, n. 318; 1381 *Rueger von Starchenberg von Wiltperg* OÖ. UB. X, n. 59; 1381 *hern Ruegern von Strarchenberg von Wiltperg* ebd., n. 74; 1381 *Rueger von Starchenberg von Wiltperg* ebd., n. 75; 1389 *geben ze Wiltperch* ebd., n. 712; 1394 C 17. Jh *das sie vnß mit dem Römischen könig könig Wennzlau zu Pehamben zu vesst Wilperch freundtlich lassent gelassen habent* OÖ. UB. XI, n. 332; 1394 *obgenanndten khünig Wennczlaw in irr vesst zu Wildperg gethan haben* ebd., n. 344; 1394 *so die edlen Caspar vnd Gundacker gebrüder von Starkenberg den allerdurchluchtigsten fürsten vnd hern hern Wenczlawen Romischen kunige zu allen czeiten merer des Reichs vnd kunige zu Behem ... in irr vesten Wiltperg getan haben* ebd., n. 347; 1394 *sunder als bald wir vernament, daz er yen Wilperg gefuert wär* ebd., n. 349; 1394 *obgenanndten khunig Wennczlaw inn ir vesst Wildperg gethan haben* ebd., n. 386; 1395 *vnnsern lieben herrn vnnd schwager herrn Wennczlawen Römöschen khunig auf ir vessten Wildtperg habenn gefanngen gehaldtenn* ebd., n. 457; *1499 *das urbarpuch ... zw der herschafft Willdperg* Urb. Wildbg., Linzer Reg. B II, D 2, S. 13; *1544 *Urbarbuech so von newen auff die herrschafft Wildtperg ... aufgericht worden* Urb. Wildbg., Linzer Reg. B II, D 2, S. 14; *1545 *Urbarpuech auff die Herrschafft Wildtperg* Urb. Wildbg., Linzer Reg. B II, D 2, S. 17; 1732 *Wildtberg. Es lieget ansonsten ermeldtes Schloß an dem so genanten Haselgraben / und ist nach alter Arth gebauet und bevöstiget / daselbesten wird auch annoch das Zimmer gewisen / in welchem beede Gebrüder Herr Caspar, und Herr Gundacker Herren von Starhenberg Weyl. Kayser und König in Böheim Wenceslaum 1394 gefangen gehalten / welches Zimmer auch noch auf den heutigen Tag das Königs Zimmer genant wird.* Hoheneck, Genealogie II, S. 592; c. 1775 *Schloß Wildberg* Jos. LA.; 1827 *Wildberg, Wildtberg ... eine Ortschaft und ein Schloß mit 28 Häusern ... . Das Schloß liegt eine kleine Viertelstunde von der gleichnamigen Ortschaft auf einem hohen Berge.* Pillwein I, S. 313; 1857 *Wildberg* Souvent.

***E:*** Burgenname als gereihter *-berg*-AN (siehe EB) mit mhd. *wilde*, *wilt* ‘wild, unangebaut, nicht von Menschen gepflegt’ (Lexer III, Sp. 884f.) im Sinne von ‘einsam in der Wildnis gelegene Burg’. Die im 12. Jh. errichtete und dann gotisch weitergebaute, auf einem hohen Berg in waldiger Umgebung rechts über dem Haselgraben einsam gelegene, heute verfallene Burg wurde um 1200 Lehensbesitz von

Passau und 1212 durch Übertragung an dessen Ministerialen Gundakar zum Stammsitz des berühmten Adelsgeschlechtes der Starhemberger. Nachdem in der zweiten Hälfte des 16. Jhs. zwischen gotischem Burgbau und Turm ein Renaissancebau aufgeführt worden und dieser 1654 abgebrannt war, wurde 1664/65 auf dem Gelände der ehemaligen Vorburg vor dem Turm das neue Schloß errichtet. Berühmtheit erlangte die Burg, als im Sommer 1394 der deutsche und böhmische König Wenzel im Rahmen der innenpolitischen Wirren in Böhmen von einer Verschwörergruppe des böhmischen Adels gefangen genommen und von den Starhembergern hier in Gewahrsam gehalten wurde, doch sind diese Räume in der Burgruine verfallen.

***L:*** Schwarz, S. 106f.; Schiffmann III, S. 483; Grabherr (1975), S. 150; Grabherr (1976), S. 356f.; Ulm, S. 233f.; Dehio (2003), S. 354ff.; März, S. 316f.; ADNB, S. 1131.

## 10.1.16. Sonnberg im Mühlkreis
124–665

10.1.16.1. ***Albrechtschlag*** R 6–29

***D:*** *'ǭįwɒd,šlǭg*

***U:*** 1499 *Albrechtschlag* Urb. Wildberg, OÖLA, Starhemb. Urb., Hs. 204, f. 8; c. 1775 *Alberth schlag* Jos. LA.; 1827 *Albrechtschlag* Pillwein I, S. 308; 1857 *Albrechtschlag* Souvent.

***E:*** Gereihter *-schlag*-BN (siehe EB) mit dem bair.-ahd. PN *Adalpërht*/ mhd. *Albrëht* (Förstemann I, Sp. 163).

***L:*** Schwarz, S. 83; Baumgartner, n. 619.

10.1.16.2. ***Pöllersmühle*** Hf von Oberrudersbach 1–1

***D:*** *'bȫ-ɒs,mǖ*

***U:*** 1499 *Peleinsmüllner* Urb. Wildberg, OÖLA, Starhemb. Urb., Hs. 204, f. 8; *1544 *Pöleinsmüll* Urb. Wildbg., f. 43; *1635 *Pöllesmüll* Urb. Starhembg., f. 81; 1857 *Pöller M.* Souvent.

***E:*** Am Pöllerbach gelegene ehem. Mühle, ein gefügter BN mit dem GW 'Mühle' (siehe EB) und dem als Beinamen fungierenden PN *Polan* 'der Pole' von mhd. *Pôlân* stm.' einer vom Lande Polen' (Lexer II, Sp. 283) in der um die Mittelsilbe verkürzten Diminutivform mhd. **Pölî*, Gen. *Pölînes*, worauf der Umlaut zurückgeht. Zum Beinamen vgl. in dieser Gegend 1165 *Heinr. Bolan* OÖ. UB. I, S. 175, n. 177; 1383 *Pernhart der Polan purger ze der Freinstat* OÖ. UB. X, n. 295.

***L:*** Schwarz, S. 97; Schiffmann III, S. 73; Fuchs, S. 38.

10.1.16.3. ***Dreiegg, Ober-*** D 18–113; ***Unterdreiegg*** 14–69

***D:*** *'drā̄į-ek*

***U:*** *1495 *im Dreyegk* Reg. Starh., f. 1; 1499 *Dreyegkh* Urb. Wildberg, OÖLA, Starhemb. Urb., Hs. 204, f. 5; 1523 *untzt an den Dreyekher walt* OÖ. Weist. I, S. 213; *1544 *Dreyeckh* Urb. Lob., f. 45; *c. 1550 *Dreyeck* JB. des Mus. 1899, S. 28; *1590 *bis in den Herrschaft Wildbergische Dreyeck Wald* Archiv 94, S. 287; c. 1775 *Dreieck*; *Dreiecker Wald* Jos. LA.; 1827 *Oberdreyeck*; *Unterdreyeck* Pillwein I, S. 308; 318; 1857 *Ober, Unt. Dreiegg* Souvent.

***E:*** Mhd. *drîecke* 'dreieckig' (Lexer I, Sp. 462), wohl als FlN für das Zusammentreffen dreier Herrschaftsgebiete, was allerdings bis jetzt nicht geklärt ist. Die amtliche Unterscheidung zweier Ortsteile ist volkstümlich nicht üblich.

***L:*** Schwarz, S. 85; Schiffmann III, S. 119; Reisinger, n. 21.

10.1.16.4. ***Hammermühle*** Hf von Untersonnberg 1–4

***D:*** *'hā̃mɒ,mǖ*

***U:*** 1499 *Hamerschmid* Urb. Wildberg, OÖLA, Starhemb. Urb., Hs. 204, f. 5; 1523 *auf des hamberschmidts grunten* OÖ. Weist. I, S. 213; 1658 *auf des hammerschmidts grinten* OÖ. Weist. I, S. 213; c. 1775 *Hammer M.* Jos. LA.; 1857 *Hamermüller* Souvent.

***E:*** Gereihtes Kompositum mit dem GW 'Mühle' (siehe EB) mhd. *hamer* stm. 'Hammer; Hammerwerk, -mühle' (Lexer I, Sp. 1163), ursprünglich HN *Hammerschmied* nach einer bereits im Spätmittelalter errichteten Hammerschmiede.

***L:*** Schwarz, S. 89.

10.1.16.5. ***Rudersbach, Ober-*** D 47–248; ***Unterrudersbach*** ZH 6–34

***D:*** *'rǖɒdɒš,bǭ*

***U:*** 1366 *auf zwain hawsern in dem Rudersp ach.* OÖ. UB. VIII, n. 271; 1499 *Ruederspach* Urb. Wildberg, OÖLA, Starhemb. Urb., Hs. 204, f. 8; *1544 *Ruederspach* Urb. Lob., f. 49; c. 1775 *Rudersbach* (SN und GewN) Jos. LA.; 1827 *Oberrudersbach*; *Unterrudersbach* Pillwein I, S. 308; 318; 1857 *Ober, Unt. Rudersbach* Souvent.

***E:*** Gefügter *-bach*-BN (siehe EB) mit dem ahd. PN *Ruodher(i)* (Förstemann II, Sp. 905). Die amtliche Unterscheidung zweier Ortsteile ist volkstümlich nicht üblich.

***L:*** Schwarz, S. 100; Bito, S. 186.

10.1.16.6. ***Sonnberg, Ober-*** D 22–112; ***Untersonnberg*** W 9–55

***D:*** *'sũmbẹɒg*

***U:*** 1499 *Sunnberg* Urb. Wildberg, OÖLA, Starhemb. Urb., Hs. 204, f. 6; 1544 Sunberger Urb. Lob., f. 22; c. 1775 *im Sonnberg* Jos. LA.; 1827 *Obersonnberg*; *Untersonnberg* Pillwein I, S. 308; 318; 1857 *Ober, Unter Sonnberg* Souvent.

***E:*** Gereihter *-berg*-LN (siehe EB) mit mhd. *sunne* swstf. 'Sonne' (Lexer II, Sp. 1314f.) mit Bezug auf die waldfreie, sonnenbeschienene Lage. Die amtliche Unterscheidung zweier Ortsteile ist volkstümlich nicht üblich.

***L:*** Schwarz, S. 102; März, S. 269f.

## 10.1.17. Hellmonsödt 424–1431

10.1.17.1. ***Althellmonsödt*** D 31–71

***D:*** *'ǭịd,hǭmɒ'sẹ̄d*

***U:*** 1499 *Allt Hellmonsöd* Urb. Wildberg, OÖLA, Starhemb. Urb., Hs. 204, f. 3; 1827 *Althellmonsöd* Pillwein I, S. 308; 1857 *Alt Helmonsöd* Souvent.

***E:*** Siehe 10.1.17.6. Hellmonsödt. Das unmittelbar südlich des Hauptortes ebenfalls auf der Hochfläche gelegene Waldhufendorf scheint nicht nur den ursprünglichen FlN fortzusetzen, sondern könnte trotz der erst späteren Bezeugung des BW *alt* die ursprüngliche bäuerliche Rodungsanlage verkörpern, ehe gegen den Haselgraben zu eine weitere marktartige Waldhufenanlage mit planmäßigem Dreieckplatz und der seit 1366 bezeugten Pfarre mit der Pfarrkirche zum hl. Alexius unmittelbar an dem nach Böhmen von Urfahr an der Donau aus durch den Haselgraben über 10.2.2.8. Zwettl an der Rodl führenden Handelsweg entstand, der von der Burg 10.1.15.15. Wildberg aus im 13. Jh. unter Passauer Kontrolle stand. Das veranlaßte die Babenberger um 1220 das östlich gelegene Freistadt zu gründen (siehe OÖ.ONB 11, 11.5.7.4. Freistadt) und gegen Passau den Handelsverkehr auf dem östlicheren Weg von Mauthausen an der Donau weg nach Böhmen unter ihrer Kontrolle abwickeln zu lassen. (vgl. F. Kaindl, Der Kampf der Stadt Freistadt um ihr Straßenvorrecht, Diss. [masch.], Wien 1960, S. 6ff.).

***L:*** Reutner, S. 132.

10.1.17.2. ***Auedt*** ZH 14–51

***D:*** *,aų-'ẹ̄d*

***U:*** 1827 *Auöd* Pillwein I, S. 308; 1857 *Auedt* Souvent.

***E:*** Gereihter *-öd*-LN (siehe EB) mit dem BW *'Au'* (Siehe *-au*-Namen im EB) nach der Lage an einem kleinen Gewässer, das dem Haselbach zufließt.

***L:*** Schwarz, S. 84.

10.1.17.3. ***Pelmberg*** ZH 29–52

***D:*** *'bǭm,bẹɒg*

***U:*** 1325 *den hofe dacz Pelnberge* OÖ. UB. V, n. 424; 1396 *hof ze Pellnperig* OÖ. UB. XI, n. 549; *1467 *Obern Pellenperg* Linzer Reg., C III A1, n. 630; 1499 *Haintzl Zw Nidernpellnperg*; *Hoffer Zw Oberpellnperg* Urb. Wildberg, OÖLA, Starhemb. Urb., Hs. 204, f. 21; 1827 *Pelmberg* Pillwein I, S. 308; 1857 *Pelmberg* Souvent.

***E:*** Gefügter *-berg*-BN (siehe EB) mit dem aus SN zu erschließenden ahd. PN *Pëllo* (Kaufmann S. 61).

***L:*** Schwarz, S. 97; März. S. 204.

10.1.17.4. ***Eckhartsbrunn*** R 28–52

***D:*** *'ekɒlɒs,brų̄n; 'eklɒs,brų̄n*

***U:*** 1499 *Eckhartzprunn* Urb. Wildberg, OÖLA, Starhemb. Urb., Hs. 204, f. 3; *16. Jh. *Eckhratzprunn* JB. d. Mus. 1899, S. 28; *1696 *Eggratsprun* Urb. Wildbg., f. 52; c. 1775 *Ekkertsbrun* Jos. LA.; 1827 *Eckgrasbrunn* Pillwein I, S. 308; 1857 *Eckertsbrunn* Souvent.

***E:*** Gefügter BN mit dem GW bair.-mhd. *prunne* swm. 'Quelle, Brunnen' (Lexer I, Sp. 366) und als BW dem bair.-ahd. PN *Ekki-*

*hart*/mhd. *Ekk(e)hart* (Förstemann I, Sp. 21). Die ma. Form ist entstellt worden und entspricht den ukdl. Schreibungen des 17. Jhs. Sie lautet aber nicht *[*'ek(ɒ)rɒs,brũn*], sondern mit Dissimilation von *r* zu *l* wegen des im GW enthaltenen *r* und teilweise mit Sproßvokal [*'ek(ɒ)lɒs,brų̃n*].

***L:*** Schwarz, S. 85.

10.1.17.5. ***Hahnenhort*** Jh von Althellmonsödt 1–4

***D:*** *bɒn 'vę̄ɒšdɒ*

***U:*** –

***E:*** Junger Wunschname für ein Jagdhaus, wo sich „die (Auer)hähne in größerer Anzahl einfinden mögen", wobei Hort die ursprüngliche Bedeutung 'Schatz' hat. Auf Auerhahnbalz weist auch die Lage des Jagdhauses in der Höhe auf einer Waldlichtung hin. Mundartlich gilt nur *Beim Förster*.

***L:*** Schwarz, S. 89.

10.1.17.6 ***Hellmonsödt*** Markt 251–927

***D:*** *,hǭ̄mɒ'sę̄d*

***U:*** c. 1260 *Item Helmwigsode* Urb. Pass.I, S. 114; 1366 *gelegen in Helmeisöder pfarre* OÖ. UB. VIII, n. 271; 1370 *gelegen in Helmansöder pharr* ebd., n. 465; 1370 *gelegen in Helmansoder pfarr* ebd., n. 483; c. 1380 *Chunrat Tanpekch von Helmansöd* OÖ. UB. X, S. 747, n. 80; 1399 C 1641 *Steffan Rengnasoedter zu Helbmansedt* OÖ. UB. XI, n. 990; *1429 *Helmansöd* Linzer Reg., C III A1, n. 238; *1432 *Helmeinsöd* ebd., n. 270; *15. Jh. *Helmansöd* MP., S. 48; *1481 C 1524 *Des markt Hellmansedt eehaft täding; markt zue Helmansedt; burger zue Helmansedt* OÖ. Weist. I, S. 242; 245; 1499 *Marckht Helmansöd* Urb. Wildberg, OÖLA, Starhemb. Urb., Hs. 204, f. 1; 1575 *hinein auf Helmansedt* Anschlag Waxenberg, HKA, NÖHA, W 31/A, f. 445; 1626 *Helmansedt* Jb. D. Mus. 1856, S. 14; c. 1775 *Neu Helmonsed* Jos. LA.; 1827 *Hellmonsöd, Neuhellmonsöd, Hellmansedt, Helmased, Helpmansed, Helmsed, Hellmaised* ... . *Hellmonsöd, dieser der Herrschaft Wildberg unterthänige Markt mit 52 Häusern .. liegt auf einer hohen Ebene eine Stunde von Zwettel und Wildberg* Pillwein I, S. 308; 1857 *Helmonsöd* Souvent.

***E:*** Gefügter *-öd*-BN (siehe EB) mit dem ahd. PN **Hëlmwîg*, der in der Gegend begegnet als 1206 *Helmwicus de Lintheim* OÖ. UB. II, n. 351. Der Name ist außerdem im OÖ. UB. III zwischen 1247 und 1271 mehrfach als *Helmwicus* bzw. *Helnwicus* belegt. Zum Unterschied von 10.1.17.1 Althellmonsödt (siehe dort) von 1775 bis in die erste Hälfte des 19. Jhs. *Neuhelmonnsödt* genannt, was sich jedoch nicht durchgesetzt hat. Da die spätgotische Pfarrkirche zum hl. Alexius des 15. Jhs. auf einen durch die Hussiten weitgehend zerstörten und besonders im Mittelteil der Westwand noch erhaltenen Rest eines romanischen Vorgängerbaues des 13.Jhs. zurückgeht und der Marktplatz eine systematische Anlage zeigt, rechnet man mit Gründung des Ortes am Handelsweg durch den Haselgraben ab 1212 durch Gundakar von Starhemberg mit Kontrolle von der Burg 10.1.15.15. Wildberg aus (siehe 10.1.17.1. Althellmonsödt). Um so weniger erscheint dann der SN ursprünglich, was die Annahme, er betreffe ursprünglich 10.1.17.1. Althellmonsödt und sei als bereits für jene ältere Siedlung vorhanden auf die Neugründung übertragen worden, verstärkt.

***L:*** Schwarz, S. 90; Schiffmann III, S. 228; Ulm S. 98ff; Dehio (2003), S. 283ff.; Reutner, S. 190.

10.1.17.7. ***Koxeder*** E von Auedt

***D:*** HN *dɒ ,khok'sę̄dɒ*

***U:*** 1499 *Khochsöder* Urb. Wildberg, OÖLA, Starhemb. Urb., Hs. 204, f. 17; *1544 *Khochsöd* Urb. Wildbg., f. 93; 1857 *Koxeder* Souvent.

***E:*** HN als gefügter *-öd*-BN (siehe EB) mit dem FN und Berufsnamen *Koch* von mhd. *koch* stm. (Lexer I, Sp. 1659f.; Brechenmacher II, S. 79; Kohlheim, S. 383f.).

***L:*** –

10.1.17.8. ***Oberaigen*** R 23–86

***D:*** *,ōwɒ-'ǭɒŋ*

***U:*** 1827 *Oberaigen* Pillwein I, S. 308; 1857 *Ob. Aigen* Souvent.

***E:*** Von mhd. *eigen* stn. 'ererbtes, freies, nicht abgabepflichtiges Grundstück' (Lexer I, Sp. 518), worunter in dieser Gegend im 15./16. Jh. auch ein Dorf ohne Marktrecht verstanden wurde. Der Zusatz '*Ober*'- geht auf die franzisceische Verwaltung des 19. Jhs. wohl zur Unterscheidung von 10.1.10.1. Aigen/Engerwitzdorf zurück.

*L:* –

10.1.17.9. ***Waldhäuseln*** R von Pelmberg 7–35

*D:* *'wǭi̯d,hā̜i̯sl,* HN *akɒ-l*

*U:* 1499 *Ackherll Vorm walld* Urb. Wildberg, OÖLA, Starhemb. Urb., Hs. 204, f. 21; 1857 *Waldhäusln* Souvent.

*E:* Ursprünglich Simplex 'Wald'. Spätestens im 19. Jh. wurde dieses mit dem Diminutiv von 'Haus' im Sinne von 'kleine, ärmliche Häuser am Wald' verbunden. Die Häuser befinden sich auf einer Lichtung des Breitlüsser Waldes. Ausgangspunkt ist der noch heute existente HN *Ackerl*, den Schiffmann III, S. 13. auf das Diminutiv des bair.-ahd. PN *Ôt(t)acher* zurückführt (Förstemann I, Sp. 201ff.). Dann ist bair.-mhd. **Oekherlî* mit Umlaut anzusetzen, wobei das offene *oe* gelegentlich zu [*ā̜*] entrundet wurde, so daß es mit mhd. *ae* zusammenfiel und gekürzt mit diesem zu [*a*] gesenkt wurde.

*L:* Schwarz, S. 105.

10.1.17.10. ***Weberndorf*** ZH 7–47

*D:* *'wēwɒn,dǭɒv*

*U:* 1384 *ain guet dacz Weberdorf gelegen in Obern Newnchiricher pharr* UB X, n. 360; 1384 C 1641 *ein gut zu Weberndorf* ebd.; c. 1380 *ain guet dacz Weberdorf* OÖ. UB. X, S. 796, n. 201; 1499 *Haintzl Zw Webernndorf* Urb. Wildberg, OÖLA, Starhemb. Urb., Hs. 204, f. 20; *1550 *Weberndorff* Urb. Pollh., f. 32; *1565 *Weberdorf; Weberstarff* Urb. Freist., f. 207; 225; 1590 *Hanns zu Weberndorf* Urb. Freistadt, HKA 1159, f. 218; 1827 *Weberndorf* Pillwein I, S. 308; 1857 *Weberndorf* Souvent.

*E:* Gefügter *-dorf*-BN (siehe EB) mit dem Gen. Pl. von mhd. *wëbœre, -er* stm. 'Weber' (Lexer III, Sp. 717). Das ukdl. und heute geltende *Webern-* ist Dat. plur. und kommt durch innere Flexion auf Grund der Präposition *zu* zustande.

*L:* Schwarz, S. 106; Böhm, S. 340f.

10.1.17.11. ***Weignersdorf*** ZH 18–65 = 10.2.4.19. ***Weignersdorf/Haibach im Mühlkreis***

*D:* *'wā̜i̯gɒš,dǭɒv*

*U:* 1545 *Zw Weignastorf* Urb. Riedegg, OÖLA, Starhemb. Urb., Hs. 142, f. 67; 1590 *auf der Huet Zu Weigmanstorff* Urb. Freistadt, HKA 1159, f. 218; 1827 *Weignersdorf* Pillwein I, S. 308.

*E:* Gefügter *-dorf*-BN (siehe EB) mit dem ahd. PN *Wîgnant* (Förstemann I, Sp. 1587; Kaufmann, S. 400).

*L:* Schwarz, S. 106; Schiffmann III, S. 474; Böhm, S. 344.

## 10.1.18. Alberndorf in der Riedmark 761–2697

10.1.18.1. ***Aich*** D 17–89

*D:* *ǭɒ*

*U:* 1365 *hub datz Aych ... gelegen in sand Gallenneunchiricher pfarr* ebd., n. 220; 1381 *gut ze Obernaich gelegen in Gallenewchircher pfarr* OÖ. UB. X, n. 71; 1399 *gutt am Nöttling gelegen bey der Aich in Gallneukircher pfarr* OÖ. UB. XI, n. 990; *1569 C 1627 *Lehen zu Aich* Linzer Reg., D I A 1, S. 59; c. 1775 *Oach* Jos. LA.; 1827 *Aich* Pillwein I, S. 387; 1857 *Aich* Souvent.

*E:* Von mhd. *eich* stf. 'Eiche, Eichenwald' (Lexer I, Sp. 516).

*L:* –

10.1.18.2. ***Alberndorf in der Riedmark*** D 97–354

*D:* *'ǭi̯wɒn,dǭɒv*

*U:* *1417 *Albans-*; *Albandorf* LB. Schaunbg. A, f. 14, 24; 1545 *Zw Albenstorf* Urb. Riedegg, OÖLA, Starhemb. Urb., Hs. 142, f. 121; c. 1775 *Alberndorf* Jos. LA.; *1787 *Albendorf* Schütz; 1827 *Alberndorf* Pillwein I, S. 387; 1857 *Alberndorf* Souvent.

*E:* *-dorf*-BN (siehe EB) gefügt mit dem ahd. PN *Albini, Albuni, Albani* (Förstemann I, Sp. 65) als mhd. **Alban(e)sdorf.* Nach dem 16. Jh. volksetymologisch zu *Alberndorf* umgedeutet nach dem Nom. Plur. von mhd. *alber* f. 'Pappel' (Lexer I, Sp. 34) im Sinne von 'Dorf bei Pappelbäumen'.

*L:* Schwarz, S. 83; Schiffmann III, S. 21; Böhm, S. 112.

10.1.18.3. ***Almesberg*** D 41–126

*D:* *'ǭi̯mɒš,bę̄ɒg*

***U:*** c. 1380 *ain hub genant ze Altmansperg gelegen in Gallnewnkircher pharr* OÖ. UB. X, S. 836, n. 304; *1386 *Altmansperg* Archiv 104, S. 623; *1499 *Altmansperg* ebd. 104, S. 418; 1545 *Alltmansperger glayt* Urb. Riedegg, OÖLA, Starhemb. Urb., Hs. 142, f. 131; *1590 *Altmans-*; *Allmersperg* Archiv 104, S. 445; c. 1775 *Almesberg* Jos. LA.; 1827 *Almesberg* Pillwein I, S. 387; 1857 *Almesberg* Souvent.

***E:*** Gefügter *-berg*-BN (siehe EB) mit dem ahd. PN *Altman* (Förstemann I, Sp. 62).

***L:*** Schwarz, S. 83; März, S. 9.

10.1.18.4. ***Berbersdorf*** 18–76

***D:*** *'bẹ̄ɒwɒš,dọ̄ɒv*

***U:*** *1395 *Perwolstorff* LB. Albr. IV., f. 28; *1416 *Perwolz-*; 1418 *Perboltsdorf* Archiv 104, S. 353; 624; *1455 *1 Lehen zu Perboltsdorf* LB., S. 405, n. 399; *1481 *Perbers-*; *Perbeinstorff* Urb. Steyreck; 1512 *Michael Aichorn Zu Perbenstorf* Urb. Steyregg OÖLA, HA Steyregg, Hs. 3, f. 115; 1545 *Zw Perbleinstorff*; *Zw Perbenstorff*; *Zw Pärbenstorff*; *Zw Pärbolczstarff* Urb. Riedegg, OÖLA, Starhemb. Urb., Hs. 142, f. 120, 135, 211; *1556 (1646) *Berberstorff* Einl. Starh., f. 118; c. 1775 *Berbersdorf* Jos. LA.; 1827 *Perberstorf* Pillwein I, S. 387; 1857 *Berbersdorf* Souvent.

***E:*** Gefügter *-dorf*-BN (siehe EB) mit dem nicht belegten bair.-ahd. PN **Përpolt*/mhd. **Përbolt*. Nicht in Frage kommt der von Schwarz, S. 84 angenommene bair.-ahd. PN *Përwalt*, weil derartige Zweitglieder stets zu *-olt*, also *Përolt* (Förstemann I, Sp. 265) zusammengezogen werden. Die Abschwächung des Zweitgliedes zu [*-ɒs-*] ermöglichtte 1481 die hyperkorrekte Schreibung als ⟨*-eins-*⟩.

***L:*** Schwarz, S. 84; Böhm, S. 122.

10.1.18.5. ***Pröselsdorf*** D 29–74

***D:*** *'brẹ̄slš,dọ̄ɒv*

***U:*** 1111 F 12.JhE *ad Primizlastorf praedia, que dederunt Trebes, engilsalch, primizla, meginhart* OÖ. UB. II, n. 97, Dat. nach H.Koller, Tr SFlorian S. 288; um 1115 F 12.E/13.JhA *predium ... Brumizlaisdorf* ebd., n. 100; Dat. nach H.Koller, Markgraf Leopold S. 89 ff.; 1125 *in Primizlastorf* D LoIII n. 2; 1125 F 12.JhE/13.JhA *tria beneficia Primizlaistorf* OÖ. UB. II., n. 110; Dat. w.o. S. 91; *1380 *Prözleinstorf* Archiv 104, S. 623; c. 1380 *ain halben hof genant ze Proczleinstorff gelegen in Gallen Newnkircher pharr* OÖ. UB. X, S. 736, n. 34; 1393 *Jans der Swarz von Prösleinstorf* OÖ. UB. XI, n. 209; 1398 *Hanseins des Swarczen von Prössleinstorff* OÖ. UB. XI, n. 807; 1399 C 1641 *Hans Schwartz von Presleinstorff* ebd., n. 990; *1412 *Hanns der Swarz zu Pröstleinsdorf* Urk. Starh. Eferd., OÖLA; 1545 *Thoman Pröslmayr Zw Prösleinstorff* Urb. Riedegg, OÖLA, Starhemb. Urb., Hs. 142, f. 135, 136; *1556 (1646) *Prößlstorff* Einl. Starh., f. 117; *1565 *Presleinstorf* Urb. Freist., f. 225; 1596 *Hanns der Schwarz von Breslastorff* OÖ. UB. XI, n. 209 C; c. 1775 *Breselsdorf* Jos. LA.; 1827 *Pröselsdorf* Pillwein I, S. 387; 1857 *Pröselsdorf* Souvent.

***E:*** Gefügter *-dorf*-BN (siehe EB) mit dem im Kontext genannten slaw. PN **Primislavъ*, mhd. *Primizla* (vgl. auch Kronsteiner, Alpenslaw. Personennamen, S. 58). Vgl. auch 1254 *Permitzlinus de Welsa* OÖ. UB. III, n. 214.

***L:*** Schiffmann III, S. 87; 165; Kronsteiner (1978), S. 30; Kronsteiner (1980), S. 225; Böhm, S. 291; ADNB I, S. 165.

10.1.18.6. ***Bruckmühle*** W von Klamleiten 3–1

***D:*** *,bruk'mǖ̄*

***U:*** c. 1775 *Bruck M.* Jos. LA.; 1857 *Bruck M[ühle]*. Souvent.

***E:*** Gereihtes Kompositum mit dem GW 'Mühle' und dem BW bair. 'Brücke' aus bair.-mhd. *prukke* stf. (Lexer I, Sp. 363) nach der Lage an einer Brücke über die Große Gusen.

***L:*** Schwarz, S. 84.

10.1.18.7. ***Veitsdorf*** D 26–108

***D:*** *'vāi̯dšdọ̄ɒv*

***U:*** *1441 *Veitsdorf* Reg. Starh., f. 4; *1446 *eine Hube zu Veitsdorf* Urk. Starh. Eferd., OÖLA; *1446 *Veitsdorf* Archiv 104, S. 358; *1481 *Veichtz-*; *Veichstorff* Urb. Steyreck; *1499 *Veytzdorff* Archiv 104, S. 404; c. 1775 *Feitsdorf* Jos. LA.; 1827 *Veitsdorf* Pillwein I, S. 387; 1857 *Veitsdorf* Souvent.

***E:*** Gefügter *-dorf*-BN (siehe EB) mit dem Heiligennamen *Vitus*, dt. *Veit*. Obwohl der PN *Veit* schon im 13. Jh. vergeben wurde, weil der hl. Veit ein volkstümlich stark verehrter Heiliger war und deswegen dann im 14. Jh. auch in die Gruppe der Vierzehn Nothelfer eingereiht wurde, rechnet Schiffmann mit der Ortsbenennung nach einer einst vorhandenen, dem hl. Veit geweihten Kapelle.

***L:*** Schwarz, S. 105; Schiffmann III, S. 150; Böhm, S. 335.

10.1.18.8. ***Gerbersdorf*** W 8–35

***D:*** *'gḗɒwɒš,dǭɒv*

***U:*** *1441 *Gerboltzdorf* Reg. Starh., f. 4; *1499 *Geberstorf* Archiv 104, S. 407; 1545 *Zw Gerbenstorf*; *Zw Germanstorf* Urb. Riedegg, OÖLA, Starhemb. Urb., Hs. 142, f. 57, 205; *1565 *Geberstorff* Urb. Freist., f. 66; *1590 *Geberstorf* Archiv 104, S. 427; c. 1775 *Gerbersdorf* Jos. LA.; 1827 *Gerberstorf* Pillwein I, S. 387; 1857 *Gerbersdorf* Souvent.

***E:*** Gefügter *-dorf*-BN (siehe EB) mit dem ahd. PN *Gêrbalt, Gêrbolt* (Förstemann I, Sp. 575). Das *r* wurde im 15. Jh vor Konsonanten schon schwach ausgesprochen und ist landschaftlich früh weggefallen.

***L:*** Schwarz, S. 87; Schiffmann III, S. 179; Böhm, S. 175.

10.1.18.9. ***Grasbach*** D 30–92

***D:*** *'grǭsbǭ*

***U:*** *1499 *Graspach* Archiv 104, S. 420; 1545 *Zw Graspach* Urb. Riedegg, OÖLA, Starhemb. Urb., Hs. 142, f. 118, 131; 1590 *im Graßpach*; *Groſspach* Urb. Freistadt, HKA 1159, f. 6; c. 1775 *Glasbach oder Grosbach* (sehr kleines Gewässer als Zufluß der Gr. Gusen) Jos. LA.; 1827 *Graßbach* Pillwein I, S. 387; 1857 *Grasbach* Souvent.

***E:*** Gereihter *-bach*-Name (siehe EB) mit dem BW mhd. *gras* stn. 'Gras, grasbewachsener Ort' (Lexer Sp. 1071).

***L:*** Schwarz, S. 88; Bito, S. 105.

10.1.18.10. ***Greifenberg*** E 2–6

***D:*** *,graịfm'bḗɒg*

***U:*** *1416; *1499 *Greiffenperg* Archiv 104, S. 353, n. 321; 421; c. 1775 *Greiffenberg* Jos. LA.; 1827 *Greifenberg* Pillwein I, S. 387; 1857 *Greifenberg* Souvent.

***E:*** Gefügter *-berg*-LN (siehe EB) mit dem ahd. PN *Grîfo* (Förstemann I, Sp. 674).

***L:*** Schwarz, S. 88; März, S. 88.

10.1.18.11. ***Hadersdorf*** R 20–76 = 10.2.5.3. ***Hadersdorf/Ottenschlag*** im ***Mühlkreis***

***D:*** *'hādɒrɒš,dǭɒv*

***U:*** 1399 *funf hawser ze Hadreinsdorf* OÖ. UB. XI, n. 893; *1402 *Hedreinsdorf* Urk. Starh. Eferd., OÖLA; *1416 *Hadreinsdorf* Archiv 104, S. 352; *1545 *Häderstorf* Urb. Riedeck, f.135, 211; *1556 (1646) *Hätersdorff* Einl. Starh., f. 118; c. 1775 *Hadersdorf* Jos. LA.; 1857 *Hadersdorf* Souvent.

***E:*** Gefügter *-dorf*-BN (siehe EB) mit dem ahd. PN *Hadurîch*/mhd. *Hädrîch* (Förstemann I, Sp. 796). Die ukdl. Schreibungen mit ⟨*Hadreins-*⟩ beruhen auf der ma. Abschwächung des Zweitgliedes ⟨*-rîch-*⟩ zu [*-rɒs-/-rɒš-*], dessen mhd. *î* zu [*ai*] diphthongiert und dessen mhd. *ch* geschwunden war. Da auch die genitivische Koseform *-înes* von PN bei diphthongiertem mhd. *î* über [*ai*] zu ma. [*-ɒs-/-ɒš-*] abgeschwächt worden war, kam es wegen deren Häufigkeit zur hyperkorrekten Verschriftlichung als ⟨*-eins-*⟩.

***L:*** Schwarz, S. 62; Schiffmann III, S. 208; Böhm, S. 187.

10.1.18.12. ***Heinberg*** W 5–38

***D:*** *'hǭ̄ɒ̃mbḗɒg*

***U:*** ? 1376 C *ich Chünrad von Hannperg* UB IX, n. 39; *1408 *Niclas vnd Thoman die Hadmarer zu Hainperg* Grabherr (1975), S. 145; *1416 *Hainperg* Archiv 104, S. 352f.; *1441 *Huenperg* Reg. Starh., f. 3; *1494 *Jac. Hagenn zu Haimperg* Archiv 104, S. 421; 1499 *Haimperg* ebd.; 1526 *Hainperg* Urb. Schaunberg, OÖLA, Starhemb. Urb., Hs. 162, f. 469; 1545 *Zw Hainperg* Urb. Riedegg, OÖLA, Starhemb. Urb., Hs. 142, f. 51, 121, 135; *1565 *Hagen zu Hainperg* Urb. Freist., f. 225; *1590 *Hainperg* Archiv 104, S. 452; *1668 *Haim-*; *Hainperg* Urb. Steyreck, f. 76; *1569 C 1627 *auf halben Hof zu Hainberg* Linzer Reg., D I A 1, S. 59; 1827 *Haimberg* Pillwein I, S. 387; 1857 *Heinberg* Souvent.

***E:*** Die Etymologie des ON ist mehrdeutig: Entweder gefügter *-berg*-BN (siehe EB) mit dem ahd. PN *Hagano*/mhd. *Hagen* (Förstemann I, Sp. 718f.) kontrahiert zu mhd. *Hain-* oder gereihter *-berg*-LN (siehe EB) mit mhd. *hagen* zu *hac* stm. 'Dorngesträuch, Gebüsch; Einfriedung, umfriedeter Ort' (Lexer I, Sp. 1136f.) oder mit bair.-mhd. *heinpuoche* stf.

'Hain-, Weißbuche' (Lexer I, Sp. 1143) unter Aussparung des Mittelgliedes (vgl. OÖ.ONB 11, 11.4.2.12. Hainberg/Pregarten). Während die ukdl. kopierte Schreibung von 1376 ⟨*Hann-*⟩ Verlesung von ⟨*Haim-*⟩ sein wird, verkörpert die ukdl. Schreibung ⟨*Huen-*⟩ von 1441 eine hyperkorrekte Wiedergabe des mit mhd. *uo* vor Nasal zusammenfallenden ma. Diphthongs für mhd. *ei*.

***L:*** Schwarz, S. 62; Schiffmann III, S. 214.

10.1.18.13. ***Hirschstein*** R 11–30

***D:*** *'hīɒšdǭ̃ɒ̃*

***U:*** *1417 *Hierstain* LB. Schaunbg. A, f. 14; *1443 *Hierstain* Archiv 104, S. 357; *1565 *Hierstein* Urb. Freist., f. 225; 1590 *von Hierschstain* Urb. Freistadt, HKA 1159, f. 5; 1827 *Hirschstein* Pillwein I, S. 387; 1857 *Hirschstein* Souvent.

***E:*** Gefügter LN mit dem GW mhd. *stein* stm. 'Stein, Fels' (Lexer II, Sp. 1161ff.) und dem BW mhd. *hirz* 'Hirsch' stm. (Lexer I, Sp. 1306) im Sinne von 'felsiger Berg, wo sich Hirsche aufhalten'. In der ma. Aussprache wird die Silbengrenze, die ursprünglich im [*š*] lag, so verlagert, daß das BW quasi zum Adverb 'hier' wird.

***L:*** Reisinger, n. 79.

10.1.18.14. ***Hopfgartner*** E von Veitsdorf 2–8

***D:*** *'hōv,gǭɒnɒ*

***U:*** *1441 *Hopfgarten* Reg. Starh., f. 4; *1481 *Hophgartner* Urb. Steyreck; 1545 *Zw Hopffgarten* Urb. Riedegg, OÖLA, Starhemb. Urb., Hs. 142, f. 55; 1857 *Hopfgarten* Souvent.

***E:*** Kompositum mit dem BW mhd. *hopfe* swm. 'Hopfen' (Lexer I, Sp. 1336f.) und dem GW mhd. *garte* swm. 'Garten' (Lexer I, Sp. 740) nach einer Hopfenpflanzung. Die ma. Aussprache vereinfacht zur Sprecherleichterung die Affrikata ⟨*pf*⟩, so daß das BW volksetymologisch zu '*Hof*' umgedeutet wird.

***L:*** Schwarz, S. 91.

10.1.18.15. ***Kelzendorf*** D 15–65

***D:*** *'khǫtßn,dǭɒv*

***U:*** 1171 C 12.JhE *Cholzdorf dimidium mansum* UB. Bab. I, n. 40; 1171 F vor 1235 *Cholzdorf dimidium mansum* ebd., n. 41; 1441 *datz Keltzendorf* Urb. Riedegg., OÖLA, Starhemb. Urb., Hs. 141; *1446 *ein Lehen zu Kelzendorf* Urk. Starh. Eferd., OÖLA; *1499 *Kaltzndorff* Archiv 104, S. 407; 1545 *Zw Khellczendorf* Urb. Riedegg, OÖLA, Starhemb. Urb., Hs. 142, f. 42; *1565 *Kholtzendorf* Urb. Freist., f. 67; c. 1775 *Kelzendorf* Jos. LA.; 1827 *Kelzendorf* Pillwein I, S. 387; 1857 *Kelzendorf* Souvent.

***E:*** Gefügter *-dorf*-BN (siehe EB) wohl mit einem slaw. PN, der auch im Namen des kleinen Passauer Ministerialengeschlechts der *Chelzen* und im Namen ihres kleinen Burgsitzes *Kelzen* bei Kirchberg im Mühlkreis/Pol. Bez. Rohrbach (Grabherr, 1975, S. 114) enthalten ist: 1206 *Hartmůt chelze* OÖ. UB. II, n. 349; 1289 *Wernher Chelz* UB. Schlägl, n. 31, 1397 *die Chelcz czu Chelczenperg* LB. Tannberg III, f. 24. Der slaw. PN dürfte **Cholьcь* etwa als Koseform zu **Chotьl'ubъ* (Kronsteiner, Alpenslaw. Personennamen, S. 29) gewesen sein, der als bair.-spätahd. **Cholitzi* / frühmhd. **Chölitzi* mit Umlaut integriert wurde.

***L:*** Schiffmann III, S. 273; Böhm, S. 208; ADNB I, S. 588.

10.1.18.16. ***Klamleiten*** R 14–23

***D:*** *,glā̃m'lāį(d)n*

***U:*** c. 1220 *Item Chlamme* OÖ. UB. I, S. 482, n. 4; *13. Jh. *Item Chlamme* Urb. Pass.I, S. 268; 1545 *Auff dem Khlambhof* Urb. Riedegg, OÖLA, Starhemb. Urb., Hs. 142, f. 69; 1827 *Klamleiten* Pillwein I, S. 387; 1857 *Klamleiten* Souvent.

***E:*** Neuzeitlich gereihter *-leiten*-LN (siehe EB) mit dem zunächst selbständigen BW mhd. *klam, -mes* stm. 'Klemme, Fessel; Bergspalte, Schlucht, Klamm' (Lexer I, Sp. 1603f.; Schmeller I, Sp. 1329). Die mhd. ukdl. Formen mit *-e* betreffen den Dat. sing als **ze Chlamme*. Der Name bezieht sich auf den rechten Steilabfall zur Großen Gusen.

***L:*** Schwarz, S. 91; Grabherr (1975), S. 145.

10.1.18.17. ***Kottingersdorf*** D 14–65

***D:*** *'khōdįŋɒš,dǭɒv*

***U:*** 1381 C *1481 *ain gueth zu Khottingstorff gelegen in Gallneukircher pfarr* OÖ. UB. X, n. 89; 1441 *datz Kotingesdorf* Urb. Riedegg., OÖLA, Starhemb. Urb., Hs. 141; *1481 *Quottingstorff* Urb. Steyreck; *1499 *Kotmanstorff* Archiv 104, S. 406; *1512 *Quottingstorff* Urb.

Steyreck, f. 115; 1545 *Khottingerstorf* Urb. Riedegg, OÖLA, Starhemb. Urb., Hs. 142, f. 69, 198; *1559 *Kottingstorff* Urb. Reichenst., f. 12; *1565 *Khotinngs-*; *Khotmans-*; *Khötmansdorff* Urb. Freist., f. 65, 206; 1590 *Zu Khotingdorf*; *Khotmanstorf* Urb. Freist., f. 149; 217; *1636 *Khotingsdorf* HG. XV, S. 158. 1827 *Kottingersdorf* Pillwein I, S. 387; 1857 *Kottingersdorf* Souvent.

***E:*** Gefügter *-dorf*-BN (siehe EB) mit einem slaw. PN auf **Chot-* wie **Chotanъ* (Miklosich, Slav. Personennamen, S. 323f.; vgl. *Kottes* bei E. Schuster, Etymologie der niederösterr. Ortsnamen II, S. 407f.: 1096–1108 *Chotans*, 1096–1108 *Chotansriuti*), wobei der dann anzunehmende bair.-mhd. SN **Chotensdorf* zu **Chotingsdorf* umgestaltet worden wäre (siehe unechte *-ing*-Namen im EB). Wegen der ukdl. Schreibungen *Khotmans-* rechnet Schwarz jedoch mit der zweigliedrigen Vollform **Chotěmirъ* (Miklosich, Slav. Personennamen, S. 323f.), die ein bair.-mhd. **Chotmersdorf* ohne Umlaut ergäben würde, deren Abschwächung des Zweitgliedes zu [*-mɒs*] dann als ⟨*-mans*⟩ verschriftlich worden wäre (vgl. Köttmannsdorf in Kärnten: 1147 *Chotmarsdorf*, 1220 *Chotmansdorf*; E. Kranzmayer, Ortsnamenbuch von Kärnten II, 1958, S. 126).

***L:*** Schwarz, S. 92; Schiffmann III, S. 287f.; Kouril, n. 1292; Böhm, S. 218f.

10.1.18.18. ***Lindach*** R 21–57

***D:*** *'lĩndɒ*

***U:*** 1441 *Haintzl Im Lyntach* Urb. Riedegg., OÖLA, Starhemb. Urb., Hs. 141; *1569 C 1627 *2 Lehen zu Linttach* Linzer Reg., D I A 1, S. 59; c. 1775 *Linda* Jos. LA.; 1827 *Lindach* Pillwein I, S. 387; 1857 *Lindach* Souvent.

***E:*** *-ahi*-Bildung (siehe EB) von bair.-mhd. *linte* swf. 'Linde' (Lexer I, Sp. 1924) im Sinne von 'Lindenwald'.

***L:*** Schwarz, S. 95; Schiffmann III, S. 314.

10.1.18.19. ***Loitzendorf*** D 14–50

***D:*** *'lō̜idsn,dō̜ɒ*

***U:*** c. 1230 *Liugestorf. De Liugistorf*; *Ditricus de Lengenstorf*; c. 1270 *Item de Leugestorf* Lf Urb., S. 102, n. 93; S. 147, n. 84; 1376 *vlreich von Lewgeinsdorf*; *fridreich von Lewgensdorf* OÖ. UB. IX, n. 39; *1406 *Leuczendarf* Wirmsb., Freist. Reg., S. 295; *1408 *Leuczen-*; *1416 *Leutzendorf*; *1499 *Leusn-*; *Leutznn-*; *1590 *Leutzndorf* Archiv 104, S. 352f., 417, 419, 446; *1569 C 1627 *Lehen zu Leutsendorff* Linzer Reg., D I A 1, S. 59; *1668 *Leussendorf* Urb. Steyreck, f. 76. 1827 *Loizendorf* Pillwein I, S. 387; 1857 *Loizendorf* Souvent.

***E:*** Gefügter *-dorf*-BN (siehe EB) mit wahrscheinlich einer Koseform bair.-ahd. **Liukki* (Gen.*-es*) aus **Liud(i)ki* (Kaufmann, S. 231) mit konsonantischer Assimilierung von *-dk-* zu *-kk-* bei Vokalsynkope, wobei das zunächst anzunehmende *-kk-* den Umlaut verhindert hat und dann nach Vereinfachung frühmhd. zu *-g-* geschwächt wurde. Daneben deuten aber die ukdl. Schreibungen auf *-ens-/-eins-* auch auf die Koseform bair.-ahd. **Liukkî* / mhd. *Liugî* (Gen. *-înes*). Im 15. Jh. stellte sich dann eine auf den häufigen ahd. PN *Liutzo* (aus **Liud-so*) zurückgehende Namensform ein, die ebenfalls eine Koseform war (Förstemann I, Sp. 1033f.).

***L:*** Schwarz, S. 95; Schiffmann III, S. 318; Böhm, S. 232f.

10.1.18.20. ***Luegstetten*** R 14–44

***D:*** *,lų̄ɒ'šdē(d)n*

***U:*** c. 1230 *In Leufsteten*; *In Lufsteten*; c. 1270 *Item de Lůfsteten* Lf. Urb., S. 99, n. 70; S. 148, n. 85; 1383 *zu ... Lufsteten* OÖ. UB. X, n. 273 f.; *1499 *Lüef-*; *Lueg-*; *Luestetten* Archiv 104, S. 417; 1512 *Luesteten* Urb. Steyregg OÖLA, HA Steyregg, Hs. 3, f. 115; 1526 *Zu Luerstetten* Urb. Schaunberg, OÖLA, Starhemb. Urb., Hs. 162, f. 469; 1545 *Zw Lugstetten* Urb. Riedegg, OÖLA, Starhemb. Urb., Hs. 142, f. 131; *1559 *Luestetten* Urb. Reichenst., f. 17; *1565 *Luef-*; *Lueg-*; *Luestetten* Urb. Freist., f. 33, 76, 77; *1590 *Lueg-*; *Luestetten* Archiv 104, S. 444; *16. Jh. *Luerstetten* Einl. Ob.-Wallsee; 1827 *Lugstätten* Pillwein I, S. 387; 1857 *Lugstätten* Souvent.

Anm.: Der Erstbeleg ist wohl als *Luefsteten* zu lesen.

***E:*** Gefügter *-stetten*-BN (siehe EB) mit dem ahd. PN *Luof* (Förstemann I, Sp. 1065), eine Kontraktion aus *Ludolf* (Kaufmann, S. 240), der im 15. Jh. nicht mehr verstanden und volksetymologisch zu mhd. *luoc* stnm. 'Schlupfwinkel, Versteck, Höhle, Loch' (Lexer I, Sp. 1985) umgedeutet wurde. Da ma. auslautendes *-g* schwindet, entstehen die ukdl. Formen als *Lue-*.

*L:* Schwarz, S. 95; Schiffmann III, S. 320; Pesta, S. 467.

10.1.18.21. ***Matzelsdorf*** R 11–46 = 10.2.4.15. ***Matzelsdorf/Haibach***

*D:* *'mādslš,dǭʋv*

*U:* c. 1200 *Item Metzeleinstorf* OÖ. UB. I, S. 482, n. 4; *13. Jh. *Item Metzeleinstorf* Urb. Pass.I, S. 268; 1545 *Zw Mätzlastorf* Urb. Riedegg, OÖLA, Starhemb. Urb., Hs. 142, f. 71. c. 1775 *Mazers Dorf* Jos. LA.; 1827 *Matzelsdorf* Pillwein I, S. 387; 1857 *Mazelsdorf* Souvent.

*E:* Gefügter *-dorf*-BN (siehe EB) mit dem ahd. PN *Matzilîn*/mhd. *Mätzelîn* (Förstemann I, Sp. 1120).

*L:* Schwarz, S. 95; Böhm, S. 239f.

10.1.18.22. ***Oberndorf*** 2–7 = 10.1.11.5. ***Oberndorf/Gallneukirchen***

*D:* *'ōwʋn,dǭʋv*

*U:* *1441 *Oberndorff* Reg. Starh., f. 2; *1481 *Oberndorf* Urb. Steyreck; *1494 *Oberndorf* Archiv 104, S. 415; 1555 *Müllner Zw Oberndorff* Urb. Steyregg OÖLA, HA Steyregg, Hs. 4, f. 129; *1569 C 1627 *Hanns Müllner zu Oberndorf* Linzer Reg., D I A 1, S. 61; *1583 C 1627 *und gegen Oberndorff an den Steg* Urb. Steyreck, Linzer Reg. E 5, S. 63; c. 1775 *Oberndorf* Jos. LA.; 1857 *Oberndorf* Souvent.

*E:* Gefügter *-dorf*-AN (siehe EB) mit dem BW mhd. *ober* 'oberhalb' (Lexer II, Sp. 132f.), wohl vom großen, links an der Großen Gusen gelegenen Markt 10.1.11.3. Gallneukirchen aus im Verhältnis zum kleineren Dorf am rechten Flußufer.

*L:* Schwarz, S. 96.

10.1.18.23. ***Riedegg*** R 38–105

*D:* *,rį̄ʋ'dek*

*U:* 1157–63 C 13.Jh. *de Rideke* HL Passau 2, f. 20', Dr.: M Boica 28 b, 109 n. 12; 1159 *de Riedeke* HU Passau-Dk n. 7; 12.Jh. *Marchward de Ridecco* Necr 4, 269; *1220–40 *Otto de Riedekke* Trad. Pass., n. 1345; 1256 *circa Castrum Patauiensis Ecclesie Riedekke* OÖ. UB. III, n. 239; *13. Jh. *castrum Riedekk* Urb. Pass., S. 708; 710; 1361 *Fridreich der Valich zder zeit purgraf datz Riedek* OÖ. UB. VIII, n. 25; 1362 *Andres von Haunsperch zder zeit pu̇rgraf ze Riedekk* ebd., n. 77; 1364 *purgraf ze Riedekk* ebd., n. 162; 1373 *Ulreich der Frodnahår zden zeiten phleger ze Riedekk* ebd., n. 434; 1374 *Eberharts dez Stadler zden czeiten phleger ze Ryedek* ebd., n. 692; 1376 C 1641 *Veste Riedeckh* OÖ. UB. IX, n. 140; 1381 *purgraf ze Ryedekk* OÖ. UB. XI, n. 106; 1383 *Velden und Riedegg* ebd., n. 282; 1383 *die brief vber Riedegg* ebd., n. 293; 1384 *vnd Riedekk* ebd., n. 348; 1387 *purgraf ze Riedek* ebd., n. 611; 1391 *vnd Riedegg* OÖ. UB. XI, n. 2; 1394 *phleger ze Riedekkch* ebd., n. 314; 1395 *vnd Ryedegg* ebd., n. 403; 1396 *zwair vestte Ebersperg vnd Riedekk* ebd., n. 567; 1398 *vesst Ebelsperkch vnd Riedekk* ebd., n. 844; 1398 *czu der phleg Riedekk* ebd., n. 807; 1398 *phleger cze Riedekk* ebd., n. 774; 1399 C 1641 *pfleger zu Riedegg* ebd., n. 990; *1411 *Veste Riedegg* Urk. Starh. Eferd., OÖLA; 1441 *die vest gen Riedekch* Urb. Riedegg., OÖLA, Starhemb. Urb., Hs. 141; 1573 Riedtegg JB. d. Mus. 57, S. 45; 1732 *Riedeck. Das weitschichtig und wohl erbauet auch mit vilen und schönen Regalien begabte / in dem Machland=Viertl dises Lands gelegene Schloß Riedeck hat sambt dem darzu gehörigen Markt Gallneykirchen* ... Hoheneck, Genealogie II, S. 592; c. 1775 *Schloß Rideck* Jos. LA.; 1827 *Riedeck, Riedegg, ein Schloß und Dorf mit eilf Häusern, 12 Wohnparteyen, und 51 Einwohnern ½ Stunde nördlich von Gallneukirchen auf einem romantischen Felsen an der Gusen.* Pillwein I, S. 389; 1857 *Riedegg* Souvent.

*E:* Burgennamen als gereihter *-eck*-LN (siehe EB) mit dem Gegend- und Siedlungsnamen *Ried*, der in *Riedmark* und *Ried* enthalten ist (siehe OÖ.ONB 11, 1.6.30. Ried in der Riedmark) und auf frühahd. *reod*, normalahd. *riod*, mhd. *riet* 'Rodung, Reut' (Lexer II, Sp. 426) zurückgeht. Die Burg auf einem in das Tal der Großen Gusen vorgeschobenen Kegel wurde in der zweiten Hälfte des 12. Jhs. von den Haunspergern erbaut und fiel nach deren Aussterben 1211 an Passau. Sie war der Mittelpunkt der Rodungen in der Riedmark bis zum Haselgraben und gelangte 1411 an die Starhemberger. 1529 wurde der Burgfelsen durch türkische Kriegsgefangene mit einer Steinmauer ummantelt, so daß sie eine der stärksten Fluchtburgen des Landes war. 1609 erfolgte durch Freiherrn Reichart von Starhemberg der Neubau des Schlosses, so daß die Reste der mittelalterlichen Burg rasch verfielen. Bis ins 19. Jh.

legten die Starhemberger eine reiche Rüstkammer und eine Bibliothek mit wertvollen mittelalterlichen deutschen Handschriften an, die sie jedoch 1889 an die Preußische Staatsbibliothek nach Berlin verkauften.

***L:*** Schwarz, S. 99; Grabherr (1975), S. 145; Grabherr (1976), S. 346f.; Ulm, S. 177; Dehio (2003), S. 15ff.; Reisinger, n. 175.

10.1.18.24. ***Rinzendorf*** D 15–66

***D:*** *'rĩntβn,dǭɒv*

***U:*** 12. JhA *de Rucilindorf* Tr. SFlorian S. 203; um 1170 C 12. JhE *duas curtes apud Růcelendorf* Tr. Garsten, n. 181; 12. Jh. *de Růzeldorf* Necr. 4, 274; 1441 *Rüntzendorf* Urb. Riedegg., OÖLA, Starhemb. Urb., Hs. 141; *1441 *Rüntzendorf* Reg. Starh., f. 3; *1499 *Runtzndorff* Archiv 104, S. 421; *1565 *Rüntzendorf* Urb. Freist., f. 33, 87; *1590 *Rüntzndorff* Archiv 104, S. 448; c. 1775 *Rinzendorf* Jos. LA.; 1827 *Rinzendorf* Pillwein I, S. 387; 1857 *Rinzendorf* Souvent.

***E:*** Während die ukdl. Belege des 12. Jhs. einen gefügten *-dorf*-BN (siehe EB) mit dem ahd. PN *Ruotzilo* (Förstemann I, Sp. 890) zeigen, dessen Genitivflexiv *-n* nach *l* zur Sprecherleichterung um 1200 schwand, weisen die jüngeren ukdl. Belege seit dem 15. Jh. den ahd. PN *Runtzo* als Verkürzung einer belegten Vollform wie *Runtzolf* (Förstemann I, Sp. 920) auf.

***L:*** Schwarz, S. 99; ADNB 2, S. 875; Böhm, S. 302.

10.1.18.25. ***Ritzelsberg*** W von Rinzendorf 4–17

***D:*** *'rį̄ɒsls,bę̄ɒg*

***U:*** 1376 C *ich Seybot von Rutzleinsperg* OÖ. UB. IX, n. 39; *1408 *Hainrich von Rutzleinsperg* Urk. Starh. Eferd., OÖLA; *1441 *Rützleinsperg* Reg. Starh., f. 3; *1499 *Ruetzelsperg* Archiv 104, S. 420; *1565 *Rützleinsperg* Urb. Freist., f. 86; 1590 *Thoman Ruetzleinsperger* Urb. Freistadt, HKA 1159, f. 111; 1857 *Ritzelsberg* Souvent.

***E:*** Gefügter *-berg*-BN (siehe EB) mit dem ahd. PN *Ruotzilî* (Förstemann I, Sp. 890), vgl. das nahegelegene 10.1.18.24. Rinzendorf.

***L:*** Grabherr (1975), S. 145; März, S. 234.

10.1.18.26. ***Schallersdorf*** Hf 1–5 = 11.5.1.30. ***Schallersdorf/Neumarkt im Mühlkreis/Bez. Freistadt.***

***D:*** *'šǭlɒš,dǭɒv*

***U:*** c. 1270 *Item de huba in Schalchdorf* Lf. Urb., S. 143, n. 42; 1499 *Hans zu Schallenstorff* Urb. Freist. OÖLA, HA Freistadt, Hs. 5, f. 92; 1545 *Schalerstorf* Urb. Riedegg, OÖLA, Starhemb. Urb., Hs. 142, f. 136; *1565 *Schallenstorff* Urb. Freist., f. 31; *1565 *Schallestorff* Urb. Freist., f. 92; *1575 *Schallenstorff* Urk. SchlA Greinburg, HA Greinburg-Kreuzen, Urk. Reg. n. 842; *1590 *Thoman zu Schallerstorf* Archiv 104, S. 451, 1857 *Schallersdorf* Souvent.

***E:*** Siehe OÖ.ONB 11, 11.5.1.30. Schallersdorf/Neumarkt im Mühlkreis. Nach dem ältesten ukdl. Beleg von 1270 gereihter *-dorf*-Name (siehe EB) mit dem SN 11.5.1.29. Schall als lokativischer Dat. mhd. **ze [dem] schalhe* von mhd. *schalh* stm. 'Knecht, Diener, Leibeigener' (Lexer II, Sp. 640f.) im Sinne von 'das zu Schall gehörende Dorf', wobei das Dorf südlich von Schall liegt. Ob die jüngeren ukdl. Belege seit 1499, wie Schwarz meint, analoge Angleichungen an 11.5.1.26. *Rudersdorf* und 11.5.1.28. *Sallersdorf* sind oder ob es daneben auch ein gefügtes mhd. **Schalhînesdorf* mit dem diminuierten PN **Schalhî* (Förstemann I, Sp. 1303) gab, muß offen bleiben.

***L:*** Schwarz, S. 73; Schiffmann III, S. 400; Böhm, S. 311; Hohensinner (1997), S. 52.

10.1.18.27. ***Schlammersdorf*** R 12–51

***D:*** *'šlāmɒš,dǭɒv*

***U:*** *1499 *Slämestorf* Archiv 104, S. 421; *1544 *Schlamenstorff* Urb. Wildbg., f. 112; 1545 *Zw Schlamarstorff* Urb. Riedegg, OÖLA, Starhemb. Urb., Hs. 142, f. 119; *1635 *Schlanersdorf* HG. XV, S. 158; c. 1775 *Schlamersdorf* Jos. LA.; 1827 *Schlammersdorf* Pillwein I, S. 387; 1857 *Schlamersdorf* Souvent.

***E:*** Gefügter *-dorf*-BN (siehe EB) mit dem slaw. PN **Slavomirъ* (Miklosich, Slav. Personennamen, S. 96f.), der als ahd. *Slagemâr/Slamâr* integriert wurde, wie mehrere nordostbayerische SN in Oberfranken zeigen, u. a. die Wüstung Schlammersdorf bei Rattelsdorf, LK Staffelstein (1050 *Slagamaresdorf*, 1169 *Slagemarsdorf*) und Schlammersdorf, LK Forchheim (1076–92 *Schlamarsdorf*), vgl. E. Schwarz, Sprache und Siedlung in Nordostbayern, 1960, S. 258f.

*L:* Schwarz, S. 101.

10.1.18.28. ***Schwarzau*** W von Hadersdorf 3–11

*D:* ˌ*šwǭɒ'dsā̜u*

*U:* –

*E:* Gefügter *-au*-AN (siehe EB) mit mhd. *swarz* 'schwarz' (Lexer II, Sp. 1343), wohl mit Bezug auf dunklen Nadelwald.

*L:* –

10.1.18.29. ***Spattendorf*** D 51–178

*D:* '*šbā(d)nˌdǭɒv*

*U:* 1171 C 12. Jh. *Spêdendorf dimidium mansum* UB. Bab. I, n. 40; 1171 F vor 1235 *Spedendorf dimidium mansum* ebd., n. 41; 1376 C *ich fridrich von Spattendorf* OÖ. UB. IX, n. 39; *1446 *eine Hube zu Spatendorf* Urk. Starh. Eferd., OÖLA; *1499 *Spatn-*; *Spattndorff* Archiv 104, S. 421; *1565 *Spätendorff* Urb. Freist., f. 88; *1569 C 1627 *ganzer Zehent das Spattendorf* Linzer Reg., D I A 1, S. 59; c. 1775 *Spadendorf* Jos. LA.; 1827 *Spatendorf* Pillwein I, S. 387; 1857 *Spattendorf* Souvent.

*E:* Gefügter *-dorf*-BN (siehe EB) mit dem ahd. PN *Spat(t)o* (Förstemann I, Sp. 1356, Kaufmann, S. 322), vgl. 1378 *Chonrat Spåt* OÖ. UB. IX, n. 369, mit Sekundärumlaut.

*L:* Schwarz, S. 102; Böhm, S. 324.

10.1.18.30. ***Stampfmühle*** E von Oberndorf 2–7

*D:* '*šdā̃mpfmǖ*

*U:* –

*E:* Gereihtes Kompositum mit dem GW 'Mühle' (siehe EB) und mhd. *stampf* stm. 'Stampfe, Stampfmühle' (Lexer II, S. 1134; Schmeller II, Sp. 760). Wahrscheinlich befand sich hier früher eine Stampf- bzw. Walkmühle zum Zerkleinern von Ölfrüchten, Leinsamen, Getreide oder Hadern (für Papiererzeugung).

*L:* –

10.1.18.31. ***Steinbach*** D 14–74

*D:* '*šdǭ̃ɒ̃bǭ*

*U:* 1378 *De molendino Stainpach* OÖ. Stiftsurb. III, S. 108, n. 40; 1499 *im Steinbach* Archiv 104, S. 367; 1827 *Steinbach* Pillwein I, S. 387; 1857 *Steinbach* Souvent.

*E:* Gereihter *-bach*-AN (siehe EB) mit dem BW mhd. *stein* stm. 'Stein' (Lexer II, Sp. 1161) mit Bezug auf das steinige Bachbett.

*L:* Schwarz, S. 102; Bito, S. 227ff.

10.1.18.32. ***Wahlmühle*** E 3–13

*D:* '*wǭi̯mǖ*

*U:* *1499 *Walchmüll* Archiv 104, S. 408; 1545 *Walchmühl* Urb. Riedegg, OÖLA, Starhemb. Urb., Hs. 142, f. 118; ca. 1826 *Wahlmühle* Franz. Kat.

*E:* Gereihtes Kompositum mit dem GW 'Mühle' (siehe EB) und dem BW bair.-mhd. *walhe* stswf. 'Walke' (Lexer III, Sp. 649; Schmeller II, Sp. 906f.) als bair.-mhd. *walchmüle* (Lexer III, Sp. 653).

*L:* Wiesinger (1987/88), S. 111; Wiesinger (1990), S. 312.

10.1.18.33. ***Weikersdorf*** W 4–11

*D:* '*wai̯kɒšˌdǭɒv*

*U:* 1171 *Uuicmannesdorf* OÖ. UB. II, n. 237; 1378 *Weygmanstorf* OÖ. Stiftsurb. II, S. 108, n. 41; *1577 *Weigmanstorff* GDR. Garst.; *c. 1580 *Weikherstorff* Urb. Viced., f. 45; 1590 *Weigmanstorff* Urb. Freistadt, HKA 1159, f. 218; c. 1775 *Weikersdorf* Jos. LA.; 1827 *Weikersdorf* Pillwein I, S. 387; 1857 *Weikersdorf* Souvent.

*E:* Gefügter *-dorf*-BN (siehe EB) mit dem ahd. PN *Wîgman* (Förstemann I, Sp. 1586).

*L:* Schwarz, S. 106; Schiffmann III, S. 474; Böhm, S. 345.

10.1.18.34. ***Weitersdorf*, *Ober-*** D 12–62

*D:* '*wā̜idɒšˌdǭɒv*

*U:* *13. Jh. *hubam unam in Weitensdorf* Urb. Pass. I, S. 267; 1399 *awf zwain gutern zu Obernweiteinsdorf* OÖ. UB. XI, n. 893; *1402 *Oberweitensdorff* Urk. Starh. Eferd., OÖLA; *1416 *in dem obern Dorf datz Weitersdorf* Urk. Starh. Eferd., OÖLA; *c. 1418 *Weites-*; c. 1432 *Weiterstorf* Archiv 104, S. 370; *1441 *Weittersdorf* Reg. Starh., f. 4; *1499 *Oberweitersdorf* Archiv 104, S. 624; 1545 *Weitterstorf* Urb. Riedegg, OÖLA, Starhemb. Urb., Hs. 142, f. 124; 1590 *Weitterßdorff*; *Nidernweittersdorff*; *Veith zu Niderweitersdorff* Urb. Freist., HKA 1159, f. 109; 126; c. 1775 *Ober Weitensdorf* Jos. LA.; 1857 *Ober Weitersdorf* Souvent.

*E:* Ein gefügter *-dorf*-BN (siehe EB) mit dem ahd. PN *Wîtî* (Förstemann I, Sp. 1564f.), wobei das abgeschwächte Genitivflexiv [*-ɒš*] aus *⟨*-eins*⟩ wegen des Zusammenfalls mit ⟨*-ens*⟩

und ⟨*-ers*⟩ auch so wiedergegeben wird und sich letzteres durchgesetzt hat. Zur Unterscheidung von Unterweitersdorf/Pol. Bez. Freistadt (OÖ.ONB 11, 11.4.5.17.) wurde Ende des 15. Jhs. amtl. *Ober-* hinzugefügt, das volkstümlich aber nicht gebraucht wird.

***L:*** Schwarz, S. 79; Schiffmann III, S. 479; Böhm, S. 333; Heiß, S. 191.

10.1.18.35. ***Willing*** E von Gerbersdorf 2–13

***D:*** *'wüliŋ*

***U:*** *1441 *hof zu Wüling* Reg. Starh., f. 3; *1481 *Wülling* Urb. Steyreck; 1512 *vom lehen zu Wülling* Urb. Steyregg OÖLA, HA Steyregg, Hs. 3, f. 122; 1545 *Auff dem Wüllinghof* Urb. Riedegg, OÖLA, Starhemb. Urb., Hs. 142, f. 57; c. 1775 *Wiling* Jos. LA.; 1857 *Willing* Souvent.

***E:*** HN entweder mit dem ahd. PN *Willing* (Förstemann I, Sp. 1593) als Dat. oder *-ing*-BN (siehe EB) mit dem ahd. PN *Wilo/Wili* (Förstemann I, Sp. 1592). Vgl. in der Nachbargemeinde OÖ.ONB 11, 11.5.1.40. Willingdorf/Neumarkt im Mühlkreis (1499 *Dinst zu Wullingdorff*; 1545 *Zw Wüllingdorf*).

***L:*** Schwarz, S. 107; Schiffmann III, S. 484; Kouril, n. 2658.

10.1.18.36. ***Zeurz, Ober-***; ***Unter-*** D 39–99

***D:*** *dsāįxds*

***U: Ort***: 1347 *mein hueb, genant Zeyrcz, dy gelegen ist in Nevnchircher pharr* OÖ. UB. VII, n. 33; 1357 *die hůb genant Zeyrtz gelegen in Neunchircher pharr* ebd., n. 478; c. 1380 *ein hub dacz Zeyrcz in Gallennewnkircher pharr* OÖ. UB. X, S. 844, n. 329; 1390 *ain hub dacz Zeyricz gelegen in Gallenneunkircher pharr* OÖ. UB. X, n. 770; 1417 *Zeyritz*; *Zeiritz*; *Zerycz* LB. Schaunbg. A, f. 14, 24; *1418 *Ceirß*; *Zeyrcz* Archiv 104, S. 124; *1441 *Czeirtzts* Reg. Starh., f. 3; 1545 *Lienhart Zw Zeirtz* Urb. Riedegg, OÖLA, Starhemb. Urb., Hs. 142, f.40; 1590 *gehen Zeyrtz* Urb. Freistadt, HKA 1159, f. 5; 1827 *Zeirz* Pillwein I, S. 387; 1857 *Ob., Unt. Zeurz* Souvent.

***Gewässer***: 1310 C 1495 *Item, es sind zu vermerken fisch, Zeyhertzpach wert hinauf bis an den ...* OÖ. Weist. I, S. 222.

***E:*** Der SN *Zeurz* und der heutige GwN *Zeurzerbach* gehen wohl zurück auf den slaw. GwN **Syr(ov)ica* mit der Adjektivableitung *syrovъ* 'von Käse' von slaw. *syrъ* 'Käse' in aruss. *syrъ*, slow. *sir*, tschech. *sýr* 'Käse'; osorb. *syra*, nsorb. *sera* 'Biestmilch' (Vasmer III, S. 58; Bezlaj III, S. 237; Schuster-Šewc III, S. 1401) im Sinne von 'Käsebach', wozu sich der dt. GwN und SN *Kasbach*/Lichtenau im Mühlkreis, Pol. Bezirk Rohrbach stellt. Zu weiteren derartigen slaw. GwN vgl. Šmilauer, S. 175. Die Integrierung erfolgte als **Zûritza* ins Bair.-Ahd., das zu mhd. **Zûritz* weiterentwickelt wurde und dessen *-i-* dann synkopiert und dessen *-û-* zu [*aü*] diphthongiert und schließlich zu [*ai*] entrundet wurde. Wegen der Umlautentrundung ist die im 19. Jh. eingeführte ⟨*eu*⟩-Schreibung hyperkorrekt. Die in franziseischer Zeit des 19. Jhs. amtl. eingeführte Unterscheidung von zwei Ortsteilen ist volkstümlich nicht üblich.

***L:*** Schwarz, S. 108; Schiffmann III, S. 500.

## 11.1. Der Gerichtsbezirk Bad Leonfelden

### 10.2.1. Oberneukirchen 780–2819

10.2.1.1. ***Amesschlag*** D 14–57

***D:*** *'ḁ̄̃mɒš,šlǭg*

***U:*** 1512 *Ambt Amaschlag* Urb. Waxenberg, HKA, NÖHA W 31/A, f. 35; 1571 *Behauste Güetter im Ambt Amasschlag*; *Hanns Deckher im Amasschlag*; *Michael Orttner zu Amasschlag*; *Bartlme im Amasschlag* Urb. Waxenberg, HKA 1173, f. 164; c. 1775 *Ober Amasschlag* Jos. LA.; 1827 *Ameisschlag* Pillwein I, S. 299; 1857 *Amaschlag* Souvent.

***E:*** Gefügter *-schlag*-BN (siehe EB) entweder mit mhd. *ambetman, amtman* stm. 'der ein Amt zu verwalten hat, Amtmann, Diener' (Lexer I, Sp. 50), vgl. 10.2.6.3. Amesschlag/Vorderweissenbach oder dem ahd. PN *Amal* als Kurzform etwa von *Amalfrid*, *Amalbërht* (Förstemann I, Sp. 88), vgl. ONB.OÖ. 11, 11.5.4.1. Amesreith/Sankt Leonhard bei Freistadt, OÖ. oder aus semantischen Gründen wenig wahrscheinlich gereihter AN mit mhd. **âmeiz* von mhd. *meiz* stm. 'Holzschlag' (Lexer I, Sp. 2090) mit dem Präfix *â-*, (vgl. ONB OÖ 1, 1.2.4.2. Ameisberg/Lengau).

***L:*** Schwarz, S. 81.

10.2.1.2. ***Brunnwald*, *Ober-*** R 5–14; ***Unter-*** H 1–1 = 10.2.6.5. ***Brunnwald/Vorderweißenbach*** = ***Brunnwald*, *Ober-/Pol. Bez. Rohrbach***

10.2.1.3. ***Punzing*** R 18–38

***D:*** *'bũntßĩŋ*

***U:*** 1571 *die Ochsenwaidt im Puntzing* Urb. Waxenberg, HKA 1173, f. 225; *1700 *Puntzing* Urb. Oberneuk., f. 182; c. 1775 *Punzing* Jos. LA.; 1857 *Punzing* Souvent.

***E:*** Fraglicher *-ing*-BN (siehe EB) wahrscheinlich als Rückverkürzung eines HN *-inger* mit dem FN *Punz* vom ahd. PN *Punzo* (Förstemann I, Sp. 345, Brechenmacher I, S. 247f.), der in der Gegend verbreitet ist, vgl. 10.1.11.1. Punzenberg/Gallneukirchen.

***L:*** Schwarz, S. 98; Kouril, n. 1856.

10.2.1.4. ***Traberg*, *Groß-*** ZH 70–226; ***Kleintraberg*** R 8–41, ***Ober-*** 1–6 = ***Traberg*, *Klein-*, *Ober-/Pol. Bez. Rohrbach***

D: *'drābẹ̄ɒg*

***U: Ort*:** 1310 C 1495 *Vermerkt das ambt im Dräperg* OÖ. Weist. I, S. 230; *1439 *Gut im Draberg*; *Gut zu Draberg* Urk. Starh. Eferd., OÖLA; 1443–1480 *Item ain gut im Draperg* Lf. Lb., NÖLA, NÖ. Regierung 17, Hs. 4, f. 183; *1455 *das Dorf im Draperg* Nbl. IV, S. 261; 1495 *das ambt im Dräperg*; *in unser tafern Dräperg*; *in dem tafern Dräperg* OÖ. Weist. I, S. 230; *1525 *Träperg* Urb. Reich.; 1571 *Der Prunwaldt hebt sich an bey des Schallenberger waldt am draperg, ... dem distlpach nach biß Zu dem Pintl in draperg, nach dem Draperg hinauf, biß Zum Schallenberger waldt*; *Wolf in dem Draperg hat ainen Innfanng am Prunnwaldt darauf ain Heusl gesetzt* Urb. Waxenberg, HKA 1173, f. 4; 146; *1700 *Trägberg* Urb. Oberneuk., f. 140; c. 1775 *Ober Draberg*; *Groß Draberg*; *Klein Draberg* Jos. LA.; 1827 *Die Pfarre Traberg besteht aus acht Ortschaften : Ahorn, Großtraberg, Kleintraberg, Lichtmeßberg, Mitterbrunnwald, Oberbrunnwald, Obertraberg und Oberwaldschlag. Traberg, Draberg, Großtraberg, eine neue Dorfpfarre mit 32 Häusern, 42 Wohnparteyen, und 172 Einwohnern zwischen dem Brunn= und Schallenbergerwalde eine Stunde von Wachsenberg, und zwey von Helfenberg auf dem Traberge gelegen.* Pillwein I, S. 301; 1857 *Gr. Traberg*; *Kl. Traberg* Souvent.

***Gewässer*:** 1499 C 1564 *Drepach* Urb. Waxenberg, OÖLA, Starhemb. Urb., Hs. 200, f. 46.

***E:*** Ursprünglicher *-bach*-AN (siehe EB) mit dem Verbalstamm von mhd. *draejen* swv. 'sich drehend bewegen, wirbeln' (Lexer I, Sp. 457f.). Der SN ist ein *-berg*-LN (siehe EB) als Klammerform *Tra[bach]berg*.

***L:*** Schnetz, S. 65.

10.2.1.5. ***Froschau*** D 28–64

***D:*** *,vrō'šāu̯*

***U:*** 1857 *Froschau* Souvent.

***E:*** Gereihter *-au*-AN (siehe EB) entweder mit mhd. *vrosch* stm. 'Frosch' (Lexer III, Sp. 536) oder dem gleichbedeutenden FN *Frosch* entweder in der Bedeutung 'jemand, der wie ein Frosch herumquakt' oder als Hausname (Brechenmacher I, S. 514).

*L:* –

10.2.1.6. ***Galgenbühel*** D von Oberneukirchen 17–49

*D:* *'gǭens,bǖgö*

*U:* 1523 *der Galgenperg* OÖ. Weist. I, S. 215; c. 1775 *Galgen* Jos. LA.

*E:* Ursprünglich *-berg*-LN (siehe EB) mit dem BW mhd. *galge* swm. 'Galgen' (Lexer I, Sp. 727), später wurde das GW *-berg* durch *-bühel* von bair.-mhd. *pühel* stm. 'Hügel' (Lexer I, Sp. 379; siehe 'Pichl' im EB) ersetzt. Es handelt sich um die ehem. Richtstätte der Herrschaft Waxenberg.

*L:* Schwarz, S. 87.

10.2.1.7. ***Höf*** ZH 46–138

*D:* *hēv*

*U:* *1456 *ganzen Zehend auf dem Waldnerhof und Vorderhof in Hebreinnewnkircherpfarre* LB. 216, n. 170; *1456 *2 Höfe genannt die Waldernhöfe* ebd., S. 405, n. 299; *1700 *am Höffen* Urb. Oberneuk., f. 197; c. 1775 *Hofer* Jos. LA.

*E:* Plural von mhd. *hof* stm. 'Hof, Gehöft' (Lexer I, Sp. 1320f.; siehe EB) im Sinne von 'bei den Bewohnern der Höfe'. Ursprünglich sind die beiden ukdl. genannten Höfe *Waldnerhof* und *Vorderhof* gemeint, zu denen sich später, jedenfalls vor 1826 weitere Anwesen gesellten, so daß die Ansiedlung Dorfcharakter gewann.

*L:* –

10.2.1.8. (***In der Au***) R von Oberneukirchen 5–16

*D:* *āų*

*U:* ca. 1826 *In der Au* Franz. Kat.

*E:* Simplex *Au* (siehe EB). Die urkundliche Nennung bezieht sich auf ein Waldgebiet.

*L:* –

10.2.1.9. ***Karl*** Hf von Obertraberg 1–6

*D:* *dɒ 'khǭ(d)l*

*U:* *1700 *Carlgueth* Urb. Oberneuk., f. 148.

*E:* HN vom FN *Karl* (Brechenmacher II, S. 13) aus dem ahd. PN *Karl* (Förstemann I, Sp. 359),.

*L:* –

10.2.1.10. ***Königsberg*** R von Oberneukirchen 8–24

*D:* *'khīn̥igs,bę̄ɒg*

*U:* ca.1826 *Königsberg* Franz. Kat.

*E:* Gefügter *-berg*-BN (siehe EB) mit dem FN *König* von mhd. *künic* stm. 'König' (Lexer I, Sp. 1774f.), der einen in irgendeiner Weise hervorragenden Mann bezeichnet (Brechenmacher II, S. 88; Kohlheim, S. 387). Der Name wird im Franz. Kat. noch als FlN gebraucht.

*L:* März, S. 155f.

10.2.1.11. ***Königsdorf*** R 14–37 = ***Königsdorf/St. Veit/Pol. Bez. Rohrbach***

*D:* *'khīn̥igs,dǭįv*

*U:* 1499 C 1564 *bei Khünigsdorff* Urb. Waxenberg, OÖLA, Starhemb. Urb., Hs. 200, f. 28; 1512 *Kuningsdorffer*; *Kunigsdorffer Im schafferslag* Urb. Waxenberg, HKA, NÖHA W 31/A, f. 27; 1571 *Khünigsdorff* Urb. Waxenberg, HKA 1173, f. 57; c. 1775 *Königsdorf* Jos. LA.; 1857 *Königsdorf* Souvent.

*E:* Gefügter *-dorf*-BN (siehe EB) mit dem FN *König*, wie in 10.2.1.10. Königsberg.

*L:* –

10.2.1.12. ***Lobenstein*** R 60–221 = 10.2.2.3. ***Lobenstein/Zwettl an der Rodl***

*D:* *'lō(b)m,šdǭ̄ɒ̄*

*U:* 1242 C 15. Jh *Hainricus Officiarius de Lobenstain* OÖ. UB. II, n. 112; 1243 C 18. Jh *Ulrico de Lobenstain* ebd., n. 120; 1250 *de lobenstain* ebd., n. 163; 1251 *vlricus de Lobenstayn* ebd., n. 181; 1255 C *Vdalricus de Lobenstein* ebd., n. 219; 1256 *Ego vllricus de Lobenstein* ebd., n. 239; 1258 *Vlricus de lobenstain* ebd., n. 259; 1264 *Ulricus de lobenstain* ebd., n. 345; 1285 C *Sighardus et Albero fratres de Lobenstain* OÖ. UB. IV, n. 38; 1297 C *Haben gehabt vmb lobenstein* ebd., n. 294; 1305 *Alber von Lobenstein* ebd., n. 511; 1305 *Alber von Lobenstein*; *hern Otachern von Lobenstein*; *ze Lobenstein in dem house* ebd., n. 531; 1309 *Her Otacher von Lobenstein* OÖ. UB. V, n. 24; 1325 *Ich Peter der Alt von Lobenstain vnd ich Peter sein Svn* ebd., n. 419; 1330 *Her Ditmar van lobenstayn* ebd., n. 576; 1340 *Offmey von Lobenstein, hern Peters witib von Lobenstain* OÖ. UB. VI, n. 352; 1357 *Jans von Lobenstein* OÖ. UB. VII, n. 510; *13. Jh. *Ulricus dictus de Lobenstain* Urb. Pass., S. 95; 1366 *Wernhers dez Nymmerfol zden zeiten purgraf ze Lobenstain* OÖ. UB. VIII, n. 271; 1375 *die vestt Lobenstain* ebd., n. 745; 1375 *die veste Lobenstain* ebd., n. 746; c. 1380 *von erst die vest Lobenstain; gehörent zu Lobenstain* OÖ. UB. X, S. 735f., n. 34; 1381 *Hainreichs des Apphelspechken die zeit purgraf zu Lobenstain* ebd., n. 59; 1381 *wer die vesst Lobenstain inhat* ebd., n. 75, 1389 *Hainrich dez Frodnacher die zeit Pfleger zu Lobenstain* ebd., n. 695; 1393 *Otto der Prwnhaymer phleger ze Lobnstain* OÖ. UB. XI, n. 256; *1415 *Veste Lobenstain* Urk. Starh. Eferd., OÖLA; *1419 *Lobenstain* Linzer Reg., C III A1, n. 190; *1428 *Lobenstein* JB. d. Mus. 1909, S. 34; *1455 *Die Veste Lobenstain* LB. 354, n. 357; 1499 *Urbar gen Lobmstain gehorig; Vermerckht die ... gült Zum Sloss Lobenstaim gehörig* Urb. Lobenstein, OÖLA, Starhemb. Urb., Hs. 107, f. 1; 1747 *Lobenstain. Das dermalen bloß noch in einem alten Thurn und zerfallenen Gemäur bestehende öde unweit Zwettel an der Rottel gelegene alte Schloß Lobenstain, ist des abgestorbenen vornehmen Geschlechts der Herren von Lobenstain Stammen-Hauß.* Hoheneck, Genealogie III, S. XXII; c. 1775 *altes Schloß Lobenstain; Lobenstainer Häuser* Jos. LA.; 1827 *Lobenstein, eine Schloßruine und ein Dorf nächst der großen Rottel .... Die Ruine liegt auf einem niederen Felsen. Man sieht sie besonders gut auf dem Wege von Hellmonsöd nach Zwettel und am breiten Stein bey Kirchschlag.* Pillwein I, S. 300; 1857 *Lobenstein* Souvent.

***E:*** Die im sogenannten Lobenfeld oberhalb des Tales der Großen Rodl an einem Kreuzungspunkt zweier alter Verkehrswege auf einer mit einem Felsblock bekrönten Kuppe gelegene kleine Burg wurde wahrscheinlich um 1240 von Ulrich aus dem Geschlecht der Piber, die Dienstleute der Waxenberger waren, erbaut, der sich nach ihr Ulrich von Lobenstein nannte. Sie befand sich am Westrand der neuen Besitzungen des verselbständigten Geschlechts, das diese durch Rodungen bis in das Gebiet von 10.2.5. Ottenschlag nach Osten ausdehnen konnte. Im 14. Jh. einsetzende Erbstreitigkeiten brachten das Geschlecht jedoch rasch zum wirtschaftlichen Ruin, so daß 1365 Jans von Lobenstein die Besitzungen an die Wallseer abtreten mußte, während die Burg an die Starhemberger kam, die sie zu ihrer Herrschaft 10.1.9.22. Wildberg schlugen. Da sie im 16. Jh. keinen militärischen Wert mehr hatte und für die Starhemberger wertlos war, wurde sie dem Verfall preisgegeben. Von der Ruine noch gut erhalten ist der sechseckige Wehrturm aus dem 13. Jh.

Für den Namen der Burg bieten sich zwei Erklärungen an. Da der Name des Lobenfeldes (siehe 10.2.7.5. Bad Leonfelden) offenbar älter ist als die nach der Annahme der Historiker von Ulrich von Lobenstein erbaute Burg, kann der Burgenname eine Klammerform *Loben[feld]stein* sein, wobei das GW mhd. *stein* stm. 'Fels, Stein' (Lexer II, Sp. 1161ff.) für Burgennamen typisch ist. Es besteht aber auch die Möglichkeit einer Homophonie mit *Lobenfeld*, wenn es sich bei dem Burgennamen um einen Wunschnamen *lob(e) (d)en stein* 'lobe, preise den Stein = die Burg' handelt.

***L:*** Schwarz, S. 95; Schiffmann III, S. 316; Grabherr (1975), S. 150; Grabherr (1976), S. 337f.; Ulm, S. 128; Dehio (2003), S. 330f.; Reisinger, n. 124.

10.2.1.13. ***Mitterfeld*** R von Oberneukirchen 28–121

***D:*** *'mitɒ,vǭ*

***U:*** ca. 1826 *Mitterfeld* Franz. Kat.

***E:*** Ein gereihter *-feld*-FlN (siehe EB) mit dem BW mhd. *mitter* 'in der Mitte befindlich' (Lexer I, Sp. 2190).

***L:*** –

10.2.1.14. ***Neumühle*** R von Schauerschlag

***D:*** *'nā̃i̯mū̃*

***U:*** c. 1775 *Neu M.* Jos. LA.

***E:*** Gereihtes Kompositum dem GW 'Mühle' (siehe EB) und dem BW mhd. *niuwe* 'neu' (Lexer II, Sp. 92), im Sinne von 'neu errichtete Mühle (am Schauerbach)', siehe 10.2.1.19. Schauerschlag.

***L:*** –

10.2.1.15. ***Oberneukirchen*** Markt 182–726

***D:*** veraltend: *s dǭi̯ɒ*

***U:*** 1292 C 19. Jh. *in Newnkhirchen* OÖ. UB. IV, n. 191; 1364 *gelegen ist in Newnchircher pfarr in Wêchssenberiger gericht* OÖ. UB. VIII, n. 159; 1375 *gelegen in ... Obern Newnchiricher pharre* ebd., n. 745; 1375 *gelegen in ... Obernewnkircher pharr* ebd., n. 746; c. 1380 *waz ich hab in Obern Newnkircher pharr* OÖ. UB. X, S. 735, n. 34; 1384 *gelegn in Obern Newchiricher* *pharr* ebd., n. 360; 1443–1480 *die benanten stuckh in Habrein Newnkircher pharr* Lf. Lb., NÖLA, NÖ. Regierung 17, Hs. 4, f. 183; *1439 *Zehent in Häbrein – Newnkirchen*; *in Hebreinnewnkircher Pfarr* Urk. Starh. Eferd., OÖLA; *1447 *in Habrein-Neunkircher Pfarr* Urk. Starh. Eferd., OÖLA; *1449 *Hebrein Newkirchen* Linzer Reg., C III A1, n. 368; *1456 *alles in Hebreinnewnkircherpfarre gelegen* LB. S. 354; *1457 *alles gelegen in Hebreinnewnkircherpfarre*; *1 Gut am Dietmansperg in Hebreinnewnkircherpfarre* ebd., S. 95, n. 80; S. 238, n. 182; *1466 *Habreinneukirchen* Pröll, S. 89; *15. Jh. *Habrein Neunkirchen* MP., S. 47; 1512 *Markt Ober Newn Kirchn* Urb. Waxenberg, HKA, NÖHA W 31/A, f. 35; *1525 *Häberneunkirchen* Urb. Reich; *1544 *Häberneunkirchen* Urb. Lob., f. 47; 1571 *Oberneukhircher Pharr*; *Marckht Oberneukhirchen*; *Die von Neukhirchen*; *gemelte von Neukhirchen* Urb. Waxenberg, HKA 1173, f. 164; 223; 1575 *der Pharrer Zu ober Neunkhirchen*; *Neukirchen der Markht Ligt ain virtel meill von waxnberg* Anschlag Waxenberg, HKA, NÖHA, W 31/A, f. 459; 1591 *Marckht Oberneukhirchen* HKA, NÖHA G 46, f. 72; *1593 *Haberneukirchen* Urb. Wildbg., S. 25; c. 1775 *Ober Neü Kirchen* Jos. LA.; 1827 *Oberneukirchen ist ein Markt mit 67 Häusern* Pillwein I, S. 300; 1857 *Oberneukirchen* Souvent.

***E:*** Der ursprüngliche SN ist ein gereihter -*kirchen*-AN (siehe EB) mit dem BW mhd. *niuwe* 'neu' (Lexer II, Sp. 92). Ferihumer, S. 301 versteht diesen Gegensatz zur „Altkirche" von 10.1.11.3. Gallneukirchen.

Wegen mehrerer Mühlviertler SN *Neukirchen* (z. B. 10.1.11.3. Gallneukirchen; 11.3.9.1. Pabneukirchen, Pol. Bezirk Perg; Niederwaldkirchen, Pol. Bezirk Rohrbach) wurde schon in der zweiten Hälfte des 14. Jhs. *ober* hinzugefügt und zwar zur Unterscheidung von *Niederneukirchen*, Pol. Bezirk Linz-Land). Da es sich dabei offenbar um einen amtl. Vorgang handelte und das weit entfernte, südlich der Donau gelegene Niederneukirchen im Volksbewußtsein wohl kaum gegenwärtig war, kam es um die Mitte des 15. Jhs. zur Hinzufügung des Adjektivs frnhd. *häbrein* aus mhd. *häberîn* 'von Hafer' (Lexer I, Sp. 1200), was dann in der ersten Hälfte des 16. Jhs. zu *Haberneukirchen* verkürzt wurde. Daneben bestand aber *Oberneukirchen* weiter, das sich schließlich seit der zweiten Hälfte des 16. Jhs. endgültig durchsetzte. Da unter den Getreidearten der Hafer am widerstandsfähigsten ist und bis in höhere Regionen gedeiht – Oberneukirchen liegt 774 m hoch –, war er die am meisten angebaute Frucht besonders des nördlichen Mühlviertels. Möglicherweise befand sich die neue Kirche, die zunächst Filialkirche von 10.2.7.5. Bad Leonfelden war, das bis 1292 zur Urpfarre 10.1.11.3. Gallneukirchen gehörte, ähnlich der Kirche von Neufelden, Pol. Bezirk Rohrbach inmitten von Haferfeldern. Obwohl der Ort seit 1571 als Markt bezeichnet wird, galt volkstümlich bis in die erste Hälfte des 20. Jhs. nur die Bezeichnung *'s' Dorf*.

***L:*** Schiffmann III, S. 352; Pesta, S. 435.

10.2.1.16. ***Reindlsedt*** R 24–69

***D:*** *'rā̃ĩ̯(d)l,sę̄d*

***U:*** 1499 C 1564 *in der Reindlitz Öd* Urb. Waxenberg, OÖLA, Starhemb. Urb., Hs. 200, f. 47; *1518 (1539) *Reinlaset* Einl. Zwettl, f. 1; *1544 *Reinleinsödt* Urb. Lob., f. 35; *1569 *Reindlsödt* Urb. Aschpan, f. 170; *1593 *Reinleinsedt* JB. d. Mus. 1899, S. 24; *1700 *Reindlseth* Urb. Oberneuk., f. 205; c. 1775 *Reidelsed* Jos. LA.; 1827 *Reindelsöd* Pillwein I, S. 299; 1857 *Reindlsoedt* Souvent.

***E:*** Gefügter -*öd*-BN (siehe EB) mit dem Diminutiv des ahd. PN *Reino* aus *Regino* (Förstemann I, Sp. 1222) in der mhd. Form *Reinlî* (Gen. -*lînes*), der heute als FN meist *Reindl*, selten *Reindel*, *Reinl* auftritt (Brechenmacher II, S. 394; Kohlheim, S. 534).

***L:*** Schwarz, S. 99; Reutner, S. 245.

10.2.1.17. ***Schaffetschlag*** D 25–75

***D:*** *'šǫfɒds,šlǭg*

***U:*** 1499 C 1564 *Zu Schäfferslag* Urb. Waxenberg, OÖLA, Starhemb. Urb., Hs. 200, f. 25; 1512 *Kunigsdorffer Im schafferslag*; *Sigmund Im Schafferslag* Urb. Waxenberg, HKA, NÖHA W 31/A, f. 27; 1571 *Wolf Khattringer am Schäfferschlag* Urb. Waxenberg, HKA 1173, f. 59; *1700 *Schaffetschlag* Urb. Oberneuk., f. 172; c. 1775 *Schaferschlag* Jos. LA.; 1827 *Schaffetschlag* Pillwein I, S. 300; 1857 *Schaffetschlag* Souvent.

***E:*** Gefügter *-schlag*-BN (siehe EB) mit dem Appellativ oder dem FN *Schaffer* von mhd. *schaffaere, -er* stm. 'Aufseher; der für das Hauswesen sorgende Verwalter' (Lexer II, Sp. 629f.; Brechenmacher II, S. 479, Kohlheim, S. 569). Wie im Böhmerwaldgebiet enden die BW von *-schlag* oder *-stift*-Namen häufig sekundär auch hier auf *-et*, vgl. 10.2.7.2. Affetschlag/Bad Leonfelden, 10.2.7.8. Dietrichschlag/Bad Leonfelden, 10.2.7.26. Weigetschlag/Bad Leonfelden, in ONB. OÖ. 11, 11.5.12.12. Mardetschlag/Leopoldschlag (1356 *daz dorf Marteinslag*) und 11.5.10.26. Riemetschlag/Windhaag bei Freistadt und im Pol. Bez. Rohrbach Pfaffetschlag/Afiesl.

***L:*** Schwarz, S. 100; Baumgartner, n. 617.

10.2.1.18. ***Schallenberg*** ZH 3–14 = ***Schallenberg/Ahorn/ Pol. Bez. Rohrbach***

***D:*** *'šǭi̯m,bę̄ɒg*

***U:*** 1812 *Rechberg et Schallenberg* Franz. LA.

***E:*** Gefügter *-berg*-BN (siehe EB) mit dem ahd. PN *Skalho* (Förstemann I, Sp. 1303).

***L:*** Schwarz, S. 100; Schiffmann III, S. 400; März, S. 244.

10.2.1.19. ***Schauerschlag*** R 17–82 100 = 10.2.2.6. ***Schauerschlag/Zwettl an der Rodl***

***D:*** *'šāu̯-ɒš,šlǭg*

***U:*** *1401 *Hof datz dem Speysel in dem Schauerschlag ... in Zwetlinger Pfarr* Urk. Starh. Eferd., OÖLA; 1499 C 1564 *im Schaurschlag* Urb. Waxenberg, OÖLA, Starhemb. Urb., Hs. 200, f. 45; 1499 *Schawrslag* Urb. Lobenstein, OÖLA, Starhemb. Urb., Hs. 107, f. 6; 1523 *von der strass bis in Schaurslag; im Schaurschlag* OÖ. Weist. I, S. 203; 213; 1544 Schauerschlag Urb. Lob., f. 17; 1571 *Die Schaurschleger geen Lobennstain gehorig* Urb. Waxenberg, HKA 1173, f. 201; *1593 *bis in den Schauerschlag* Archiv 94, S. 251; *1700 *Schaurschlag* Urb. Obenneuk., f. 97; c. 1775 *Schauerschlag* Jos. LA.; 1827 *Schauerschlag* Pillwein I, S. 300; 1857 *Schauerschlag* Souvent.

***E:*** Gefügter *-schlag*-BN (siehe EB) mit dem FN *Schauer* entweder von mhd. *schûr(e)* stswm. 'Schauer, Hagel' (Lexer II, Sp. 827f., Schmeller II, Sp. 449f.) im Sinne von 'heftiger, leicht in Zorn ausbrechender Mensch' oder von mhd. *schouwaere* stm. 'Beschauer, Beaufsichtiger, Prüfer, besonders der amtl. Brot- und Fleischbeschauer' (Lexer II, Sp. 777; Schmeller II, Sp. 349ff; Brechenmacher II, S. 490; Kohlheim, S. 571). Die Rotte liegt nördlich des Schauerbaches, zu dem sich die 10.2.2.5. Schauerleite absenkt.

***L:*** Schwarz, S. 100.

10.2.1.20. ***Schern*** R von Oberneukirchen 6–29

***D:*** *šę̄ɒn*

***U:*** –

***E:*** Dat. plur. des FN *Scherer* von mhd. *schëraere* stm. 'Scherer, Barbier' (Lexer II, Sp. 706f.; Brechenmacher II, S. 501; Kohlheim, S. 575) bzw. der Berufsbezeichnung.

***L:*** –

10.2.1.21. ***Waldschlag, Ober-*** R 29–79; ***Unter-*** R 32–160

***D:*** *'wǭi̯dšlǭg*

***U:*** *1439 *Dorf im Walchslag; dem Dorfe Walichslag* Urk. Starh. Eferd., OÖLA; *1456 *das Dorf im Walichslag mitsammt dem Hammer und der Mühl daselbst; it. 1 Gut dabei im Walchlein* LB. S. 354, n. 357; 1499 C 1564 *Waldschlag* Urb. Waxenberg, OÖLA, Starhemb. Urb., Hs. 200, f. 44; 1571 *So geben die Wolchschlager* Urb. Waxenberg, HKA 1173, f. 4; *1700 *Waldtschlag* Urb. Oberneuk., f. 102; *1731 *Waldtschlag* Urb. Götz., f. 288; 1827 *Die Pfarre Traberg besteht aus acht Ortschaften : Ahorn, Großtraberg, Kleintraberg, Lichtmeßberg, Mitterbrunnwald, Oberbrunnwald, Obertraberg und Oberwaldschlag* Pillwein I, S. 301.

***E:*** Ursprünglich entweder gefügter *-schlag*-BN (siehe EB) mit dem ahd. PN *Walh* (Förstemann I, Sp. 1513), auf den auch der Name der Freistädter Adelsfamilie zurückgeht (vgl. OÖ.ONB 11, 11.5.3.51. Walchshof/Lasberg), oder gereihter *-schlag*-LN mit bair.-mhd. *walhe* stswf. 'Walke, Walkmühle' (Lexer III, Sp. 649; Schmeller II, Sp. 906) mit Bezug auf die 1456 bezeugte und heute noch am Distelbach bestehende Hammermühle. Da durch den Schwund des auslautenden Konsonanten *Walch* und *Wald* ma. zusammenfallen, kam es im 16. Jh. zur hyperkorrekten Schreibung *Waldschlag*. Die Unterscheidung zweier Ortsteile ist volkstümlich nicht gebräuchlich.

***L:*** Baumgartner, n. 614.

10.2.1.22. ***Waxenberg*** D 47–196

***D:*** *'waķßm,bę̄ɒg*

*U:* 1148–55 C 12. JhE *Cholo de Wassinberch* OÖLA, StiA Garsten Hs. 1, f. 4; 1146–60 *de Wassenberc* Tr Asbach n. 20a; 1092–1121 Ins vor 1177 *de Wassenberc* OÖ. UB II, n. 233, Dat. n. Reg. Passau-B, n. 523; 1212 *inter Castrum Wassenberch et Castrum Wiltperch* OÖ. UB. II, n. 375; 1221 *Ante castrum Wessenberch* ebd., n. 432; *1200–20 *Hailca de Wassenperc* Trad. Pass., n. 896; *13. Jh. *Waessenberch* Urb. Pass., S. 262; 1300 C 15. Jh *Hainreich von Wallsee, Lantrichter ze Waechsenberch* OÖ. UB. IV, n. 357; *1324 *Von der vogtey ze Waessenberch* Urb. Pass.I, S. 653; c. 1343 *Item de Leitten prope Wassenberch*; *Wessenberch* OÖ. Stiftsurb. III, S. 401, n. 66; *1359 *Waezsen-*; *1416 *Wächsenberch* Archiv 97, S. 283, 287; 1316 *Pentz von wessenwerch* OÖ. UB. V, n. 164; 1322 *Her Chvnrat Purchgraf ze wæssenberch* ebd., n. 344; 1335 *Reinprechten von walse, ze den zeiten herren ze Wezzenwerch* OÖ. UB. VI, n. 188; 1337 *Puͤrgraf ze Wazzenberch* ebd., n. 249; 1338 *in wæssenberger gericht* ebd., n. 265; 1338 *in der Grafschaft ze wæssenberch* ebd., n. 280; 1340 *in Wæssenberger gericht* ebd., n. 349; 1350 *in Bechsenbergeͣr gericht* OÖ. UB. VII, n. 200; 1353 C *grafschaft z Wessenberch* ebd., n. 309; 1356 *auf dem vrbar ze Waessenberg* ebd., n. 457; 1362 *in Wechsenberger gericht* OÖ. UB. VIII, n. 58; 1362 *Chunrat insigel von Werssenwerch*; *ze Werssenwerch* ebd., n. 113; 1364 *in Wêchssenberiger gericht* ebd., n. 159; 1364 *in der grafschaft ze Wæzzenberch, Chunrat purkgraf ze Wezzenberch* ebd., n. 182; 1370 *in Wachsenberger gericht* ebd., n. 489; 1374 *in Wechsenberger grafschafft* ebd., n. 680; 1375 *grafschafft ze Wæchsenberch* ebd., n. 727; 1376 *mit chuͤnracz von wessenberch anhangunden insigel* OÖ. UB. IX, n. 26; 1377 *in Greyͤmhartsteter pharr in waͤchsenwerger Graffschaft*; *Chuͤnratz di zeit Puͤrkgrafen ze Waͤchsenwerch* OÖ. UB. IX, n. 274; 1378 *Chunratz diczeit purkgraff ze waͤssenberg* ebd., n. 376; 1379 *Chuͤnracz zu den zeiten pfleger zu Waczzenberk* ebd., n. 559; 1379 *an dem liechtenperig gelegen jn Greymestetner pharr vnd jn wassenberger gericht* ebd., n. 514; 1379 *gelegen in Bassenberger gericht* ebd., n. 539; c. 1380 *die herrschaft gen Wechsenberg* OÖ. UB. X, S. 721, n. 28; *gemaine lehen gen Wessenberg*; *in Wessenberger grafschafft vnd gericht* ebd., S. 736, n. 34; *gelegen in Wessenberger gericht* ebd., S. 790, n. 179; *Grafschaft ze Wesenwerk vnnd alles gelegen in Wesenwerger gericht*; *Grafschaft ze Wersenwerk* ebd., S. 796, n. 201f.; *gelegen in Weisenberger gericht* ebd., S. 816, n. 260; *ain gut vnder Weissemberg haizzet am Weg* ebd., S. 830, n. 292; *in Wechsenberger herschaft* ebd., S. 856, n. 354; 1382 C 1673 *ze dem Stadlen gelögen auf dem Fraunberg in Wässenberger graffschafft* OÖ. UB. X, n. 197; 1384 *Hannsen dez Schifer di zeit Purgraff zu Waesenberchk* OÖ. UB. X, n. 360; 1384 C *an der Stuben gelegen in Gremhartzsteter pharr und in Wassenberger grafschaft* OÖ. UB. X, n. 394; 1380 *vnd in Wassenberger Herschaft*; *von der Herschaft ze Wassenberkch*; *gericht ze Wassenberkch* ebd., n. 668; c. 1385 *ein gut vnder Wasenberg haisset am Weg* ebd., S. 874, n. 30; 1386 *grafschafft zu Wazzenberchk*; *Hannsen dez Schifer diczeit puergraff zu Waesenberchk* ebd., n. 480; 1388 *in Wezzenberger herschaft* ebd., n. 618; 1388 *in Wessenberger herrschaft* ebd., n. 642; 1394 *gelegen ... in Wazzenberger gericht* OÖ. UB. XI, n. 303; 1398 C 17. Jh *herrschafft Wachsenburg* ebd., n. 790; 1398 *in der herschafft zu Wechssenperg ob der Enns yn Ostereich* ebd., n. 810; 1398 *in der herrschafft ze Wassenberch* ebd., n. 829; 1399 *in Wassenberger herschaft* ebd., n. 913; 1397 *in Waechsenweriger herschaft* OÖ. UB. XI, n. 646; *1426 *Wässenwerkch* Archiv 99, S. 787; *c. 1468 *Wäxn-*; *Wexnnberg* Czerny, Geschäftsleben, S. 631; 1499 C 1564 *Zu der Herrschafft Wechsenberg* Urb. Waxenberg, OÖLA, Starhemb. Urb., Hs. 200, f. 46; *c. 1510 *Waxenberkh* Taid. Wilh., f. 35; 1512 *Stewr in der Herrschaft Waxennberg* Urb. Waxenberg, HKA, NÖHA W 31/A, f. 21; 1523 *Waxenberg. Herrschaft ob der Enns Machland Viertl* HKA, NÖHA, W 31/A, f. 2; 1525 *das Sloß Waxenstain*; *Wechsenstain*; *Wachsenstain* ebd., f. 85; 1525 *vonwegen des Sloß wechsenstain* ebd., f. 87; c, 1540 *Die Paufelligkait des Sloß Wechssennberg belanngend* ebd., f. 106; *1544 *Wächsenburg* Urb. Lob., f. 48; *1569 *Wäxennberg, -burg* Aschpan, 170; 1601 *Herrschafft Waxenberg in Österreich ob der Enß gelegen* HKA, NÖHA, W 31/A, f. 4; 1614 *Herrschaft Waxenberg*; *Herschft Wechsenberg* ebd., f. 6; c. 1775

*Neu Waxenberg*; *Altes Schloß Alt Waxenberg* Jos. LA.; 1827 *Wachsenberg besteht als Ortschaft für sich aus 31 Häusern, 56 Wohnparteyen, und 231 Einwohnern auf einem hohen Berge*; *das alte Schloß Wachsenberg, welches im dreyzehnten Jahrhunderte auf einem sehr hohen Felsen gebaut, und 1756 durch einen Blitzstrahl in die Asche gelegt wurde*; *Neuwachsenberg entstand ... nach Einascherung des alten Schlosses* Pillwein I, S. 303f.

***E:*** Die ursprüngliche erste Burg der Wachsenberger wurde Anfang des 12. Jhs. im 10.1.13.4. Buchholz errichtet. Mit fortschreitender Rodung und Ausdehnung der Besitzungen wurde dann Ende des 12. Jhs. der Herrschaftssitz etwa 5 km nach Norden verlegt. Von dieser auf einem Bergkegel errichteten Burg blieb der im 15. Jh. erbaute, 30 m hohe Bergfried erhalten, während von dem 1756 durch Blitzschlag ausgebrannten Wohntrakt nur mehr wenige Mauerreste zeugen. Nachdem nach wechselvoller Besitzgeschichte die Burg 1553 in den Besitz der Geraer gelangt war, wurde zu Beginn des 17. Jhs. nordöstlich der Burg das sogenannte Alte Schloß mit der später zur Pfarrkirche umgebauten Schloßkapelle errichtet, das dann nach dem Brand von 1756 umgebaut und erweitert wurde. Schließlich kam es 1908 durch die Starhemberger zum Bau des sogenannten Neuen Schlosses, das jedoch nach dem Ersten Weltkrieg in ein Blindenheim umgewidmet wurde. Der Burgenname ist ein *-berg*-AN (siehe EB) mit dem Adjektiv mhd. *was/wässe/wahs/wähse* 'schneidend, scharf' (Lexer III, Sp. 700) im Sinne von 'aufragender, steiler Berg'. Da ma. nicht nur mhd. *ä* zu [*a*] geworden war, sondern auch der aus mhd. *î* entstandene Diphthong [*ai*] zu [*a*] monophthongiert wurde, kam es im 14. Jh. teilweise zur hyperkorrekten Schreibung ⟨*ei*⟩. Zur Erklärung der Schreibungen mit ⟨*rs*⟩ vgl. OÖ.ONB 7, 7.4.1.20. Warschenberg/Wartberg an der Krems.

***L:*** Schiffmann III, S. 470; Grabherr (1975), S. 150; Grabherr (1976), S. 353f.; Ulm, S. 229; März, S. 306; Dehio (2003), S. 534ff.).

10.2.1.23. ***Wögersdorf*** R 14–40 = ***Wögersdorf St. Veit/Pol. Bez. Rohrbach***

***D:*** *'wēgɒš,dǭįɒ*

***U:*** ? c. 1380 *ain gut vnder Weissemberg haizzet am Weg* OÖ. UB. X, S. 830, n. 292; ? c. 1385 *ein gut vnder Wasenberg haisset am Weg* ebd., S. 874, n. 30; c. 1775 *Wegersdorfer* Jos. LA.; *1787 *Wegersdorfer* Schütz; 1827 *Wegersdorf* Pillwein I, S. 301.

***E:*** Ursprünglich HN *Am Weg* mit Bezug auf die Lage an der Straße von 10.2.1.22. Waxenberg nach St. Veit, Pol. Bezirk Rohrbach, wobei von solchen Wohnstattnamen die FN *Wöger* und *Wögerbauer* und erweitert *Wögerer* und *Wöginger* abgeleitet werden. Ob ein Zusammenhang des späteren Namens *Wegersdorfer* mit dem in dieser Weise im 15. und 16. Jh. geschriebenen Namen von OÖ.ONB 11, 11.4.2.25. Wörgersdorf / Pregarten, Pol. Bez. Perg besteht, läßt sich nicht sagen. Es ist durchhaus möglich, daß bei Entstehung weiterer Höfe diese als „Dorf" zusammengefaßt wurden und sekundär mit dem Namen des Besitzers des ursprünglichen Hofes als *Wöger* der gefügte *-dorf*-BN (siehe EB) zustande kam, wobei ⟨*ö*⟩ die schriftliche Wiedergabe von geschlossenem [*ẹ̄*] verkörpert.

***L:*** –

## 10.2.2. Zwettl an der Rodl 344–1418

10.2.2.1. ***Innernschlag*** R 49–148

***D:*** *'ĩnɒn,šlǭg*

***U:*** 1499 *Im Innernslag* Urb. Lobenstein, OÖLA, Starhemb. Urb., Hs. 107, f. 7; *1544 *Innerschlag* Urb. Lob., f. 20, *1593 *Innernschlag* Jb. d. Mus. 57, S. 25; c. 1775 *Innern Schlag* Jos. LA.; 1827 *Innernschlag* Pillwein I, S. 318; 1857 *Innernschlag* Souvent.

***E:*** Gefügter *-schlag*-LN (siehe EB) mit dem Adjektiv mhd. *inner* 'inwendig, im Innern liegend' (Lexer I, Sp. 1440) mit Bezug auf die Lage innerhalb des Waldes rechts der Großen Rodl.

***L:*** Baumgartner, n. 667.

10.2.2.2. ***Langzwettl*** D 44–234

***D:*** *'lå̃ŋ,dswẹ̄(d)l*

***U:*** 1499 *Lanng Zwetl* Urb. Lobenstein, OÖLA, Starhemb. Urb., Hs. 107, f.; 1523 *in der Langen Zwetl*; *auf der Langen Zwetlinger grunt* OÖ. Weist. I, S. 213; *1593 *in der langen Zwetl* Archiv 94, S. 251; 17. Jh. *Lanngen Zwedlinger* OÖ. Weist. I, S. 213; c. 1775 *Langzwettl* Jos.

LA.; 1827 *Langenzwettel* Pillwein I, S. 318; 1857 *Langen Zwetl* Souvent.

***E:*** 10.2.2.8. *Zwettl* mit dem BW mhd. *lanc* (Lexer I, Sp. 1818) 'lang' mit Bezug auf die durch die Waldhufenanlage extrem langgestreckte Dorfform im Gegensatz zu 10.2.2.8. (Kurzen)zwettl an der Rodl, das trotz ursprünglicher Waldhufenanlage schon im 14. Jh. Marktcharakter mit zentralem Markt- und Kirchenplatz annahm.

***L:*** Fuchs, S. 69.

10.2.2.3. ***Lobenstein*** ZH 4–17 = 10.2.1.12. ***Lobenstein/Oberneukirchen***

10.2.2.4. ***Saumstraß*** R 45–239

***D:*** *'sā̃ũmšdrǫß*

***U:*** 1198 *antiqua via Savmstraze vulgariter appellata, quæ ducit versus Bohemiam* OÖ. UB. II, n. 316; 1212 *antiqua uia, que Saumwech, uersus boemiam directa* OÖ. UB. II, n. 375. c. 1380 *virzk zehent daz dritail gelegen in baiden Gengen vnd im Schefekk vnd auf der Savmstrazz* OÖ. UB. X, S. 796, n. 201; 1384 *daz tritaill gelegen in payden Gengen vnd im Scheffekk vnd auf der Sawmstrazz, der gelegen ist in Zwetlinger pharr vnd in Greymharczsteter pharr* OÖ. UB. X, n. 360; 1384 C 1641 *gelegen in peden Gengen und im Scheffeckh und auf der Saumstrass* ebd.; *1544 *die Sämerstraß* Urb. Wildbg., f. 152; 1571 *Wolf auf der Sambstraß* Urb. Waxenberg, HKA 1173, f. 202; 1591 *Wolf auf der Sambstraß* HKA, NÖHA G 46, f. 37; c. 1775 *In der Saum Straß* Jos. LA.; 1827 *Samstraß* Pillwein I, S. 318; 1857 *Saumstraß* Souvent.

***E:*** Wie bereits der erste ukdl. Beleg von 1198 zeigt, handelt es sich um den schon bei 10.1.14.12. Schiefegg genannten Handelsweg von der Donau über Gramastetten, das Tal der Großen Rodl und 10.2.2.8. Zwettl nach Böhmen bzw. umgekehrt. Das Kompositum bair.-mhd. *soumstrâzze* stswf. mit dem BW bair.-mhd. *soum* stm. 'Last eines Saumtieres' (Lexer II, Sp. 1060) ist appellativisch nicht belegt.

***L:*** Schwarz, S. 100; Schiffmann III, S. 396.

10.2.2.5. ***Schauerleithen*** 18–55

***D:*** *'šāu̯r'lāi̯(d)n*

***U:*** 1827 *Schauerschlag; Schauerleiten* Pillwein I, S. 318; 1857 *Schauerleiten* Souvent.

***E:*** Gereihter *-leiten*-BN (siehe EB) mit dem in 10.2.1.19. Schauerschlag enthaltenen BW, wobei als *Schauerleite* der Abfall von der hochgelegenen Rotte *Schauerschlag* zum *Schauerbach* bezeichnet wird.

***L:*** –

10.2.2.6. ***Schauerschlag*** R 21–86 = 10.2.1.19. ***Schauerschlag/Oberneukirchen***

10.2.2.7. ***Straß*** R 20–80

***D:*** *šdrǫß*

***U:*** 1381 *guet gelegen auf der Strazze in Zwetlinger pharre* OÖ. UB. X, n. 74; 1381 *guet gelegen auf der Strazze* ebd., n. 75; 1499 *Auf der Straß* Urb. Lobenstein, OÖLA, Starhemb. Urb., Hs. 107, f. 7; c. 1775 *Straß* Jos. LA.; 1827 *Straß* Pillwein I, S. 318.

***E:*** Von bair.-mhd. *strâzze* stswf. 'Straße' (Lexer II, Sp. 1226) mit Bezug auf die Straße von 10.2.2.8. Zwettl an der Rodl nach 10.2.1.14. Oberneukirchen, wo sich heute noch der seit dem 14. Jh. bezeugte Hof befindet.

***L:*** Schwarz, S. 103.

10.2.2.8. ***Zwettl an der Rodl*** Markt 143–659

***D:*** *'dswę̄(d)l*

***U:*** 1264 *et ecclesiam dictam Zwetlich; in ecclesia Zwetlich* OÖ. UB. III, n. 345; 1264 *ecclesie Zvetlik* ebd., n. 346; 1292 C 19. Jh. *et in Zwetelich* OÖ. UB. IV, n. 191; ?*1312 *Zwettl* Necr. Wilh., S. 119; c. 1343 *Item de decima in Zwetlich* OÖ. Stiftsurb. III, S. 402, n. 84; 1359 *pfarrchirichen dacz Zwetel* OÖ. UB. VII, n. 647; 1375 *in Zwetlinger pharr* OÖ. UB. VIII, n. 745; 1375 *in Zwetlinger ... pharr* ebd., n. 746; c. 1380 *vnd den markcht ze Zwetling; von dem egenanten markt ze Zwetling* OÖ. UB. X, S. 735, n. 34; 1381 *guet gelegen auf der Strazze in Zwetlinger pharre* OÖ. UB. X, n. 74; 1381 *dem heiligen gotzhaus unser Fraun datz Zwetling* ebd., n. 75; 1381 C 1641 *Chunrat der Steubel von der kurtzen Zwettl zechmaister dieses gotteshauses* ebd., n., 113; 1384 *gelegen ist in Zwetlinger pharr* OÖ. UB. X, n. 360; 1392 C 1596 *in Zwetlinger pfarr* OÖ. UB. XI, n. 96; 1396 *dem heiligen wirdigen goczhaws vnserr lieben Frawn in der chwrzen Zbetling; Chunigund gesesen in der chwrzen Zbetling* ebd., n. 256; *1401 *Hof datz dem Speysel in dem Schauerschlag ... in Zwetlinger Pfarr* Urk. Starh.

Eferd., OÖLA; *1419 *Jörg der Mosmüller, gesessen auf der Mosmül bei der Churtzen Zwethell ... stiften nach Zetll ihr Gut am Aigen* Urk. Starh. Eferd., OÖLA; *1428 *Veste Lobenstain samt Amt Zwettl* Urk. Starh. Eferd., OÖLA; *1481 C 1524 *Die fiersten freiung ... väht sich erstlich an bei der Zwedl miden auf dem stögg* OÖ. Weist. I, S. 243; 1499 *Markht Zwetl* Urb. Lobenstein, OÖLA, Starhemb. Urb., Hs. 107, f. 2; *1499 *die kurtz Zwetl* Strnadt, Erläut.2, S. 97; *1518 (1539) *Kurtzen Zwetl* Einl. Zwettl, f. 1; 1523 *Des markts in der Kuertzenzwetl ehaft täding; die rechten des markts hie in der Kuertzenzwetl; Was der markt Zwetl fur gerechtigkait innhelt; Der purkfrid des markts Kuertzenzwetl; durch obgenanten markt Zwetl; kainem burger der Zwetl; Ain ieder burger in der Kuertzen Zwetl* OÖ. Weist. I, S. 201; 203–205; 1571 *ain Vischwasser auf der Rettl ... vnnderhalb der Zwetl; biß an der Zwettlinger gründt* Urb. Waxenberg, HKA 1173, f. 12; 15; 1530 *meines markts Kurtzenzwetl* OÖ. Weist. I, S. 216;1596 *das gottshauß in der Zwettl* OÖ. UB. XI, n. 256; 1591 *Zwetlinger Pharr* HKA, NÖHA G 46, f. 36; 1609 *Bürger im Marckht Kurtzen Zwettl* OÖLA, MaA Zwettl, Bd. 16, n. 2a.; 1616 *Bürger ... Im Marckht Khurtzen Zwedl* ebd.; 1658 *Khuerzenzwetl* OÖ. Weist. I, S. 201; 203–205; 17. JhII *Kürtzenzwedtl; mark Zwedl; Zwedl; Khurzen Zwedl* OÖ. Weist. I, S. 201; 203–205; 1710 *Märkhten Zwetl vnnd Lohnfelden* HKA, NÖHA Z 17, f. 2; 1716 *Markht-flecken Zwettl und Lohnfelden* ebd., f. 1; c. 1775 *Zwettl* Jos. LA.; 1780 *Gemainde in Marckt Kurzen Zwetl* OÖLA, MaA Zwettl, Bd. 16, n. 2a.; 1827 *Zwettel, Zwettl, Zwetl, ein der Herrschaft Wildberg unterthäniger Markt in einem ziemlich tiefen Thale an der großen Rottel.* Pillwein I, S. 318; 1857 *Zwetl* Souvent.

***E:*** Slaw. **Světьlikъ* ‘Lichtung’ von slaw. *světьlь* ‘licht, hell’ in akslaw. *světьlъ*, slow. *svetel*, tschech. *světlý*; osorb., nsorb. *swětły* (Vasmer II, S. 591; Bezlaj III, S. 349f.; Schuster-Šewc III, S. 1387) als Rodungsname bei frühmhd. Integrierung als **Zwëtlich* mit mhd. *z* für stimmloses slaw. *s* und der Wiedergabe von slaw. *ě* mit offenem mhd. *ë*. Der eingedeutschte Name muß also schon länger bestanden haben, als 1264 Ulrich von Lobenstein die Kirche Maria Himmelfahrt gründete, um den Neusiedlern den weiten Weg in die Pfarrkirche von 10.1.7.19. Gramastetten zu ersparen. Diese Filialkirche erhielt zwar von Gramastetten einen Geistlichen, doch durften dort zunächst nur die Neusiedler betreut werden, während die Altsiedler nach wie vor nach Gramastetten eingepfarrt waren. Erst 1359 erfolgte die Verselbständigung als eigene Pfarre. Wie bei vielen eingedeutschten SN auf *-ich* wurde dieses Suffix in der zweiten Hälfte des 14. Jhs. zu unechtem *-ing* umgestaltet (siehe EB) und dann neues *Zwetling* in den ersten Jahrzehnten des 15. Jhs., vielleicht in Angleichung an *Zwettl* im niederösterr. Waldviertel, zu *Zwet(t)l* vereinfacht. Zur Unterscheidung von 10.2.2.2. *Lang(en)zwettl* wurde gleichzeitig *kurz* hinzugefügt, was *Kurzenzwettl* ergab und durch die schon in der zweiten Hälfte des 14. Jhs. erfolgte Umgestaltung zum Marktort mit zentralem Markt- und Kirchplatz ermöglicht wurde. Erst im beginnenden 19. Jh. wurde dieser Zusatz wieder fallen gelassen.

***L:*** Schwarz, S. 109; Schiffmann III, S. 505; Fuchs, S. 69.

## 10.2.3. Reichenau im Mühlkreis
227–811

10.2.3.1. ***Glashütten*** R 14–45

***D:*** *'glǭs,hitn*

***U:*** 1310 C 1495 *ain pachl im Glashütwaldt* OÖ. Weist. I, S. 223; 1499 *Steffel Zu Glashütten* Urb. Wildberg, OÖLA, Starhemb. Urb., Hs. 204, f. 6; *1544 *Glashütten* Urb. Lob., f. 45; c. 1775 *Glashütten* Jos. LA.; 1857 *Glashütten* Souvent.

***E:*** Von mhd. **glashütte* stf. (Lexer I, Sp. 1029) als früher Hinweis auf Glaserzeugung im Böhmerwald mit hier zu findendem Quarzsand, vgl. auch OÖ.ONB 11, 11.6.8.3. Glashütten/Liebenau.

***L:*** Schwarz, S. 87.

10.2.3.2. ***Habruck*** D 19–90

***D:*** *'hābruk*

***U:*** c. 1390 *ain gestifftes rewt gelegen ze Habruck* OÖ. UB. X, S. 884, n. 60; c. 1775 *Habruck* Jos. LA.; 1857 *Habruck* Souvent.

***E:*** Obwohl ukdl. Schreibungen teilweise mit OÖ. ONB 11, 11.5.6.4. Harruck / Hirschbach korrespondieren, unterscheiden sich die ma.

Aussprachen deutlich, so daß das hier anzutreffende [ā] des Erstgliedes nicht auf das dort eindeutig vorliegende mhd. *har, -wes* 'Flachs' (Lexer I, Sp. 1182) mit dem ma. relikthaften Vokalismus [ǭį] zurückgehen kann. Vielmehr liegt hier ein gereihter AN mit dem GW bair.-mhd. *rukke* stswm. 'Rücken' (Lexer II, Sp. 521f.) und dem Adjektiv mhd. *häre, -wes* 'herb' (Lexer I, Sp. 1183) vor, das als bair. *harb* [*hāb*] 'scharf' (Schmeller I, Sp. 1158f.) bedeutet und in der Verbindung *harber Weg* 'schwierig befahrbarer Weg' (WBÖ-S) vorkommt. Der Name bezieht sich hier auf den steilen Anstieg der Straße ab dem Bach vom Nachbarort 10.2.7.17. Langbruck her, an dem die ersten Höfe der Waldhufensiedlung liegen und der für Fuhrwerke sehr beschwerlich war.

***L:*** Schwarz, S. 89.

10.2.3.3. ***Höf*** R von Habruck 3–20

***D:*** *hēv*

***U:*** c. 1775 *Höff* Jos. LA.

***E:*** Siehe *-hof*-Namen im EB.

***L:*** –

10.2.3.4. ***Ramberg*** R 16–50

***D:*** *'rǭ(b)m,bę̄ɒg*

***U:*** 1310 C 1495 *Item Rabmperger pächl* OÖ. Weist. I, S. 223; *1525 *Ramperg* Urb. Reich; c. 1775 *Rabnberg* Jos. LA.; 1857 *Ramberg* Souvent.

***E:*** Gereihter *-berg*-LN (siehe EB) mit dem BW mhd. *rabe* 'Rabe' (Lexer II, Sp. 329). Da die Rotte unmittelbar nordwestlich von 10.2.3.5. Reichenau, dem Mittelpunkt der gleichnamigen Herrschaft liegt, könnte es sich um eine ehemalige Richtstätte handeln, da solche gerne als *Rabenberg* bezeichnet werden.

***L:*** Schiffmann III, S. 360; März, S. 218.

10.2.3.5. ***Reichenau im Mühlkreis*** Markt 146–497

***D:*** *,raįχɒ'nāų*

***U:*** 1209 *Salmannus de richenowe* OÖ. UB. II, n. 360, c. 1220 *In Richerawe inchoatur fluuius dictus Graspach, qui est interdicens terminus, et decurrit in fluuim, qui dicitur Gvsen.* OÖ. UB. I 481, n. 4; 1305 *an dem dorfe dacz Ottenslage ... vnd leit pei Reichenöe* OÖ. UB. IV, n. 531; 1310 C 1495 *die gerechtikait der herschaft Reichennaw; das frei aigen zu Reichennaw* OÖ. Weist. I, S. 220; 1359 *ze Reichenaw daz er von mir gechaufft hat* OÖ. UB. VII, n. 603; 1376 *pfleger zu Reichenaw* OÖ. UB. IX, n. 25; 1378 *dez pawz wegen ze Reychenaw* ebd., n. 381; 1383 *gesezzen ze Reichenaw* OÖ. UB. X, n. 225, 1389 *Nyclas der Sneyder von Reichenau* ebd., n. 752; 1391 *ab dem hoff pey Reichenaw* OÖ. UB. XI, n. 24; *15. Jh. *Wolfgangus plebanus in Reyhenaw* Necr. Wilh., S. 97; 1732 *Reichenau. Das in dem so genannten Machland=Viertel im Gebürg und Waldungen auf einer Anhöhe gelegene Schloß Reichenau haben ... eine abgestorbne alte gute Familiae erbauert/und sich davon geschriben ... Anfangs ihren Sitz und Gesäß in dem Dorf daselbsten Zu Reichenau gehabt / davon noch vor Jahren ein altes Gemäur unterhalb der Kirchen/ daselbsten auf dem Berg aber / wo jetzo das Schloß stehet/vorhin in dem Puechberg genant/ soll dem Bischoff Passau gehöriger Kasten gestanden seyn.* Hoheneck, Genealogie II, S. 595; c. 1775 *Reichenau; Schloß Reichenau* Jos. LA.; 1827 *Reichenau, ein Pfarrort, Markt und Schloß mit 65 Häusern. ... die Häuser sind, wie in Gebirgsgegenden überall, zerstreut.* Pillwein I, S. 381; 1857 *Reichenau* Souvent.

***E:*** Gefügter *-au*-AN (siehe EB) mit dem Adjektiv mhd. *rîch(e)* 'mächtig, gewaltig; kräftig, stark; groß; reich, reichlich; vornehm' (Lexer II, Sp. 416f.) im Sinne von 'große, weit ausgedehnte Au' mit Bezug auf die Lage an der Großen Gusen. Der Ort war Mittelpunkt der gleichnamigen Herrschaft. Die während des Zweiten Weltkrieges verfallende und seit 1985 sanierte mittelalterliche Burg befindet sich südwestlich des Talortes auf einem Berg und wurde wohl an Stelle einer Wehranlage des 13. Jhs. seit 1315 errichtet.

***L:*** Schiffmann III, S. 370; Grabherr (1975), S. 151; Grabherr (1976), S. 345f.; Ulm, S. 174; Dehio (2003), S. 651ff.

10.2.3.6. ***Zeil*** R 29–109

***D:*** *dsāį*

***U:*** 1310 C 1495 *Item, ain pächl zwischen des Greyl hoff an der Zeill* OÖ. Weist. I, S. 223; *1635 *Dorff an der Zeill* Urb. Starh., f. 450; c. 1775 *Zailing* Jos. LA.; 1857 *Zeil* Souvent.

***E:*** Von mhd. *zîl(e)* stf. 'Reihe, Zeile' (Lexer III, Sp.1113f.) mit Bezug auf die Waldhufenanlage entlang der Straße.

*L:* Schiffmann III, S. 500.

### 10.2.4. Haibach im Mühlkreis
173–556

10.2.4.1. ***Affenberg*** R 44–79

*D:* *ˌǫfm'bẹ̄ɒg*

*U:* *1525 *Acharnperg* Urb. Reich.; *1635 *Affenberg* Urb. Starh., f. 501; 1827 *Affenberg* Pillwein I, S. 380; 1857 *Affenberg* Souvent.

*E:* Ursprünglich gereihter *-berg*-LN (siehe EB) mit dem BW mhd. *ahorn* stm. 'Ahorn' (Lexer I, Sp. 30), der dann später volksetymologisch zum Spottnamen *Affenberg* umgestaltet wurde.

*L:* Schiffmann III, S. 14; März, S. 3.

10.2.4.2. ***Aigen*** E von Haibach im Mühlkreis 2–9

*D:* *ǭɒŋ*

*U:* c. 1775 *Agen* [sic!] Jos. LA.

*E:* Von mhd. *eigen* stn. 'ererbtes, freies, nicht abgabepflichtiges Grundstück' (Lexer I, Sp. 518).

*L:* Schwarz, S. 83.

10.2.4.3. ***Baumgarten*** R von Weignersdorf 16–50

*D:* *'bā̃ų̃ˌgǭɒ(d)n*

*U:* ? 1366 *auf den zwain guetern dacz Pawgarten ... gelegen ist in Helmeisöder pfarre* OÖ. UB. VIII, n. 271.

*E:* Von bair.-mhd. *poumgarte* swm. 'Baumgarten, Garten mit Obstbäumen' (Lexer I, Sp. 334f.).

*L:* Schwarz, S. 84.

10.2.4.4. ***Penzenmühle*** W von Affenberg 3–11

*D:* *ˌbẹ̄ntßm'mǖ*

*U:* ***1. Penzenmühle***: *1525 *Peczenmüllner*; *16. Jh. *Pezenmühl* Urb. Reich.; 1545 *Auff der Pennczenmüll* Urb. Riedegg, OÖLA, Starhemb. Urb., Hs. 142, f. 77; c. 1775 *Penzen M.* Jos. LA.; 1857 *Penzenmühl* Souvent.

***2. Penzenleitner:*** 1545 *Pennczenleuten* Urb. Riedegg, OÖLA, Starhemb. Urb., Hs. 142, f. 78; c. 1775 *Penzenleithner* Jos. LA.

*E:* Gereihtes Kompositum mit dem GW 'Mühle' (siehe EB) und dem bair.-ahd. PN *Penzo* (Förstemann I, Sp. 246), vgl. 1316 *Pentz von wessenwerch* OÖ. UB. V, n. 164 im nahen 10.2.1.22. Waxenberg. Die ehem. Mühle liegt an der Großen Gusen, das Bauernhaus auf dem abfallenden Hang (siehe *-leiten*-Namen im EB).

*L:* Schiffmann III, S. 52.

10.2.4.5. ***Brandstatt*** W von Haibach im Mühlkreis 3–13

*D:* *'brā̊ndˌšdǭd*

*U:* –

*E:* Von bair.-mhd. *prantstat* stf. 'Brandstätte' (Lexer I, Sp. 341; siehe *-statt*-Namen im EB).

*L:* Schwarz, S. 84.

10.2.4.6. ***Tiefmühle*** E von Affenberg 2–9

*D:* *'dāį̄vösˌmǖ*

*U:* *1565 *Teuffelsmüll* Urb. Freist., f. 225; *1590 *Teuflsmüll* Urb. Freist., f. 5; ca. 1825 *Teufels Mühle* Franz. Kat.

*E:* Gereihtes Kompositum mit dem GW 'Mühle' (siehe EB) und dem BW mhd. *tûvel* stm. 'Teufel' (Lexer II, Sp. 1448f.). Die ehem. Mühle liegt an einem linken Seitenbach der Großen Gusen in der Einsamkeit, was Anlaß zur ursprünglichen Bezeichnung als unheimlicher Ort gewesen sein wird. Das später tabuisierte GW wurde in der amtl. Form volksetymologisch durch *tief* ersetzt.

*L:* –

10.2.4.7. ***Edlau*** E von Kaindorf 2–9

*D:* *ˌē(d)'lāų*

*U:* –

*E:* Gereihter *-au*-AN oder *-ahi*-AN (siehe EB) mit mhd. *erle* swf. 'Erle' (Lexer I, Sp. 647).

*L:* Schwarz, S. 85.

10.2.4.8. ***Fuchsöd*** Hf von Wirth 1–4

*D:* *dɒ ˌvukßn'ẹ̄dɒ*

*U:* c. 1343 *Item Fuchsöder* OÖ. Stiftsurb. III, S. 396, n. 10; 1354 *Item de Fuchsöd* 409, n. 10; 1590 *Sigmund Fux im Stainach* Urb. Freistadt, HKA 1159, f. 219; 1857 *Fuxeneder* Souvent.

*E:* Gereihter oder gefügter *-öd*-BN (siehe EB) mit dem FN *Fuchs* von mhd. *vuhs* stm. 'Fuchs' (Lexer III, Sp. 558; Brechenmacher I, S. 516, Kohlheim, S. 258).

*L:* Schwarz, S. 87; Reutner, S. 173.

10.2.4.9. ***Gänsbach*** ZH von Haibach im Mühlkreis 2–11

***D:*** *'gę̄nsbǭ*

***U:*** Gewässer: *1525 *Genspach* Urb. Reich.

***E:*** Gereihter *-bach*-Name (siehe EB) mit dem Nom. Plur. von mhd. *gans* 'Gans' (Lexer I, Sp. 736). Der GewN tritt in 10.2.8.6. Königschlag/Schenkenfelden als FN auf: 1499 *Hanns Gennspeckh*; *Thoman Gennspawr*; *Matheus Gennspeck* Urb. Freistadt, OÖLA, HA Freist., f. 186ff.

***L:*** Bito, S. 103.

10.2.4.10. ***Gusen*** E von Haibach im Mühlkreis 2–13 = R von Affenberg 4–13 = ZH von Kaindorf 2–7

***D:*** *'gūsn*

***U:*** *1590 *Paur in der Gußen* Urb. Freist., f. 219; 1857 HN *Gusenbauer*; GewN *Gusenbach* Souvent.

***E:*** Die westliche *Große* und die östliche *Kleine Gusen* vereinigen sich in 11.1.5.3. Breitenbruck und münden als *Gusen* südlich von 11.1.2.7. St. Georgen an der Gusen in die Donau. Der Name (siehe OÖ. ONB 11, 11.1.3.2. Gusen/Langenstein) ist wahrscheinlich germanischer Herkunft als germ. **Gusunō* von idg. **gheus-/ghus-* 'gießen' (Pokorny 1959, S. 447f.) in ahd. *gussi* stn. 'Guß, Flut, Überschwemmung', mhd. *güsse* stf. 'hervorbrechendes Wasser, Guß, Schwall, Überschwemmung' (Lexer I, Sp. 1127), zumal im oberen und mittleren Mühlviertel auch die Gewässernamen *Mühl*, *Rodel* und 11.4.1.8. *Visnitz*, auf frühe Anwesenheit von Germanen verweisen.

***L:*** Schwarz, S. 36f.; Wiesinger (1980), S. 276.

10.2.4.11. ***Haibach im Mühlkreis*** R 30–128

***D:*** *'hǭɒbǭ*

***U:*** 1356 *vnser hueb gelegen ze Haichenpach in Gallennevnchiricher pharr* OÖ. UB. VII, n. 439; 1545 *Auff des Hännsl Jm Haypach Guetl* Urb. Riedegg, OÖLA, Starhemb. Urb., Hs. 142, f. 72; 1590 *Sebastian Oberpaur Zu Haipach* Urb. Freistadt, HKA 1159, f. 219; c. 1775 *Hadbach* (Zufluß der Gusen) Jos. LA.; 1827 *Haibach* Pillwein I, S. 380; 1857 *Haibach* Souvent.

***E:*** Gefügter *-bach*-BN (siehe EB) mit dem ahd. PN *Heicho* (Förstemann I, Sp. 722; Kaufmann, S. 164), mit ma. Schwund von *-ch-*, so daß das für *-en* nach *-ch* eingetretene ma. *-ɒ-* mit der zweiten Diphthongkomponente zusammenfiel.

***L:*** Schwarz, S. 89; Schiffmann III, S. 211; Bito, S. 113f.

10.2.4.12. ***Kaindorf*** R 23–88

***D:*** *'khǭ̃ɒ̃dǭɒɒ*

***U:*** *1416 *Kunzendorf* Archiv 104, S. 353; *1441 *Kuendorf* Reg. Starh., f. 3; *1499 *Kuendorf* Archiv 104, S. 407; *1525 *Kaindarff* Urb. Reich.; *1565 *Khüendorff* Urb. Freist., f. 67, 209; *1590 *Khain-*; *Khiendorf* Archiv 104, S. 427; c. 1775 *Kandorf* Jos. LA.; 1827 *Kaindorf* Pillwein I, S. 380; 1857 *Kaindorf* Souvent.

***E:*** Gefügter *-dorf*-BN (siehe EB) mit dem ahd. PN *Kuono* (Förstemann I, Sp. 372), bzw. dessen Koseform *Kuonzo*. Zu den Schreibungen vgl. 10.2.4.13. Kainedt.

***L:*** Schwarz, S. 91.

10.2.4.13. ***Kainedt*** Hf von Affenberg 1–6

***D:*** *,khǭ̃ɒ̃'nę̄d*

***U:*** *16. Jh. *Khainedt* Urb. Reich.; 1545 *Auff der Khainödt* Urb. Riedegg, OÖLA, Starhemb. Urb., Hs. 142, f. 78; 1857 *Kaineder* Souvent.

***E:*** Gefügter *-öd*-BN (siehe EB) mit dem ahd. PN *Kuono* (Förstemann I, Sp. 372). Da mhd. *ei* und mhd. *uo* vor Nasal ma. zusammenfallen, kann es zur hyperkorrekten Schreibung des PN als *Kain* kommen.

***L:*** Schwarz, S. 91; Reutner, S. 200.

10.2.4.14. ***Karlsberger*** W von Kaindorf 3–7

***D:*** *'khǭɒ(d)ls,bę̄ɒg*

***U:*** *1481 *Karlsberg* Urb. Steyreck; 1545 *Auff dem Kharlsberg* Urb. Riedegg, OÖLA, Starhemb. Urb., Hs. 142, f. 72; 1590 *Hanns Kharls-Perger* Urb. Freistadt, HKA 1159, f. 219; c. 1775 *Karlsberger* Jos. LA.; 1857 *Karlsberger* Souvent.

***E:*** Gefügter *-berg*-BN (siehe EB) mit dem ahd. PN *Karl* (Förstemann I, Sp. 359) als HN.

***L:*** –

10.2.4.15. ***Matzelsdorf*** Hf 1–3 = 10.1.18.21. ***Matzelsdorf/Alberndorf***

10.2.4.16. ***Mistelbach*** E von Affenberg 2–12

***D:*** *'mißtl,bǭ*

*U:* 1545 *Zw Hinder Misstlpach* Urb. Riedegg, OÖLA, Starhemb. Urb., Hs. 142, f. 78; 1857 *Mistelbach* Souvent.

*E:* Gereihter -*bach*-Name (siehe EB) mit dem BW mhd. *mistel* stm. 'Mistel' (Lexer I, Sp. 2177) im Sinne von 'Bach, dessen Ufer von Bäumen mit Misteln gesäumt sind'.

*L:* Schwarz, S. 95; Bito, S. 157.

10.2.4.17. ***Renning*** R von Kaindorf 5–16

*D:* 'rę̄nįŋ

*U:* *1441 *Rening* Reg. Starh., f. 3; 1545 *Wolffganng Zw Rening* Urb. Riedegg, OÖLA, Starhemb. Urb., Hs. 142, f. 41, 73; 1590 *Veith zu Rening, Hanns Zu Hinderreining* Urb. Freistadt, HKA 1159, f. 219; c. 1775 *Rening* Jos. LA.

*E:* Den Ausgang dieses ursprünglichen HN bildet der FN *Renn*, vgl. *Renn*, Bhs. im 10.1.8.8. Haselgraben: 1417 *dacz dem Renn*, wahrscheinlich eine Kurzform des PN *Rennert* als Verschleifung von *Reinhart* aus *Reginhart* (Förstemann, I, Sp. 1230f.; Kohlheim, S. 537). Von dem gekürzten PN bzw. FN *Renn* wurde der HN **Renninger* gebildet, der zum unechten -*ing*-Namen (siehe EB) *Renning* rückverkürzt wurde.

*L:* Kouril, n. 1953.

10.2.4.18. ***Weideder*** Hf von Kaindorf 1–6

*D:* dɒ 'wā̃įd,ę̄dɒ

*U:* *1544 *Weirat*-; *Weitatödt* Urb. Wildbg., f. 114, 155; 1545 *bey dem Weiratöder* Urb. Riedegg, OÖLA, Starhemb. Urb., Hs. 142, f. 72; *1590 *Weitatödt* Urb. Freist., f. 219; *1635 *Hannß Eder im Weida*; *Weiradeter* Urb. Starh., f. 241, 476; *1696 *Weitöederguett* Urb. Wildbg. F. 266; c. 1775 *Weith Eder* Jos. LA.; 1857 *Wieteneder* Souvent.

*E:* Gereihter -*öd*-LN (siehe EB) mit dem Kollektiv mhd. *wîdach* stn. 'Weidengebüsch' zu mhd. *wîde* swf. 'Weide' (siehe -*ahi*-Namen im EB), wobei die ukdl. Schreibungen teilweise Rhotazismus von -*d*- zu -*r*- aufweisen.

*L:* Reutner, S. 275.

10.2.4.19. ***Weignersdorf*** R 17–38 = 10.1.17.11. ***Weignersdorf/Hellmonsödt***

10.2.4.20. ***Weißengrub*** E von Haibach im Mühlkreis 2–12

*D:* 'waįßn,grūɒb

*U:* 1381 *zu Weissengrub in der phar ze Galleneunchirchen* OÖ. UB. X, n. 106; 1398 *unser aygen daselbs cze Weizzengrueb in Galnewnchiricher pharr* OÖ. UB. XI, n. 807; 1441 *Jorg in der weissengrub* Urb. Riedegg, OÖLA, Starhenb. Urb., Hs. 141; 1499, *1590 *Weissengrueb* Archiv 104, S. 351, 407, 427; c. 1775 *Weisengrub* Jos. LA.; 1857 *Weißgrub* Souvent.

*E:* AN mit dem GW mhd. *gruobe* stswf. 'Grube, Vertiefung; Steinbruch' (Lexer I, Sp. 1104f.) mit mhd. *wîz* 'weiß' (Lexer I, Sp. 937) mit Bezug wohl auf einen Granitsteinbruch.

*L:* –

10.2.4.21. ***Wirth*** R 5–12

*D:* wīɒd

*U:* *1696 *in der Wieth* Urb. Wildbg., f. 328; c. 1775 *in der Wirth* Jos. LA.; 1857 *Wirth* Souvent.

*E:* FN *Wirt* von mhd. *wirt* stm. 'Inhaber eines Wirtshauses, Gastwirt' (Lexer III, Sp. 932f.; Brechenmacher II, S. 821; Kohlheim, S. 723).

*L:* Schwarz, S. 108.

## 10.2.5. Ottenschlag im Mühlkreis 113–446

10.2.5.1. ***Brunnfeld*** R von Ottenschlag 3–12, Hf von Rohrbach 1–4

*D:* 'brũnvǭ

*U:* 1857 *Stadler in Brunfeld* Souvent.

*E:* Ursprünglicher FlN mit dem GW mhd. *vëlt* stn. 'ebene Fläche, Feld' (Lexer III, Sp. 57f.) und dem BW bair.-mhd. *prunne* swm. 'Quelle, Brunnen' (Lexer I, Sp. 366) im Sinne von 'ebenes Gebiet, in dem Quellen entspringen' oder 'Feld bei einem Brunnen'.

*L:* Schwarz, S. 84.

10.2.5.2. ***Eggerling*** R von Wintersdorf 45–165

*D:* 'ēkɒlįn

*U:* –

*E:* Ursprünglicher HN mit dem FN *Eggerl*, *Eckerl* als Diminutiv vom bair.-ahd. PN *Ekkihart* / mhd. *Ekk(e)hart* (Brechenmacher I, S. 376; Kohlheim, S. 206). Von diesem PN bzw. FN erfolgte die Bildung des HN mit der Ableitung -*inger*, die zum unechten -*ing*-Namen (siehe EB) rückverkürzt wurde, vgl. 10.2.4.17. Renning / Haibach im Mühlkreis.

*L:* Schwarz, S. 85; Kouril, n. 332.

10.2.5.3. ***Hadersdorf*** Hf 1–1 =10.1.18.11. ***Hadersdorf/ Alberndorf***

10.2.5.4. ***Haid*** R von Wintersdorf 7–18

*D:* *hǭɒd*

*U:* 1857 *Gr.*; *Kl. Haider* Souvent.

*E:* FlN mhd. *heide* 'ödes, unangebautes, mit Heidekraut und Gestrüpp bewachsenes Land' (Lexer I, Sp. 1207), wovon die beiden HN *Haider* gebildet worden sind.

*L:* Schwarz, S. 89.

10.2.5.5. ***Helmetzedt*** R 11–42

*D:* *ˌhę̄mɒ'dsę̄d*

*U:* *1395 *Hermansöd* LB. Albr. IV., f. 33; *1415 *Hermansöd* Archiv 104, S. 621; c. 1426 *Helmansöd* Archiv 104, S. 621; *1441 *Hermansöd* LBr., f. 6; 1443–1480 *Item fünff guter Zu hermansöd* Lf. Lb., NÖLA, NÖ. Regierung 17, Hs. 4, f. 182; 1544 *Hermansödt* Urb. Wildbg., f. 136; c. 1775 *Helbetsed* Jos. LA.; 1857 *Helmetsödt* Souvent.

*E:* Gefügter *-öd*-BN (siehe EB) mit dem ahd. PN *Her(i)man* (Förstemann I, Sp. 774). Obwohl die ma. Aussprache bis heute auf *r* zurückgeht, zeigen urkdl. Belege und die amtliche Schreibung den Liquidenwechsel von *r* zu *l*.

*L:* Schiffmann III, S. 228; Reutner, S. 190f.

10.2.5.6. ***Herndlsberg*** R von Rohrbach 2–8

*D:* *'hę̄ɒndls,bę̄ɒg*

*U:* *1525 *Hornlasperg* Urb. Reich.; *1635 *Hörleinsperg* Urb. Starh., f. 460.

*E:* Gefügter *-berg*-BN (siehe EB) mit dem diminuierten FN *Hörndl* von mhd. *horn* stn. 'Horn' (Lexer I, Sp. 1340f.) entweder von einem FlN zur Bezeichnung einer vorspringenden Gelände- oder Bergformation oder von einem Hauszeichen (Brechenmacher I, S. 741f; Kohlheim, S. 335) als bair.-mhd. **ze Hörnlînesperge*.

*L:* –

10.2.5.7. ***Ottenschlag im Mühlkreis*** D 30–117

*D:* *'otn,šlǭg*

*U:* *13. Jh. *Item Ottinslag* Urb. Pass. I, S. 114; c. 1270 *Item de decima in Liehtenstein*; *Hirzpach, Ottenslage* Lf. Urb., S. 144, n. 50; 1277 C *in villa Ottenslage ... a viridi nemore fundauitez in feodo a Principe friderico pie recordationis scilicet jllustrissimo duce Austrie ad triginta annos et amplius villam cum omni iure prenotatam* OÖ. UB. III, n. 516; 1305 *an dem dorfe dacz Ottenslage, daz da leit in Schenchenuelder pharre vnd leit pei Reichenoͤe* OÖ. UB. IV, n. 531; 1340 *in dem Dorf ze Ottenslag* OÖ. UB. VI, n. 352; c. 1380 *ain dorf genant Ottenslag* OÖ. UB. X, S. 735, n. 34; *1434 *Dorf genannt Ottenschlag* Urk. Starh. Eferd., OÖLA; 1443–1480 *das dorf Ottenslag* Lf. Lb., NÖLA, NÖ. Regierung 17, Hs. 4, f. 182; 1590 *Ottenschlag* Urb. Freistadt, HKA 1159, f. 5; c. 1775 *Ottenschlag* Jos. LA.; 1827 *Ottenschlag ... ist ein Dorf mit 34 Häusern, 48 Wohnparteyen, und 216 Einwohnern 3/4 Stunden nordöstlich von Reichenau.* Pillwein I, S. 380; 1857 *Ottenschlag* Souvent.

*E:* Gereihter *-schlag*-BN (siehe EB) mit dem ahd. PN *Otto* aus *Ôto* (Förstemann I, Sp. 187) ohne Restumlaut durch das Genitivflexiv.

*L:* Schwarz, S. 96; Schiffmann III, S. 358; Baumgartner, n. 559.

10.2.5.8. ***Rohrbach*** R 19–91

*D:* *'rǭi̯wɒ*

*U:* 1827 *Rohrbach* Pillwein I, S. 380; 1857 *Rohrbach* Souvent.

*E:* Gereihter *-bach*-LN (siehe EB) mit dem BW mhd. *rôr* stn. 'Rohr' (Lexer II, Sp. 486), im Sinne von 'Bach, der von Schilf und Sumpfgräsern gesäumt ist'.

*L:* Schwarz, S. 100; Bito, S, 208.

10.2.5.9. ***Überländ*** Hf von Ottenschlag 1–1

*D:* *'īwɒ,lę̄nd*

*U:* 1857 *Überländholz* Souvent.

*E:* Von mhd. *überlende* stn. 'nicht bestiftetes Gut, Feld' (Lexer II, Sp. 1639). Darunter versteht man ein kleines, meist lediges Grundstück oder Haus, das durch Kauf oder Erbschaft zu einem anderen Gut hinzugekommen ist.

*L:* Schwarz, S. 105; Schiffmann III, S. 459.

10.2.5.10. ***Wintersdorf*** D 27–92

*D:* *'wĩ̄nɒš,dǭɒv*

*U:* c. 1230 *Windischmarc*; *De ôde in Windischmarc*; *Item in Windischmarc*; *De ôde in Windischmarcht*; *Item in Windischmarcht*; c. 1270 *Item de villa Windischmarcht* Lf. Urb. 102,

n. 92; 151, n. 136; 1356 *vnd ... Windischendorf* OÖ. UB. VII, n. 456; 1310 C 1495 *biß gen Wymertorf* OÖ. Weist. I, S. 222; *1417 *Windischendorf* LB. Schaunbg. A, f. 14; *1481 *Winderstorff* Urb. Steyreck; *1499 *Windischendorf* Archiv 104, S. 507; 1512 *Winderstorf* Urb. Steyregg OÖLA, HA Steyregg, Hs. 3, f. 115; *1525 *Winestorff* Urb. Reich.; 1545 *Zw Wynnerstorf* Urb. Riedegg, OÖLA, Starhemb. Urb., Hs. 142, f. 120; *1565 *Windisch-*; *Winersdorff* Urb. Freist, f. 185, 231; 1590 *Windischdorffer Geiaidt* Urb. Freistadt, HKA 1159, f. 5; c. 1775 *Winersdorf*; *Winersdorfer Berge* Jos. LA.; *1787 *Winersdorf* Schütz; 1827 *Wintersdorf* Pillwein I, S. 380; 1857 *Wintersdorf* Souvent.

***E:*** Kompositum mit dem GW bair.-mhd. *march* stf. 'Grenze, Grenzland' (Lexer I, Sp. 2048; Schmeller I, Sp. 1643f.) und dem Adjektiv mhd. *windisch* 'slawisch' (Lexer III, Sp. 901f.). Der Name stammt aus der Zeit der Rodung des 12. Jhs., als man diese in der Herrschaft Reichenau in die Waldgebiete zu beiden Seiten der Großen Gusen vorantrieb und im Osten auf das schon lange slawisch besiedelte Gebiet von OÖ.ONB 11, 11.5.1.20. Lamm, Gem. Neumarkt im Mühlkreis stieß, so daß hier das 'Grenzgebiet gegen die Winden/Slawen' entstand. Um die Mitte des 14. Jhs. wurde dann die sicher von Beginn an deutsche Ansiedlung gefügt als (*ze*) *Windischendorf* benannt, was als Klammerform *Windischen[march]dorf* im Sinne von 'Dorf im slawischen Grenzgebiet' zu verstehen ist, wobei der ursprüngliche Name zwar weiterlebt, aber zu dieser Zeit in der Gegend nicht mehr mit ansässigen Slawen zu rechnen ist. Aus der abgeschwächten Aussprache *['*wĩ̄ndɒš,dǭi̯v*] resultiert die als phonetische Direktanzeige zu verstehende Schreibung ⟨*Winderstorf* ⟩ des ausgehenden 15. Jhs., die bei Assimilierung von [*nd*] zu [*n*] im 16. Jh. schließlich zur Schreibung ⟨*Win(n)erstorf*⟩ führte. Erst in franzisceischer Zeit des 19. Jhs. wurde der nicht mehr verstandene SN volksetymologisch in geschriebenes ⟨*Wintersdorf* ⟩ umgestaltet, während die assimilierte ma. Aussprache *['*wĩ̄nɒš,dǭi̯v*], allerdings mit Ersatz von älterem * [*ǭi̯*] durch umgangssprachliches [*ǭɒ*], weiterbesteht.

***L:*** Schiffmann III, S. 490; Böhm, S. 352.

10.2.5.11. ***Zollerberg*** R von Wintersdorf 3–22

***D:*** *,sǭi̯-ɒ'bę̄ɒg*

***U:*** –

***E:*** Nach der ma. Aussprache **Salenberg*, ein gereihter *-berg*-LN (siehe EB) mit dem Nom. plur. von mhd. *salhe* swf. 'Salweide' (Lexer II, Sp. 583) im Sinne von 'Berg, wo Salweiden wachsen'. Möglicherweise hieß der unterhalb vorbeifließende Bach ursprünglich **Salenbach* im Sinne von Bach, an dessen Ufern Salweiden stehen', so daß es sich um die Klammerform **Salen[bach]berg* handeln dürfte. Die amtl. Schreibung mit ⟨*er*⟩ basiert auf der lautlichen Identität von ma. [*ɒ*] für *-en* nach geschwundenem *-ch* und für *-er*, das anlautende ⟨*Z*⟩ dürfte auf die früher gebrauchte Präposition *z'* aus *ze* 'zu' zurückgehen, sollte nicht volksetymologische Umdeutung des unverstandenen Namens zu *Zoll* vorliegen.

***L:*** März, S. 328.

## 10.2.6. Vorderweißenbach 501–2124

10.2.6.1. ***Altenschlag*** ZH 9–30 = ***Altenschlag/Gem. Afiesl und Helfenberg/Pol. Bez. Rohrbach***

***D:*** *,ǭi̯(d)n'šlǭg*

***U:*** *1455 *in dem Altenslag in Helffenbergerpfarr* Nbl. 1854, S. 117, n. 90; 1499 C 1564 *Pinter im Altnschlag* Urb. Waxenberg, OÖLA, Starhemb. Urb., Hs. 200, f. 23; 1512 *Im altnschlag* Urb. Waxenberg, HKA, NÖHA W 31/A, f. 38; *1659 *Altschlag* Heider, Helfenberg, T., S. 1; *1673 *Altenschlag* ebd., S. 14; *1679 *Hofwirt zu Altenschlag* ebd., o. S.; 1812 *Altenschlag et Turnerschlag* Franz. LA.; 1857 *Altenschlag* Souvent.

***E:*** Gefügter *-schlag*-AN (siehe EB) mit dem BW mhd. *alt* adj. 'alt' (Lexer I, Sp. 43) im Sinne von 'ein alter Schlag, gegenüber einem neueren'. Mit dem 'neuen Schlag' ist wohl Neuschlag/Gem. Afiesl und Helfenberg/Pol. Bez. Rohrbach (1603 *Newschlag* Urb. Helfenberg, OÖLA, LAFR 87) gemeint.

***L:*** Schiffmann III, S. 23; Baumgartner, n. 609; Wiesinger (1980), S. 196.

10.2.6.2. ***Amesberg*** ZH 12–43

***D:*** *'ą̄̃mɒs,bę̄ɒg*

*U:* 1857 *Amesberg* Souvent.

*E:* Gefügter *-berg*-Name (siehe EB) wohl mit dem Erstglied des benachbarten SN 10.2.6.3. Amesschlag.

*L:* März, S. 13.

10.2.6.3. ***Amesschlag*** D 31–124

*D:* 'ẫmɒš,šlǭg

*U:* 1356 *jm Amanslag* OÖ. UB. VII, n. 457; *1435 *Amanslag* GB. Leonf., f. 22; *1455 *das Dörfl im Amanslag* Nbl. IV, S. 117, n. 90; 1499 C 1564 *Zu Amanslag; Wolffganng Ambtman im Amanslag* Urb. Waxenberg, OÖLA, Starhemb. Urb., Hs. 200, f. 12; 1512 *Amans[l]ag* HKA, NÖHA L 25, f. 31; 1571 *Amasschlag* Urb. Waxenberg, HKA 1173, f. 123; 1575 *Amasschlag Ambt* Anschlag Waxenberg, HKA, NÖHA, W 31/A, f. 463; *1618 *Amesschlag* Urb. Leonf., f. 19; *1700 *Amasschlag* Urb. Oberneuk., f. 84; c. 1775 *Omeis Schlag* Jos. LA.; 1857 *Amesschlag* Souvent.

*E:* Siehe 10.2.1.1. Amesschlag/Oberneukirchen.

*L:* Schwarz, S. 83.

10.2.6.4. ***Bernhardschlag*** D 35–231

*D:* 'bę̄nɒd,šlǭg

*U:* 1356 *jm Wernhartzslag* OÖ. UB. VII, n. 457; 1499 C 1564 *Zu Wernhartslag* Urb. Waxenberg, OÖLA, Starhemb. Urb., Hs. 200, f. 17; *1526 (1656) *Wörn-; Wierhartschlag* Einl. Ober-Weißenb. f. 1; 1571 *Wernhartschlag* Urb. Waxenberg, HKA 1173, f. 203; 1591 *Wernnhartschlag, Weissenpacher Pharr* HKA, NÖHA G 46, f. 42; c. 1775 *Wenhards Schlag* [sic!] Jos. LA.; 1827 *Bernhartschlag* Pillwein I, S. 305; 1857 *Bernhardschlag* Souvent.

*E:* Gefügter *-schlag*-BN (siehe EB) mit dem ahd. PN *Wernhart* (Förstemann I, Sp. 1544), der im 19. Jh. zum bekannten, ähnlich lautenden PN *Bernhard* umgedeutet wurde.

*L:* Schwarz, S. 84; Schiffmann III, S. 56; Baumgartner, n. 571.

10.2.6.5. ***Brunnwald*** ZH 18–52; ***Brunnwaldhäuseln*** ZH von Brunnwald; ***Schloß Brunnwald*** Schl von Brunnwald; ***Mitterbrunnwald*** ZH 20–79; ***Oberbrunnwald*** R 18–82 = 10.2.1.2. ***Brunnwald, Ober-; Unter-*** /***Oberneukirchen*** = ***Brunnwald, Ober-***/Pol. Bez. Rohrbach

*D:* 'brūnwǭịd

*U:* 1435 *wer ain Prunwaldt holz slachen wolt* OÖ. Weist. I, S. 179; 1499 C 1564 *Peter Amtmann im Weissenpach hat den halben Prunnwald; beim heilligen Prunn* Urb. Waxenberg, OÖLA, Starhemb. Urb., Hs. 200, f. 44; 48; 1512 *wer am prunnwald Holtzslagen wolt* HKA, NÖHA L 25, f. 47; 1571 *Der Prunwaldt hebt sich an bey des Schallenberger waldt am draperg, beim Prunn an vnnd geet in Wernharttschlag, neben dem waldt die Wagnerin genannt, so ... Volgundt nach der Wernharttschleger gründt, auf die Haidt, vonn dannen auf der diettrichschleger Gemain vnd an Schenauer gemain, ann Stainpach, demselben Stain Pach nach, biß auf denn Praunschmidthamer im Walchschlag, vonn demselben dem distlpach nach biß Zu dem Pintl in draperg, nach dem Draperg hinauf, biß Zum Schallenberger waldt wider an Prun, ist bei ainer vietlmeill lang vnnd aines Stachelluß praitt.; Am Prunwaldt; Mertt in der Au am Prunwaldt, hatt ainen Innfang, darauf ain Heusl gesetzt ist; Wolf HaisPerger hat ainen Innfanng am Prunnwaldt ... darauf er ain Heusl gesetzt; das Zimmerholtz aus dem Prunnwaldt* Urb. Waxenberg, HKA 1173, f. 4; 146; 224; 1575 *Prun Waldt. Item mer ain Wald genanndt der Prunnwaldt, bei ainer gueten halben Meill vom Schloß Ligundt. Ist bej ainer gueten halben Meill wegs Lanng vnnd 6 tagwerch praith: Hat auch schönes groß gewaxne Tennene, vnnd feichtne, Zimer vnnd annders Holtz, mit Lustigen Prunnen vnnd Pächln durch fliessendt, darinne Allain Rot vnnd Schwarz wildt Pradt ist.* Anschlag Waxenberg, HKA, NÖHA, W 31/A, f. 447; *1640 *Brunnwald* JB. d. Mus. 57, S. 10; c. 1775 *Brunwald*; in der Mitte des Waldes, am westl. Rand einer Lichtung findet sich: *Heil. Brun; Obern Brun Wald Häuser; Mittern Prunnwald* Jos. LA.; 1812 *Brunnwald; Ober et Mitter, Unterbrunnwald* Franz. LA.; 1827 *Unterbrunnwald oder Aussernbrunnwald; Die Pfarre Traberg besteht aus acht Ortschaften : Ahorn, Großtraberg, Kleintraberg, Lichtmeßberg, Mitterbrunnwald, Oberbrunnwald, Obertraberg und Oberwaldschlag* Pillwein I, S. 300–301; 1857 *Brunwald* Souvent.

*E:* Gefügter *-wald*-LN (siehe EB) und dem BW bair.-mhd. *prunne* swm. 'Quelle, Brunnen' (Lexer I, Sp. 366), im Sinne von 'Wald, in dem eine Quelle entspringt'. Im Brunnwald, einem ausgedehnten Waldgebiet, ist 1499 und ca. 1775 im Kontext ein 'heiliger Brunnen' genannt. 1575 findet sich die Angabe, daß der Wald von *Lustigen Prunnen vnnd Pächln* durchflossen sei. Das *Schloß Brunnwald* wurde 1724–27 als barockes Jagdschloß von den Starhembergern erbaut.

***L:*** Schwarz, S. 85; Schiffmann III, S. 90; Grabherr (1975), S. 152; Grabherr (1976), S. 331f.; Dehio (2003), S. 912.

10.2.6.6. ***Eberhardschlag*** D 10–53

***D:*** *'ēwɒhǭɒd,šlǭg*

***U:*** 1356 *jm Eberhartslag* OÖ. UB. VII, n. 457; *1435 *Eberhartschlag* GB. Leonf., f. 19; 1499 C 1564 *Zu Eberhartslag* Urb. Waxenberg, OÖLA, Starhemb. Urb., Hs. 200, f. 14; 1512 *Eberhartslag* HKA, NÖHA L 25, f. 30; 1512 *Eberhartslag* Urb. Waxenberg, HKA, NÖHA W 31/A, f. 31; 1571 *Eberhartschlag* Urb. Waxenberg, HKA 1173, f. 160; *1618 *Eberttschlag* Urb. Leonf., f. 53; c. 1775 *Eberhards Schlag* Jos. LA.; 1827 *Eberhartschlag* Pillwein I, S. 305; 1857 *Eberhartschlag* Souvent.

***E:*** Gefügter *-schlag*-BN (siehe EB) mit dem ahd. PN *Ëburhart*/mhd. *Ëberhart* (Förstemann I, Sp. 443).

***L:*** Baumgartner, n. 573.

10.2.6.7. ***Gaisschlag*** ZH 7–31

***D:*** *'gǭɒššlǭg*

***U:*** 1356 *jm Gaisslag* OÖ. UB. VII, n. 457; 1499 C 1564 *Zu Gaisslag*; *in Gaisslag* Urb. Waxenberg, OÖLA, Starhemb. Urb., Hs. 200, f. 11; 48; 1512 *Gaysslag* HKA, NÖHA L 25, f. 27; 1512 *Gaysslag* Urb. Waxenberg, HKA, NÖHA W 31/A, f. 31; 1571 *hebt sich an, am Gaisschlag* Urb. Waxenberg, HKA 1173, f. 10; c. 1775 *Gas Schlag* [sic!] Jos. LA.; 1827 *Geisschlag* Pillwein I, S. 305; 1857 *Gaisschlag* Souvent.

***Gewässer:*** *Gaißbach*, Bach bei Gaißschlag: 1499 C 1564 *geußspach fecht sich an bei Walhednitz* Urb. Waxenberg, OÖLA, Starhemb. Urb., Hs. 200, f. 48; 1571 *Erstlichen ain Vischwasser genanntt der Gaißpach, hebt sich an, am Gaisschlag, vnnd geet biß an die Ruessambmüll daselbst fleust er in den Weissenpach ... hat allein Ferchen* Urb. Waxenberg, HKA 1173, f. 10.

***E:*** Gereihter *-schlag*-Name (siehe EB) mit dem BW mhd. *geiz* stf. 'Geiß, Ziege' (Lexer I, Sp. 800). Die Schreibung von c. 1775 als *Gas* verrät den Wiener Dialekt des Beamten.

***L:*** Schwarz, S. 87; Baumgartner, n. 574.

10.2.6.8. ***Geierschlag*** W 7–32

***D:*** *'gā̜įš,šlǭg*

***U:*** c. 1775 *Geir Schlag* Jos. LA.; 1787 *Geuschlag* Schütz; 1857 *Geyerschlag* Souvent.

***E:*** Gefügter *-schlag*-Name (siehe EB) mit dem FN *Geier*, *Geyer* von mhd. *gîr* stm. 'Geier' (Lexer I, Sp. 1019) für einen habgierigen Menschen (Brechenmacher I, S. 538, Kohlheim, S. 265). Da das auslautende *-r* ma. verstummt und [*ai*] auch für ⟨*eu*⟩ gilt, kommt es 1787 zur Schreibung *Geuschlag*.

***L:*** Schwarz, S. 87; Baumgartner, n. 687.

10.2.6.9. ***Glasau*** R von Vorderweißenbach 5–15

***D:*** *'glǭsāų*

***U:*** 1512 *Michl im Glaspach* Urb. Waxenberg, HKA, NÖHA W 31/A, f. 21; c. 1775 als unbezeichnete Flur eingetragen Jos. LA.

***E:*** Wohl ursprüngliches *Glas*[*bach*]*au* mit dem GewN *Glasbach*, ein gereihter *-bach*-LN (siehe EB) wohl mit Bezug auf früher dort gelegene Glashütten.

***L:*** Schwarz, S. 87.

10.2.6.10. ***Infanghäuseln*** R von Eberhardschlag 17–81

***D:*** –

***U:*** 1571 *Item von ainem Reutt oder Innfang ... Hanns Maurer von ainem Innfanng*; *Leonnhard Feusner von ainem Infang*; *Michael Preuninger vonn ainem Innfang*; *Item von ainem Innfang so Zway tagwerch* Urb. Waxenberg, HKA 1173, f. 148f.; 1857 HNN *Maurerhäusl*; *Waldweber*; *Waldsepperl* Souvent.

***E:*** Von ma. *Infang* 'abgezäunte Waldweide' (Schmeller I, Sp. 96). 1571 wurde anläßlich der Bereitung der Herrschaft Waxenberg festgestellt, daß viele Untertanen *Infänge* angelegt hatten. In Zukunft solle dies jedoch nicht mehr erfolgen, wie aus einer Notiz im Urbar von 1571 hervorgeht: *Nachdem ... in Bereuttung dieser Herrschafft Waxenberg fürkhumen, das die vnndterthonnen ... vill gereutter vnd Einfäng gemacht, dadurch die wäldt vnd vorst verengt vnd*

*Clainer gemacht worden ... Demnach so solle hin füero solche gereutter vnd Neu Einfänng Zumachen nit zuegesehen, gestatt noch bewilligt werden.* Urb. Waxenberg, HKA 1173, f. 5; 1574 wird über die Infänge ein Abgabenregister angelegt HKA, NÖHA, W 31/A, f. 433ff., siehe auch 1585 NÖHA W 31/B, f. 786.

***L:*** Schiffmann III, S. 259.

10.2.6.11. ***Kohlbach*** ZH von Vorderweißenbach 3–9

***D:*** *'khō̜i̯,bō̜*

***U:*** 1571 *Paull Scheichenstuel vonn ainem ortt oder reutt bey der allten Khollstatt, ab Zu rainnen vnd abzukhollen bewilligt worden, vnd Ime vererbt* Urb. Waxenberg, HKA 1173, f. 146; c. 1775 nur als unbenanntes Gewässer, nicht als Siedlung eingezeichnet Jos. LA.; 1823/30 *Kohlbach* Franz. Kat.

***E:*** Gereihter *-bach*-Name (siehe EB) mit dem BW mhd. *kol* swm. 'Kohle' (Lexer I, Sp. 1663) als Klammerform **Kohl[statt]bach* im Sinne von 'Bach, in dessen Nähe Holzkohle gebrannt wird'. Die namengebende Kohlstatt ist bereits 1571 belegt.

***L:*** Bito, S. 137.

10.2.6.12. ***Ortschlag*** R 9–49

***D:*** *'ō̜ɒdšlō̜g*

***U:*** ca. 1826 *Ortschlag* Franz. Kat.; 1857 *Ortschlag* Souvent.

***E:*** Gereihter *-schlag*-LN (siehe EB) mit mhd. *ort* stnm. 'Spitze, Ende' (Lexer II, Sp. 169ff.) mit Bezug auf die äußerste Lage von einem Bezugspunkt aus.

***L:*** Baumgartner, n. 931.

10.2.6.13. ***Rohrau*** ZH 7–39

***D:*** HN *dɒ ,rō̜i̯-āu̯-ɒ*

***U:*** c. 1775 unbenannte Flur im Talboden der *kleinen Michel* (Steinerne Mühl) gelegen. Jos. LA.

***E:*** Gereihter *-au*-Name (siehe EB) mit dem BW mhd. *rôr* stn. 'Rohr' (Lexer II, Sp. 486) im Sinne von 'Bach, der von Schilf und Sumpfgräsern gesäumt wird' mit Bezug auf den Talboden der Steinerenem Mühl. Der HN ist eine *-er*-Ableitung.

***L:*** –

10.2.6.14. ***Spitzwiese*** R von Stumpten 8–33

***D:*** *'šbīdswīs*

***U:*** c. 1775 findet sich eine unbenannte, von Wald umschlossene, nach Südosten spitz zulaufende Wiese Jos. LA.

***E:*** Neuzeitliches Kompositum im Sinne von 'spitz zulaufende Wiese'.

***L:*** –

10.2.6.15. ***Sternwald*** ZH von Vorderweißenbach 4–19

***D:*** *'šdē̜(ɒ)nwō̜i̯d*

***U: Sternstein*** (1125 m), höchste Erhebung im Sternwald bei Leonfelden: 1198 *Mons etiam vocatus Stella* OÖ. UB. II, n. 316; c. 1220 *de haipach protrahitur ad fluuim, qui dicitur Rotel, a fluuio, qui dicitur Rotel, usque in Wilanstanne. Inde protrahitur usque ad montem, (qui) quondam continebat castrum dictum stellam. de Stella usque ad terminos Boemicales protrahitur, et ibi denique tunc finitur.* OÖ. UB. I, S. 481, n. 4; 13. Jh. *castrum dictum Stellam, de Stella usque ad terminos Boemicales* Urb. Pass.I, S. 264.

***Sternwald***: 1435 *Item an dem Sternwaldt* OÖ. Weist. I, S. 179; 1499 C 1564 *ain Wald gehört in Weissenpacher ambt. Heist der Sternwald; Sippach hebt sich an am steren* Urb. Waxenberg, OÖLA, Starhemb. Urb., Hs. 200, f. 44, 49; 1512 *vom sternwald; Item am sternwald* HKA, NÖHA L 25, f. 40; 1571 *Der Sternwaldt hebt sich ann am Schenegg vnnd geett geen Müll-dorff, vnnd vonn dannen in Freypach, welcher das Behaimbisch vnnd Wächsenbergerischen Grundt schaidet. Demselben nach an wannckhenprun, vnnd biß an Marpach, dem selben Pach nach, biß an Pfaffenwisen, auf Haraw, vonn dannen nach ainem Gräbl, biß auf die Lackhen. Im Afferschlag, vnnd verrer biß auf denn lanngenfuertt Volgundt an dem obern Stern vnnd geet alsdann in Gaisschlag vnnd nach weisenpeckher gründt wider an das Schenegg an das ortt, alda er sich hieuor angefangen hatt, vnnd solcher waldt ist ungeuerlich weitt vnnd Praidt im vmbkhraiß annderthalb Meill groß.* Urb. Waxenberg, HKA 1173, f. 4; 47; c. 1775 *Sternwald* Jos. LA.; 1827 *am großen Sternwalde* Pillwein I, S. 305; 1857 *Sternwald* Souvent.

***E:*** Wahrscheinlich volksetymologische Umformung eines slaw. ON zum gereihten *-berg*-Namen (siehe EB) bair.-mhd. **stërnperch* mit dem BW mhd. *stërn* masc. 'Stern' (Lexer II, Sp. 1182), lat. *stella*. Vgl. *Sternberg* in der Gemeinde Wernberg in Kärnten, slow. *Strmec* 'der Steile' (E. Kranzmayer, Ortsnamenbuch von Kärnten, Bd. 2, Klagenfurt 1958, S. 213) von slaw. **strъmъ* 'steil' in slow. *strm*, tschech. *strmý*, 'steil', osorb. *třmjeń* 'Steigbügel' (Vasmer III, S. 26; Bezlaj III, S. 329f.; Schuster-Šewc III, S. 1546f.).

***L:*** Schwarz, S. 103; Schiffmann III, S. 447f.

10.2.6.16. ***Stumpten*** D 59–252

***D:*** HN *dɒ 'šdūmpm*

***U: Ort und Gewässer*:** 1499 C 1564 *Jäckhl im Stumppen*; *Michl im Stumppen*; *Stumppenpach fecht sich an beim Prunnwald. Enndt sich in der Weißenpach*; *Item Stumppenpach. Vacht sich an Im Prunnwald. Und enndt sich im Schwarzen Reutt da er In Weissenpach rindt* Urb. Waxenberg, OÖLA, Starhemb. Urb., Hs. 200, f. 17; 47–49; 1512 *Peter Im stumppen*; *Symon Im Stumppen* Urb. Waxenberg, HKA, NÖHA W 31/A, f. 22; 1571 *ain vischwasser der Stumppen Pach genanntt, der hebt sich an bei dem Prunnwaldt, vnnd geet oberhalb Plannckhenau in weissenpach*; *Michael im Stumpen*; *Jeörg im Stumpen*; *Mertt im Stumpen*; *Michael im Stumppen*; *Jeörg im Stumppen* Urb. Waxenberg, HKA 1173, f. 10; 203; 1591 *Michl im Stumppen*; *Georg im Stumppen*; *Geörg vnnderm Perg im Stumppen*; *Mert im Stumpen von seinem Guet* HKA, NÖHA G 46, f. 42; c. 1775 *Stumpen* Jos. LA.; 1787 *Stumpen* Schütz; 1827 *Stunten* Pillwein I, S. 305; 1857 *Stumten* Souvent; 1935 *Stumpen (Stumpten, Stumten)* Schiffmann I, S. 473.

***E:*** Ma. *Stumpen* ist nach Schmeller II, Sp. 759, 'das untere Ende eines in der Länge gedehnten Dinges'. Damit wird auf die Lage Bezug genommen, indem es sich um das untere Ende des von 10.2.6.4. Bernhardschlag abfallenden, gegen den Weißenbach auslaufenden Berghanges handelt. Der einstige *Stumperbach* ist der heutige *Wagnerbach*, benannt nach der dort gelegenen *Wagnermühle*. Die Schreibung *Stumpten* ist eine Verballhornung des 19. Jhs.

***L:*** Schwarz, S. 104; Schiffmann III, S. 456.

10.2.6.17. ***Weißenbach, Vorder-*** D 105–423; ***Hinter-*** D 39–161

***D:*** *'waįßm,bǭ*

***U:*** 1292 C 19. Jh. *in Weyssenpach* OÖ. UB. IV, n. 191; 1356 *daz dorf im Weizzenpach*; *das ampt im Weizzenpach* OÖ. VII, n. 457; *15. Jh. *Wissenpach* MP., S. 47; 1448 *Eehafft Tayding Im Weissenpach*; *Vermercht die Rechttn jm weyssnpach* Weistum Vorderweissenbach, HKA, NÖHA W 31/A, f. 66; 57; 1499 C 1564 *Stumppenpach ... Enndt sich in der Weißenpach*; *Stumppenpach ... enndt sich im Schwarzen Reutt da er In Weissenpach rindt. Item Schwarzpach* Urb. Waxenberg, OÖLA, Starhemb. Urb., Hs. 200, f. 1512 *Im Ambt Weissenpach* Urb. Waxenberg, HKA, NÖHA W 31/A, f. 21; *1526 (1656) *Weißenbach bey Lanfeldt* Einl. Ob.-Weißenb., f. 1; 1571 *ain Vischwasser genannt der Schwarzenbach*; *ain Pach wirdt der Sippach gehaissen. Enntspringt am Sternwaldt vnd rindt bey dem schwarzen reidt in Weissenpach*; *der Gaißpach ... fleust er in den Weissenpach*; *Weissenpacher Pfarr* Urb. Waxenberg, HKA 1173, f. 10; 47f.; 203; 1575 *Anndere Vischerey ... Im weissnpach*; *Weissnpach Ambt* Anschlag Waxenberg, HKA, NÖHA, W 31/A, f. 449; 463; 1591 *Ambt Weissenpach*; *Weissenpacher Pharr*; *Dorff Weissenpach* HKA, NÖHA G 46, f. 39; c. 1775 *Weisenbach* [sic!] (für Vorder- und Hinterweissenbach) Jos. LA.; 1827 *Unter die Pfarre Weißenbach gehören 8 Ortschaften, als Bernhartschlag, Eberhartschlag, Geisschlag, Gugelwald, Hinterweißenbach, Schöneck, Stunten und Vorderweißenbach. Weißenbach, auch Oberweißenbach oder Vorder= und Hinterweißenbach. Vorderweißenbach ist ein Pfarrort mit 40 Häusern, 70 Wohnparteyen, und 320 Einwohnern, einerseits am großen Sternwalde, auf der andern Seite an der kleinen Mühel und dem Gugelwalde. ... An Vorderweißenbach stoßt gleich das Dorf Hinterweißenbach an, welches in 41 Häusern 72 Wohnparteyen und 324 Einwohner zählt. Beyde Dörfer zusammen bilden mit ihren gutgebauten Häusern ein angenehmes Thal, welches eine Stunde lang ist, und zur schöneren Jahreszeit einem blendend weißen Schleyer gleicht. Hier haben nämlich 22 bis 24 Bewohner zugleich Bauern oder Müller, den*

*Hauptreichthum des Mühlkreises: die Leinwand, in größeren oder kleineren Partien (jährlich an die 70 bis 80 000 Stücke betragend) zur Bleiche um ihre Häuser ausgebreitet, was ihren vorzüglichsten Erwerbszweig ausmacht.* Pillwein I, S. 305; 1857 *Hinter-, Vorder-Weissenbach*; Gewässer: *Weissenbach* Souvent.

Anm.: Bei Schiffmann gibt es nur ein *Oberweißenbach*, heute wird in Hinterweißenbach und Vorderweißenbach unterschieden, Hinterweißenbach ist ein Dorf der Gemeinde Vorderweißenbach. Der Weißenbach ist in Jos. LA. nicht genau zu identifizieren. Er ist ein linker Seitenbach der Steinernen Mühl, der unterhalb von 10.2.6.13. Rohrau in diese mündet.

***E:*** Gereihter *-bach*-AN (siehe EB) mit dem Adj. mhd. *wîz* 'weiß, hell, glänzend' (Lexer III, Sp. 957).

***L:*** Schwarz, S. 106; Bito, S. 120f.

## 10.2.7. Bad Leonfelden 766–3048

10.2.7.1. ***Ablege*** Hf von Affetschlag 1–3

***D:*** *dɒ,ǭ'lẹ̄gɒ*

***U:*** 1896 *Ableg* Heller, S. 39.

***E:*** HN ma. 'der Ableger', eine Einwohnerableitung auf *-er* vom Kompositum mit dem GW mhd. *lëge* stf. 'das Liegen, Lager' (Lexer I, Sp. 1856f.) und als BW dem Adverb mhd. *ab(e)* 'ab, hinweg' (Lexer I, Sp. 1) als ursprünglicher FlN im Sinne von 'das abseits Liegende'.

***L:*** Schwarz, S. 83; Schiffmann III, S. 11; Heller, S. 39.

10.2.7.2. ***Affetschlag*** 5–10, R 4–7

***D:*** *'afɒd,šlǭg*

***U:*** 1356 *vnd jm Anfüsslag* OÖ. UB. VII, n. 457; *1435 *Aufeinslag* GB. Leonf., f. 30; 1499 C 1564 *Zu Affenslag* Urb. Waxenberg, OÖLA, Starhemb. Urb., Hs. 200, f. 11; 1512 *Auffemslag* HKA, NÖHA L 25, f. 34; 1512 *Afferslag* Urb. Waxenberg, HKA, NÖHA W 31/A, f. 29; *1533 *Affenschlag* Urb. Leonf., f. 3; 1571 *Afferschlag*; *Affenschlag* Urb. Waxenberg, HKA 1173, f. 4, 139; *1615 *Aeffernschlag* JB. d. Mus. 1899, S. 13; *1618 *Auffnschlag* Urb. Leonf., f. 19; 1640 *Aeffetschlag* JB. d. Mus. 1899, S. 13; *1669 (1762) *Äffeschlag* Vischer; *1787 *Avischlag* Schütz; 1827 *Affetschlag* Pillwein I, S. 226; 1857 *Affetschlag* Souvent.

***E:*** Auf Grund des ukdl. Erstbeleges von 1356 rechnet Schwarz und danach Schiffmann mit einem gefügten *-schlag*-BN mit dem Beinamen bzw. FN mhd. *Ânefuoz* 'Ohnefuß'. Möglich ist aber auch der belegte FN mhd. *Einfuoz* 'Einfuß' (Brechenmacher I, S. 390) in herrensprachlicher Schreibung ⟨*a*⟩ für mhd. *ei*. R. Maier, Marktgemeinde Bisamberg, Bisamberg 1982, S. 30 belegt für den FlN *Afußgraben* 1442 *Efüs*, 1621 *Afus*, 1687 *Ayfues*, 1751 *Ainfueß*, 1819 *Afuß Graben* und versteht ihn als AN im Sinne 'Erdreich von nur 1 Fuß (= 30 cm) Tiefe'. Die ukdl. Schreibung dieses FlN mit ⟨*e, a, ay*⟩ als auch die ukdl. Schreibungen von *Affetschlag* mit ⟨*auf, aef*⟩ sowie die ma. Aussprache mit [*a*] machen mhd. *ein*, das abgeschwächt [*ã*] lautet, wahrscheinlicher als mhd. *âne* 'ohne'. Jedenfalls wurde die ma. Aussprache des SN nach Vernäselung des *-n* bei Einschub von epithetischem *-t* (vgl. 10.2.1.17. Schaffetschlag/Oberneukirchen) seit dem 16. Jh. als *Affen-* oder *Afferschlag* mit austauschbarer Wiedergabe des ma. [*-ɒ*] sowohl für mhd. *-en* als auch mhd. *-er* aufgefaßt, was volksetymologisch als 'Affe' bzw. als weiblicher PN *Affer* für *Afra* (WBÖ I, S. 104) verstehbar ist.

***L:*** Schwarz, S. 83; Schiffmann III, S. 14; Heller, S. 38.

10.2.7.3. ***Appenau*** R von Rading 6–23

***D:*** *,ǫp'mą̄ų̯*

***U:*** 1356 *jn der Apnawe* OÖ. UB. VII, n. 457; *1435 *Appnaw*; *Apptnaw* GB. Leonf., f. 13, 48; 1499 C 1564 *Appenaw* Urb. Waxenberg, OÖLA, Starhemb. Urb., Hs. 200, f. 10; 1512 *von der abbtnaw* HKA, NÖHA L 25, f. 40; *1533 *Lienndl Abtenawer* Urb. Leonf., f. 3; 1571 *Purckhrecht Im Mittern Feldt vnnd gegen der Abbtenau*; *Bartholome Abbtenauer* Urb. Waxenberg, HKA 1173, f. 42; 135; 1615 *Abtenau* Urb. Wax., OÖLA, HA Eferd., Hs. 201, f. 29; *1618 *Oppenau* Urb. Leonf., f. 62; *1640 *Appenau* JB. d. Mus. 1899, S. 13; *1679 *Abbtenau*; *Abtenau*; *Thoman Khärr auf der Apptenau*; *Abbtenauer* Heller, S. 75; *1684 *Abbtenau*; *Aptenau* ebd.; 1699 *aufm Appenauerguett* ebd.; 1701 *Appenauerguett* ebd.; *1703 *Appenau* ebd., S. 76; 1724 *Abbtenauer Hof* Heller, S. 75; c. 1775 *Openauer* Jos. LA.

Anm.: Einige ukdl. Belege gehören zum HN Appenauer, Hf von Appenau.

***E:*** Gefügter -*au*-BN (siehe EB) mit dem BW mhd. *abbet* stm. 'Abt' (Lexer I, Sp. 1) mit Bezug auf den einstigen Besitzer der Flur, den Abt des Zisterzienserstiftes Wilhering. Dieses hatte 1240 vom Babenberger Herzog Friedrich II. dem Streitbaren die Patronatsrechte über 10.1.7.19. Gramastetten erhalten und damit die kirchliche Verwaltung des Gebietes von 10.2.7.5. Bad Leonfelden erworben. Als letzteres 1292 zur eigenen Pfarre verselbständigt wurde, stellte Bischof Bernhard von Passau ausdrücklich fest, daß die Abtei von Wilhering das Patronatsrecht über die neue Pfarre innehabe.

***L:*** Schiffmann III,S. 29; Ferihumer, S. 298; Heller, S. 76.

10.2.7.4. ***Au*** E von Burgfried

***D:*** *āu̯*

***U:*** *1435 *Müll in der Zaglaw*; *Müllner in der Zaglaw* Urb. Leonf., f. 54; 12 zit. nach Heller, S. 43; 1499 C 1564 *Die Vischwaid zu Lanuelden in der Zaglaw* Urb. Waxenberg, OÖLA, Starhemb. Urb., Hs. 200, f. 47; 1512 *Zaglaw* HKA, NÖHA L 25, f. 27; 1571 *Casparn Paurn in der Zaglau Erben*; *Paull am Hof in der Zaglaw* Urb. Waxenberg, HKA 1173, f. 38; 175; 1615 *Paur in der Zaglau* Urb. Wax., OÖLA, HA Eferd., Hs. 201, f. 23; *1699 *Paurn Guett in der Au* Heller, S. 43; *1788 *Baur in der Au*; *Müll in der Au* Jos. Lb. zit. nach Heller, S. 43; 1857 *Bauer in der Au* Souvent.

***E:*** Ursprünglich *Zaglau*, ein gereihter -*au*-AN (siehe EB) mit dem BW mhd. *zagel* stm. 'Schwanz' (Lexer III, Sp. 1019f.) im Sinne von 'schwanzartig zusammenlaufende Au', im 17. Jh. zum Simplex vereinfacht.

***L:*** Heller, S. 43.

10.2.7.5. ***Bad Leonfelden*** Markt 106–420

***D:*** veraltet *'lẹ̄̃ǭvǭ*, jetzt *'lå̃vǭ*

***U:*** 1154 F 1236 *mediam partem campi, qui wlgo Lobenwelt nuncupatur* OÖ. UB. II, n. 182; Dat. nach A.Zauner, Wilhering S.213; 1204/15 F 1236 *mediam partem campi, qui uulgo dicitur Lobenuelt* ebd., n. 319 [zu 1198–1216]; Dat. w.o. S. 214; 1216 *Mediam partem campi qui uulgo dicitur lobenuelt* ebd., n. 393, S. 581; 1237 *mediam partem campi, qui Lobenuelt nuncupatur* OÖ. UB. III, n. 50; 1241 F 1255 *et predium in Lonuelde* OÖ. UB. III, n. 97; 1291 *Ecclesia in Lonuelde* OÖ. UB. IV, n. 154; 1292 *ecclesia jn Lonueld* ebd., n. 180; 1292 C 19. Jh. *autem in Lonueld* ebd., n. 191; 1356 *Lonueld der marchtt vnd mautt vnd gericht* OÖ. UB. VII, n. 457; 1377 *daz saltz von Lintzz gen Lanvelden gefůrt* OÖ. UB. IX, n. 201; 1379 *Salcz, Klains vnnd groß gefuert wirdt für Lanuelden* ebd., n. 612; 1389 *Nicolae Schreiber di zeit richter ze Lonuelden* OÖ. UB. X, n. 542; 1392 *dacz der Freinstat und dacz Lonueld an der zwayer stet ainer* OÖ. UB. XI, n. 86; 1396 *der Snekkenräwtter richter ze Lanfeld* ebd., n. 579; 1399 *Christan von Lanuelde Syghartz von Lanuelde seligen sun* ebd., n. 910; 1435 *Vermerkcht die rechten des markchts Lo͂nvelden*; *pfenberten auf Lo͂nfeldt*; *dem markcht Lo͂nfelden* OÖ. Weist. I, S. 172; 179; 1485 *Ratt vnd vnser burger zu Lanfelden* HKA, NÖHA L 25, f. 3; 1506 *Vnnsers Marckts Zu Lanfelden ... Wappen* ebd., f. 10; 1512 *Marckht puech Zw Lanfelden*; *Dienst vnd Güllt im Ambt vnd Gericht Zu lanfelden* ebd., f. 19; 1521 *Richter vnd Rat vnsers Markhts Lanfelden in vnnser Herrschaft Wechssnberg gehorend* ebd., f. 67; 1526 *Die von Lanfelden* ebd., f. 2; 1529 *Richter vnd Rat vnnd gemaind Zu Lanfelden* ebd., f. 74; 1542 *Lafeln* Hirschvogel, in: A. Marks: Die ältesten Landkarten von Oberösterreich, Linz 1956; 1571 *Lonnfelder Pfarr*; *Zum Spittall Lannfelden* Urb. Waxenberg, HKA 1173, f. 146; 1574 *des Markhts Launfeldn fürgebrachte beschwär* HKA, NÖHA L 25, f. 94; 1586 *des aussern Ambts Lonfellden* ebd., f. 140; 1588 *des Marckhts Lanfeld* ebd., f. 152; 1599 *Lanuelden aufm Gew* Urb. Wax., OÖLA, HA Eferd., Hs. 200, f. 5; *1605 *Lanfeldt* Urk. Eferd., n. 3798; *1615 *Lonnfeldt*; *Lonfeld* Jb. d. Mus. Linz 57/1899, S. 12; *1618 *Lonfeld* Urb. Leonf., StiA Wilh., zit. nach Heller, S. 62; *1640 *Lanfeldten* Jb. d. Mus. Linz 57/1899, s. 15; 1669 *Lonfelden* Vischer; 1676 *Lannfeldten* Heller, S. 62; 1710 *Märkhten Zwetl vnnd Lohnfelden* HKA, NÖHA Z 17, f. 2; 1716 *Markht-flecken Zwettl und Lohnfelden* ebd., f. 1; *1767 *Leonfelden* Heller, S. 62; 1827 *Pfarre Leonfelden* Pillwein I, S. 226; 1857 *Leonfelden* Souvent.

***E:*** Der schließlich zum SN eingeengte Name war, wie aus den ukdl. Belegen des 13. Jhs. hervorgeht, ursprünglich eine Gegendbezeichnung als gefügter BN mit den GW mhd. *vëlt* stn. 'Feld, Fläche, Ebene' (Lexer III, Sp. 57f.) und dem ahd. PN *Lobo* (Förstemann I, Sp. 1061f.; Kaufmann, S. 238) mit kurzem *-o-* (und nicht, wie das ADNB I, S. 665 fälschlich annimmt, mit langem *-ô-*, woraus dann weitere falsche Schlüsse gezogen werden). Die Kontraktion von *-obo-* zu *ō* führte zur volksetymologischen Umdeutung zu 'Lohn' und entsprechend zur bäuerlich-ma. Aussprache nach mhd. *lôn* als [*lę̄̃ǭ̃*], wie sie bis um 1930 bekannt war und worauf die ukdl. Schreibung ⟨*oͤ*⟩ von 1435 hinweist. Daneben wird aber auch die herrensprachliche Realisierung [*lå̄̃*] üblich gewesen sein, denn ihr entsprechen die gängigen ukdl. Schreibungen mit ⟨*o, a, oͣ*⟩, so daß die heutige ma. Aussprache keine Neuerung zu sein braucht. Im 14. Jh. wurde statt des Gebrauches im Singular als Nom. *-vëlt* und als Dativ *-vëlde* die Verwendung im Dat. plur. als *vëlden* üblich. Obwohl der Ort erst 1356 als *Markt* bezeichnet wird, spricht die Anlage um einen zentralen Platz bereits für eine ursprüngliche Gestaltung als Handelsplatz an der böhmischen Grenze. Heilkräftiges Moorwasser führte 1668 im Ortsteil 10.2.7.23. Spielau zur Errichtung einer Badehütte. Aber erst 1833 kam es zur Gründung des Badehauses und zur Aufnahme eines regelmäßigen Kurbetriebes, der bis 1914 andauerte. Schließlich wurde 1961 das moderne Heilbad eröffnet und entsprechend dem SN *Bad* hinzugefügt. 2001 erfolgte die Erhebung des Marktortes zur Stadt.

***L:*** Schwarz, S. 94; Schiffmann III, S. 311; Pesta, S. 22f.; Heller, S. 62; Dehio (2003), S. 54ff.; ADNB I, S. 665.

10.2.7.6. ***Böheimschlag*** R 4–16

***D:*** *'bę̄̃mɒš,šlǭg*

***U:*** 1356 *jm Pehaimslag* OÖ. UB. VII, n. 457; *1435 *Pehaymschlag* GB. Leonf., f. 28; 1499 C 1564 *Zu Behemslag* Urb. Waxenberg, OÖLA, Starhemb. Urb., Hs. 200, f. 11; 1512 *Behemslag* HKA, NÖHA L 25, f. 34; 1533 *Behemslag* Urb. Leonf. zit. nach Heller, S. 39; 1571 *Behaimschlag* Urb. Waxenberg, HKA 1173, f. 210; 1599 *Behemslag* Urb. Wax., OÖLA, HA Eferd., Hs. 200, f. 11; 1615 *Behaimbschlag* Urb. Wax., OÖLA, HA Eferd., Hs. 201, f. 119; 1640 *Behamschlag* Urb. Wax., OÖLA, HA Eferd., Hs. 202; *1676 *Böhambschlag* Heller, S. 39; 1787 *Böhmischschlag* Schütz; 1827 *Böheimschlag* Pillwein I, S. 226; 1857 *Böheimschlag* Souvent.

***E:*** Gereihter *-schlag*-BN (siehe EB) mit dem Volksnamen bzw. FN bair.-mhd. *peheim* stm. 'Böhm(e)' (Schmeller I, Sp. 188f.; Brechenmacher I, S. 174; Kohlheim, S. 140).

***L:*** Schwarz, S. 84; Baumgartner, n, 576; Heller, S. 39.

10.2.7.7. ***Burgfried*** R 247–977

***D:*** *'bṳ̄ɒgvrīd*

***U:*** 1827 *Burgfried* Pillwein I, S. 226; 1857 *Burgfried* Souvent.

***E:*** Unter *Burgfried* versteht man 'das unmittelbare Gebiet einer Stadt- oder Marktgemeinde, das Weichbild' (Schmeller I, Sp. 276), in diesem Fall das Gebiet des Marktes 10.2.7.5. Bad Leonfelden. Die Ortschaft Burgfried umfaßt die Häuser an dieser Linie, die mit dem rund um den Markt angelegten Befestigungsgraben identisch ist.

***L:*** Schwarz, S. 85; Schiffmann III, S. 95; Heller, S. 41.

10.2.7.8. ***Dietrichschlag*** D 30–139

***D:*** *'dį̄ɒdred,šlǭg*

***U:*** 1356 *das dorf Schoͤnnaw vnd Dietrichslag* OÖ. UB. VII, n. 457; *1435 *Dietreichslag* GB. Leonf., f. 9; 1499 C 1564 *Zu Dietrichslag*; *im Dietrichschlag* Urb. Waxenberg, OÖLA, Starhemb. Urb., Hs. 200, f. 6; 46; 1512 *Dietrichslag* HKA, NÖHA L 25, f. 24; 1512 *Dierichslag* Urb. Waxenberg, HKA, NÖHA W 31/A, f. 28; *1533 *Dietrichschlag* Urb. Leonf., f. 2; f. 6; 1571 *Dorff Diettrichschlag* Urb. Waxenberg, HKA 1173, f. 206; 1827 *Dietrichschlag* Pillwein I, S. 226; 1857 *Dietrichschlag* Souvent.

***E:*** Gereihter *-schlag*-BN (siehe EB) mit dem ahd. PN *Diotrîch*/mhd. *Dietrîch* (Förstemann I, Sp. 1448).

***L:*** Schwarz, S. 85; Schiffmann III, S. 110; Baumgartner, n. 580; Heller, S. 44.

10.2.7.9. ***Dürnau*** R 4–17

***D:*** *,dīɒn'āṷ*

***U:*** 1499 C 1564 *Item der Durnaurpach* Urb. Wax.,OÖLA, Starhemb. Urb. Hs. 200, f. 48; 1615 *Thürnau* Urb. Wax., OÖLA, HA Eferd.,

Hs. 200, f. 4; *1640 *Türnau*; *Thiernau* Jb. d. Mus. Linz 1899, S. 15; 1669 *Tiernau* Vischer; *1684 *Thiernau* Heller, S. 47; 1787 *Dirnau* Schütz; 1827*Dürnau* Pillwein I, S. 226; 1857 *Dürnau* Souvent.

***E:*** Gefügter *-au*-AN (siehe EB) mit mhd. *dürre* 'dürr, trocken, mager' (Lexer I, Sp. 497).

***L:*** Schwarz, S. 85; Heller, S. 47.

10.2.7.10. ***Elmegg*** R 5–28

***D:*** *ˌǭ'mek*

***U:*** 1356 *auf dem Melmekk* OÖ. UB. VII, n. 457; *1435 *Elbmegkch* GB. Leonf., f. 17; 1499 C 1564 *zu Elbnegkh* Urb. Waxenberg, OÖLA, Starhemb. Urb., Hs. 200, f. 7; 1512 *Elbmeckh* HKA, NÖHA L 25, f. 24; 1512 *Ellmegg vnd lang prugg* Urb. Waxenberg, HKA, NÖHA W 31/A, f. 28; *1533 *Elbmeckh* Urb. Leonf., f. 2; 1571 *Elbmeckh* Urb. Wax. HKA 1173, f. 133; 1599 *Elbmegkh* Jb. d. Mus. 1899, S. 15; *1684 *Elmegg* Heller, S. 48; *1770 *Elmögg* ebd.; 1787 *Elbeneck* Schütz; c. 1775 *Elbeneck* Jos. LA.; 1827 *Elmeck* Pillwein I, S. 226; 1857 *Elmegg* Souvent.

***E:*** Gereihter *-eck*-LN (siehe EB) wohl mit mhd. *ëlm(e)* stf. 'Ulme' (Lexer I, Sp. 541). Dann ist das anlautende *M-* des ältesten ukdl. Beleges der agglutinierte Artikel. Ist es aber ursprünglich, wäre an mhd. *mëlm* 'Staub, Sand' (Lexer I, Sp. 2096) zu denken, wozu Schwarz Beispiele aus Südböhmen bringt. Das Grundwort *-egg* bezieht sich hier wahrscheinlich auf das Gelände, welches durch den spitzwinkeligen Zusammenfluß der Großen Rodel und des Elmeggerbaches entsteht.

***L:*** Schwarz, S. 85f.; Schiffmann III, S. 138; Heller, S. 49; Reisinger, n. 48.

10.2.7.11. ***Farb*** W 9–22

***D:*** *d 'vāb*

***U:*** c. 1775 *Farb* Jos. LA.; 1827 *Farb* Pillwein I, S. 226; 1857 *Farb* Souvent.

***E:*** Die Dialektaussprache 'die Farb' nach ma. *vā(b)m* 'färben' läßt eine ehemalige Färberei vermuten. Zur Stofferzeugung in der Gegend siehe den Kontext aus 1827 Pillwein zu 10.2.6.17. Weißenbach, Vorder-; Hinter-.

***L:*** Schiffmann III, S. 148.

10.2.7.12. ***Hagau*** R von Oberstiftung 10–46; ZH von Unterstiftung 2–10

***D:*** *'hǭgāū̯*

***U:*** c. 1775 *Hark Au* (bewaldetes Quellgebiet einiger Bäche) Jos. LA.; 1857 *Hagau* Souvent.

***E:*** Wohl gereihter *-au*-LN (siehe EB) mit dem BW mhd. *hac* stmn. 'Dornbusch, Zaun, Einfriedung, eingefriedetes Gelände' (Lexer I, Sp. 1136).

***L:*** –

10.2.7.13. ***Haid*** R 27–129

***D:*** *hǭɒd*

***U:*** 1356 *auf der Haid* OÖ. UB. VII, n. 457; *1435 *Hayd* Urb. Leonf., f. 23; 1512 *auf der Haid* HKA, NÖHA L 25, f. 40; 1512 *Hayd* Urb. Waxenberg, HKA, NÖHA W 31/A, f. 29; ´*1533 *Haid* Urb. Leonf., f. 4; 1571 *Haidt* Urb. Waxenberg, HKA 1173, f. 212; 1615 *Haidt* Urb. Wax., OÖLA, HA Eferd., Hs. 201, f. 4; 1640 *Wolff Puechmüllner auf der Haydt diennt von der Müll; Wolff Haßlinger Hamerschmidt auf der Haydt* Urb. Wax., OÖLA, HA Eferd., Hs. 202; 1669 *Haid* Vischer; 1706 *Mühlner auf der Haydt* Heller, S. 53; 1746 *Hammerschmidt auf der Haydt* ebd., S. 54; 1827 *Heid* Pillwein I, S. 226; 1857 *Haid* Souvent.

***E:*** Von mhd. *heide* stf. 'ebenes, unbebautes, wild bewachsenes Land; Heide' (Lexer I, Sp. 1207).

***L:*** Heller, S. 52.

10.2.7.14. ***Haidersiedlung*** Sdlg von Burgfried 24–81

***D:*** HN *'hǭɒdɒ*

***U:*** –

***E:*** Die Siedlung entstand seit den 1960er Jahren beim Hof *Haider*, ein FN von mhd. *heide* stf. 'ebenes, unbebautes, wild bewachsenes Land; Heide' (Lexer I, Sp. 1207). Der Hof wurde 1978 abgebrochen und der Name der Siedlung dann in *Haiderstraße* umbenannt.

***L:*** –

10.2.7.15. ***Im Graben*** R von Unterstiftung 7–30

***D:*** *grǭ(b)m*

***U:*** –

***E:*** Von mhd. *grabe* swm. 'Graben' (Lexer I, Sp. 1064).

***L:*** –

10.2.7.16. ***Laimbach, Ober-*** R 34–115; ***Unterlaimbach*** R 31–113

***D:*** *'lǭ̃ɒ̃bǭ*

*U:* 1356 *jm Laimpach* OÖ. UB. VII, n. 457; *1435 *Laympach* GB. Leonf., f. 25; 1499 C 1564 *Zu Lainpach* Urb. Waxenberg, OÖLA, Starhemb. Urb., Hs. 200, f. 11; 1512 *Lainpach* Urb. Waxenberg, HKA, NÖHA W 31/A, f. 30; *1533 *Lainpach* Urb. Leonf., f. 4; 1571 *Lainpach* Urb. Waxenberg, HKA 1173, f. 120; 1599 *Lampach* Urb. Wax., OÖLA, HA Eferd., Hs. 200, f. 12; *1615 *Lainpach* Urb. Wax., OÖLA, HA Eferd., Hs. 201, f. 89; 1669 (1762) *Lainbach* Vischer; 1787 *Lanbach* Schütz; c. 1775 *Ober-*; *Unter Lanbach* Jos. LA.; 1827 *Oberlaimbach*; *Unterlaimbach* Pillwein I, S. 226; 1857 *Ober-*; *Unter-Laimbach* Souvent.

*E:* Gereihter *-bach*-Name (siehe EB) mit dem BW mhd. *leim* stm. 'Lehm' (Lexer I Sp. 1867f.), im Sinne von 'lehmiger Bach', wobei das auslautende *-m* des BW wie in Appellativen auch hier zu *-n* gewandelt und dann vernäselt wurde.

*L:* Schwarz, S. 93; Heller, S. 63.

10.2.7.17. ***Langbruck*** R 9–55

*D:* 'lã̄ŋbruk

*U:* 1356 *auf der Longenprůkk* OÖ. UB. VII, n. 457; *1435 *Lanngpruckh* Urb. Leonf., f. 25; 1499 C 1564 *Zu Lanngpruckh* Urb. Waxenberg, OÖLA, Starhemb. Urb., Hs. 200, f. 7; 1512 *Langpruckh* HKA, NÖHA L 25, f. 23; 1512 *Ellmegg vnd lang prugg* Urb. Waxenberg, HKA, NÖHA W 31/A, f. 28; *1533 *Langpruckh* Urb. Leonf., f. 2; 1571 *Dorff LanngPruckh* Urb. Waxenberg, HKA 1173, f. 207; 1599 *Langpruckh* Urb. Wax., OÖLA, HA Eferd., Hs. 200, f. 7; *1640 *Lanngpruckh* Jb. d. Mus. Linz 57/1899, S. 15; *1676 *auf der Lanngebruckh* Heller, S. 58; *1682 *Langpruckh* ebd., 1787 *Langbruck* Schütz; c. 1775 *Langbruck* Jos. LA.; 1827 *Langbruck* Pillwein I, S. 226; 1857 *Langbruck* Souvent.

*E:* Gefügter, dann gereihter AN mit dem GW bair.-mhd. *prukke* stf. 'Brücke' (Lexer I, Sp. 363) und dem BW 'lang' von mhd. *lanc* (Lexer I, Sp. 1818) mit Bezug auf die den Bach überquerende Brücke.

*L:* Schwarz, S. 93; Heller, S. 58.

10.2.7.18. ***Marks*** E von Dürnau

*D:* –

*U:* *1788 *Ledererhaus* Jos. Lb. zit nach Heller, S. 42; 1826 *Ledererhaus* Franz. Kat.; *1896 *Marks* Heller, S. 42; 1857 *Marks* Souvent.

*E:* Ursprünglich HN *Ledererhaus*, das Haus entweder eines Gerbers (mhd. *lëderer* stm., Lexer II, Sp. 1854f.) oder eines Besitzers mit dem gleichbedeutenden FN *Lederer* (Brechenmacher II, S. 238; Kohlheim S. 415). Seit der Mitte des 19. Jhs. nach dem Vornamen oder FN eines neuen Besitzers *Marks* vom Heiligen- und Evangelistennamen *Markus* benannt.

*L:* Heller, S. 42.

10.2.7.19. ***Rading*** R 9–40

*D:* 'rādī̃ŋ

*U:* 1356 *jm Raedinge* OÖ. UB. VII, n. 457; 1435 *aufm Asant und Råding* OÖ. Weist. I, S. 179; 1499 C 1564 *Zu Rading* Urb. Waxenberg, OÖLA, Starhemb. Urb., Hs. 200, f. 10; 1512 *Rading* HKA, NÖHA L 25, f. 36; 1512 *Rading* Urb. Waxenberg, HKA, NÖHA W 31/A, f. 30; *1533 *Rading* Urb. Leonf., f. 3; 1571 *Dorf Rating, Rading*; *Dorff Rading* Urb. Waxenberg, HKA 1173, f. 136, 156; 209; 1599 *Radung* Urb. Wax., OÖLA, HA Eferd., Hs. 200, f. 10; 1615 *Rating*; *Räding* Urb. Wax., OÖLA, HA Eferd., Hs. 201, f. 114; *1618 *Ratting* Urb. Leonf., StiA Wilh., f. 19, zit nach Heller, S. 74; 1669 (1762) *Rätting* Vischer; *1676 *Rading* Heller, S. 74; *1680 *Röding*; *in der Schanz oder Raidting* JB. d. Mus. 1887, S. 99 f.; *1682 *Rätting* Heller, S. 74; 1827 *Rading* Pillwein I, S. 226; 1857 *Rading* Souvent.

*E:* Der Kontext des ältesten ukdl. Beleges läßt auf einen LN schließen. Schwarz vermutet daher slaw. **Radьnikъ* von slaw. *radъ* 'froh, gern' in slow. *rad*, tschech. *rád*; osorb., nsorb. *rad* (Vasmer II, S. 481; Bezlaj III, S. 143; Schuster-Šewc III, S. 1200), wozu SN und Bergnamen wie *Radling*, *Radein*, *Räding* in der Steiermark und in Kärnten vergleichbar sind, die im Sinne von 'gerne, leicht begangene Gegend' zu verstehen sind (vgl. E. Kranzmayer, Ortsnamenbuch von Kärnten II, Klagenfurt 1958, S. 170f.). Der Ort liegt am alten Saumweg von und nach Böhmen, wobei 10.2.7.6. Böheimschlag und 10.2.9.2. Böhmdorf/Reichenthal Nachbarorte sind. Der als bair.-frühmhd. **Räd(i)nich* mit Sekundärumlaut integrierte SN wurde dann zum unechten *-ing*-Namen (siehe EB) umgeformt.

*L:* Schwarz, S. 98; Schiffmann III, S. 361; Fuchs, S. 85ff.; Kouril, n. 1870; Heller, S. 74.

10.2.7.20. ***Roßberg*** R 4–14

***D:*** *'rōsbę̄ɒg*

***U:*** 1356 *an den Rossperch* OÖ. UB. VII, n. 457; *1400 *Slagl sub Rosperg* Urb. Hohenfurt, S. 170; *1418 *Shleglein unter dem Rosperg* ebd.; 1435 *uber den Roßperg; gegen dem Roßperg* OÖ. Weist. I, S. 179; *1460 *dew strass uber den Rosperig* Urb. Hohenfurt, S. 170; *1490 *Rossberg* Wirmsb., Freist. Reg., S. 371; 1496 C 17. JhA *wie es mit der Strassen durch die wält vnd über den RosPerg fürangehalten werden solle* HKA, NÖHA, W 31/C, f. 1289; 1499 C 1564 *Zu Rosperg* Urb. Waxenberg, OÖLA, Starhemb. Urb., Hs. 200, f. 10; *1500 *Slegleins pod Rosperkem* Urb. Hohenfurt, S. 170; 1512 *Rosperg* HKA, NÖHA L 25, f. 36; *1533 *Rosperg* Urb. Leonf., f. 3; 1534 C 17. JhA *der Strassen halben, durch die Wällt, vnd yber den Rosperg* HKA, NÖHA, W 31/C, f. 1291; 1571 *Dorf RosPerg* Urb. Waxenberg, HKA 1173, f. 157; 1669 *Rossberg* Vischer; 1827 *Roßberg* Pillwein I, S. 226; 1857 *Rossberg* Souvent.

Anm.: Die ukdl. Belege von 1400, 1418 und 1500 verweisen im Kontext auf den an der böhmischen Seite des Roßberges gelegenen, heute abgekommenen SN *Schlagl*.

***E:*** Gereihter *-berg*-LN (siehe EB) mit mhd. *ros* stn. 'Roß, Pferd' (Lexer II, Sp. 488). Möglicherweise Hinweis auf Pferdewechsel an dieser Grenzstelle zu Böhmen am Kamm des Böhmerwaldes oder im Sinne von 'Berg, auf dem Pferde geweidet werden'.

***L:*** Schwarz, S. 100; Heller, S. 79.

10.2.7.21. ***Schönau*** D 21–78

***D:*** *,šę̄̃'nāų*

***U:*** 1356 *das dorf Schönnaw vnd Dietrichslag* OÖ. UB. VII, n. 457; *1435 *schonnaw* Urb. Leonf., f. 12; 1499 C 1564 *Zu Schönaw* Urb. Waxenberg, OÖLA, Starhemb. Urb., Hs. 200, f. 4; 1512 *Schonnaw* HKA, NÖHA L 25, f. 26; 1512 *Dorff Schonaw* Urb. Waxenberg, HKA, NÖHA W 31/A, f. 28; *1533 *Schönaw* Urb. Leonf., f. 1; 1571 *Dorff Schenaw* Urb. Waxenberg, HKA 1173, f. 206; 1615 *Schenau; Schönaw* Urb. Wax., OÖLA, HA Eferd., Hs. 201, f. 4; 106; 1827 *Schönau* Pillwein I, S. 226; 1857 *Schönau* Souvent.

***E:*** Gefügter *-au*-AN (siehe EB) mit dem Adjektiv mhd. *schoen(e)* 'schön' (Lexer II, Sp. 768) als mhd **ze [der] schoenen ouwe*.

***L:*** Schwarz, S. 101; Heller, S. 80.

10.2.7.22. ***Silberhartschlag*** ZH 2–6

***D:*** *'sų̄̃wɒ,šlǭg*

***U:*** 1356 *jm Sybreinslag* OÖ. UB. VII, n. 457; *1435 *Sibreinschlag* GB. Leonf., f. 29; 1499 C 1564 *Sibreinschlag* Urb. Waxenberg, OÖLA, Starhemb. Urb., Hs. 200, f. 11; 1512 *Silbreinslag* HKA, NÖHA L 25, f. 34; 1512 *Silbnslag* Urb. Waxenberg, HKA, NÖHA W 31/A, f. 30; 1571 *Silbrenschlag* Urb. Waxenberg, HKA 1173, f. 139; 1599 *Sibreinschlag* Urb. Wax., OÖLA, HA Eferd., Hs. 200, f.117; 1615 *Silbrenschlag* Urb. Wax., OÖLA, HA Eferd., Hs. 201, f. 117; *1618 *Silberschlag* Urb. Leonf., f. 19; 1640 *Silberschlag; Silberhardtschlag* Urb. Wax., OÖLA, HA Eferd., Hs. 202; Hs. 203; 1669 (1762) *Silberesschlag* Vischer; 1827 *Silbertschlag* Pillwein I, S. 226; 1857 *Silberschlag* Souvent.

***E:*** Gefügter *-schlag*-BN (siehe EB) mit dem diminuierten weiblichen PN bair.-ahd. *Sigipirî(n)* aus *Sigipirga* (Förstemann I, Sp. 1320), verkürzt spätahd. *Siberî(n)*, wozu sich bei Urfahr im Mühlviertel stellt 1360 *von dem gelt den ich enhalb Tunaw han an dem vrfar auf dem halben haus, daz der Sibrein ist enhalb Tunawn* OÖ. UB. VII, n. 722. Der nicht mehr verstandene PN wurde im 16. Jh. volksetymologisch an *Silber* angeschlossen und das mit epithetischem *-t* erweiterte, abgeschwächte Suffix [*-ɒd*] im 17. Jh. volksetymologisch zu ⟨*-hart*⟩ umgedeutet, so daß eine neue PN-Form ⟨*Silberhart*⟩ entstand. Sie konnte sich zwar schriftlich nicht durchsetzen, gibt aber die heutige amtl. Schreibform des SN ab.

***L:*** Schwarz, S. 102; Schiffmann III, S. 429; Heller, S. 83.

10.2.7.23. ***Spielau*** R 27–84

***D:*** *,šbī̆'lāų*

***U:*** 1435 *Hanns Spyllawber; der Spillawber grunt* OÖ. Weist. I, S. 179; 1499 C 1564 *Die grünnt Spillauben* Urb. Waxenberg, OÖLA, Starhemb. Urb., Hs. 200, f. 4; 1512 *Hanns Spillawer; der Styfftinger vnd der Spillawer grunt* HKA, NÖHA L 25, f. 41; 47; 1512 *Caspar spilawer; Toman spilawer* Urb. Waxenberg, HKA, NÖHA W 31/A, f. 22; 1571 *Spillau; ob der Spillaumüll gelegen; Gilg Spilauer von der halben Pernau* Urb. Wax, HKA 1173, f. 46; 146; *1684

*Spillau* Heller, S. 85; 1787 *Spilau* Schütz; c. 1775 *Spilauer M.* Jos. LA.; 1827 *Spielau* Pillwein I, S. 226; 1857 *Spielau* Souvent.

***E:*** Formal handelt es sich um einen gereihten *-au*-Namen (siehe EB) mit mhd. *spil* stn. ‘Spiel, Unterhaltung; Saitenspiel, Musik; Waffen-, Kampfspiel, Turnier, Wettkampf’ (Lexer II, Sp. 1091f.), was aber unmittelbar keinen Sinn ergibt. Da häufig der Bergname bzw. damit in Verbindung der SN *Spielberg* auftritt, könnte hier die Klammerform *Spiel[berg]au* zur Bezeichnung einer am Fuß eines Spielberges gelegenen Au vorliegen. Dabei könnte es sich um den einstigen Namen der oberhalb der Siedlung gelegenen heutigen *Felixhöhe* handeln. Über die Bedeutung des Namens *Spielberg* ist viel gerätselt worden (siehe OÖ. ONB 4, 4.1.6.33. Spielberg/Oberhofen am Irrsee und OÖ. ONB 11, 11.1.3.9. Spielberg/Mauthausen). Am wahrscheinlichsten ist bei so benannten Bergen in unserem Raum entweder das Auftreten von Birkhähnen, die wegen ihres Balzspieles *Spielhähne* heißen, so daß es zur Klammerform *Spiel[hahn]berg* kommt, oder, da Spielberge auch *Pfingstberge* heißen können, es sich um Anhöhen handelt, wo besonders zu Pfingsten Frühlingsfeiern als ursprüngliches Fruchtbarkeitsbrauchtum abgehalten werden. Nur bedingt dürfte mit der im rheinfränkischen Raum Lothringens, der Pfalz- und Rheinhessens vorkommenden Bezeichnung *Spiegel-/Spielberg* zur Bezeichnung von Bergen mit Warten zur Beobachtung der Gegend zu rechnen sein, obwohl diese Bedeutung für die ehemalige Burg auf einer Donauinsel bei Mauthausen angenommen wird. Vom SN *Spielau* leitet sich der hier auch ukdl. belegte FN *Spi(e)lauer* ab.

***L:*** –

10.2.7.24. ***Stern, Ober-*** R 5–32; ***Unterstern*** R 9–29

***D:*** *šdē̜(d)n*

***U:*** 1356 *jm Pehaimslag jm Laimpach am Stern auf der Haid* OÖ. UB. VII, n. 457; *1435 *am, unnder dem Stern* GB. Leonf., f. 26; *1533 *Christof am obern Stern* Urb. Leonf., f. 4; 1571 *Hanns Wiplinger am obern Stern*; *Thoman am vnndern Stern*; *Ober Sternpaur* Urb. Wax. 1173, f. 122f.; 146; 1615 *des obern Sternpaurn* Urb. Wax., OÖLA, HA Eferd., Hs. 201, f. 101; 123; *1618 *am undernstern* Heller, S. 90f.; *1679 *under Sternpauer* ebd.; *1682 *am undern Sternpaurnguett* ebd.; *1698 *am herundern Stern* ebd.; *1701 *Ober Sternpaurnguett* Heller, S. 66; 1703 *unter Sternpaurnguett* Heller, S. 91; *1738 *aufm obern Sternpaurnguett* Heller, S. 66, *1746 *an obern Sternpaurnguett* ebd.; c. 1775 *Ober*; *Unter Sternbauer* Jos. LA.; *1788 *Oberstern*; *Obersternpaurngut*; *Untersternbauerngut* Jos. Lb. zit. nach Heller, S. 66; 91; 1827 *Oberstern*; *Unterstern* Pillwein I, S. 226; 1857 *Ob.*; *Unt. Stern*; *Sternwald* Souvent.

***E:*** Zu *Stern-* siehe 10.2.6.15. Sternwald/Vorderweißenbach. Die Unterscheidung von zwei Ortsteilen ist volkstümlich nicht üblich.

***L:*** Heller, S. 63f; 66; 90f.; Grabherr (1975), S. 146.

10.2.7.25. ***(Sternmühle)*** Hf von Oberlaimbach

***D:*** *'šdē̜(d)nmū̃*

***U:*** *1435 *SternMülner* Urb. Leonf., f. 26; *1533 *Sternmüller* Urb. Leonf. f. 4; 1571 *Sternmülner*; *Hannß Sternmüllner* Urb. Wax. HKA 1173, f. 121; 1857 *Stern M[ühle]* Souvent.

***E:*** Gereihtes Kompositum mit dem GW ‘Mühle’ (siehe EB) und dem ON 10.2.7.24. Stern. Die Mühle wurde nach dem Zweiten Weltkrieg aufgelassen.

***L:*** –

10.2.7.26. ***Stiftung, Ober-*** D 31–144; ***Unterstiftung*** D 45–194

*D: 'šdiftīŋ*

***U:*** 1356 *daz dorf in der Stifftůng* OÖ. UB. VII, n. 457; 1435 *an der Stifftinger ... grunt* OÖ. Weist. I, S. 179; 1499 C 1564 *Zue Stifftung* Urb. Waxenberg, OÖLA, Starhemb. Urb., Hs. 200, f. 7; 1512 *Stifftung*; *von ainem Hamer auf der stifftung* HKA, NÖHA L 25, f. 20; 40; 1512 *Styfftung* Urb. Waxenberg, HKA, NÖHA W 31/A, f. 29; 1571 *Stifftung* Urb. Waxenberg, HKA 1173, f. 207; 1640 *Stiftung* Urb. Wax., OÖLA, HA Eferd., Hs. 202; *1676 *Stüfftung* Heller, S. 67; c. 1775 *Stifting* Jos. LA.; 1827 *Oberstiftung*; *Unterstiftung* Pillwein I, S. 226; 1857 *Ober- Unter-Stiftung* Souvent.

***E:*** Unter einer Stiftung von mhd. *stiftunge* stf. ‘Stiftung, Gründung, Belehnung’ (Lexer II,

Sp. 1193) versteht man die Ansiedlung von Bauern durch eine Grundherrschaft, die zu dieser in einem Pachtverhältnis stehen und an diese Pachtzins zu zahlen haben. Die Unterscheidung von zwei Ortsteilen ist volkstümlich nicht üblich.

***L:*** Schwarz, S. 103; Schiffmann III, S. 449; Heller, S. 67; 91.

10.2.7.27. ***Weigetschlag*** R 19–77

***D:*** *'wą̄įgɒd,šlǭg*

***U:*** 1356 *jm Weigleinslag* OÖ. UB. VII, n. 457; *1435 *Weigleinschlag* GB. Leonf., f. 32; 1499 C 1564 *Zu Weigleinslag* Urb. Waxenberg, OÖLA, Starhemb. Urb., Hs. 200, f. 11; 1512 *Weygleinslag* HKA, NÖHA L 25, f. 35; 1512 *Wegkhartsschlag*; *Weiglslag* Urb. Waxenberg, HKA, NÖHA W 31/A; *1571 *Weiglein-*, *Weiglennschlag* Urb. Wax., f. 1, 137; *1615 *Weiglschlag* JB. d. Mus. 57, S. 12; *1618 *Weigelschlag* Urb. Leonf., f. 45; 1827 *Weigertschlag* Pillwein I, S. 226; 1857 *Weigerschlag* Souvent.

***E:*** Gereihter *-schlag*-BN (siehe EB) mit dem diminuierten ahd. PN *Wîgilî* (Förstemann I, Sp. 1578).

***L:*** Schwarz, S. 106; Baumgartner, n. 577.

10.2.7.28. ***Weinzierl*** R 19–76

***D:*** *'wą̄ĩ,dsīɒ(d)l*

***U:*** 1356 *jm Weinzůrl* OÖ. UB. VII, n. 456; *1435 *Weintzürl* Urb. Leonf., f. 3; 1499 C 1564 *Zu Weinzierl* Urb. Waxenberg, OÖLA, Starhemb. Urb., Hs. 200, f. 9; 1512 *Wein Zurl* HKA, NÖHA L 25, f. 27; 1512 *Wein Zurl* Urb. Waxenberg, HKA, NÖHA W 31/A, f. 29; c. *1560 *Gerg Homerschmid im Weinzerl* Šimeček, S. 140; 1571 *ein Pach genannt der Weinzierlpach*; *Weinzierl* Urb. Waxenberg, HKA 1173, f. 11; 134; *1615 *Weinzierl* Jb. d. Mis. Linz 57/1899, S. 12; 1640 *Wolff Khörnstockh Hamerschmidt im Weinzierl* Urb. Wax., OÖLA, HA Eferd., Hs. 202; c. 1775 *Weinzetl* Jos. LA.; 1827 *Weinzierl* Pillwein I, S. 226; 1857 *Weinzierl* Souvent.

***E:*** Mhd. *wînzürl(e)* stswm. 'Weinhauer, Winzer' (Lexer III, Sp. 922), wahrscheinlich als FN *Weinzi(e)rl* (Brechenmacher II, S. 772; Kohlheim, S. 704) als Dat. sing. mhd. **ze [dem] wînzürle*.

***L:*** Schwarz, S. 106; Heller, S. 98.

10.2.7.29. ***Zuckermantel*** H von Rading 1–0

***D:*** *dɒ 'dsūgɒ,mą̄ntl*

***U:*** *1706 *Zuckhenmandl* Heller, S. 76; *1738 *Thobias Graspöckh aufm Zuckhermantl am Öhnern* ebd.; *1746 *Zuckermantl am Öhnen* ebd., *1788 *Zuckermantl* Jos. Lb. zit. nach Heller, S. 76; 1857 *Zuckenmann* Souvent.

***E:*** Die Bedeutung dieses häufigen FlN ist umstritten. Obwohl eine Kiefer in verschiedenen Gegenden volkstümlich *Zuckmantel* genannt wird, geht die Bezeichnung vom imperativischen Satznamen *Zuck den Mantel* von mhd. *zucken*, *zücken* swv. 'schnell und mit Gewalt ziehen, wegreißen, ergreifen; stehlen' (Lexer III, S. 1165) aus (Brechenmacher II, S. 868; Kohlheim, S. 745). Er fordert zur Vorsicht vor Räubern und Dieben auf, den Mantel festzuhalten, und bezeichnet zunächst unsichere Abschnitte an Wegen und Wegkreuzungen. An letzteren wurden oftmals Wegweiser aus gabelförmigen Kiefernästen aufgestellt, so daß der Name von da aus zur Bezeichnung von Kiefern wurde. Von Siedlungen an solchen Örtlichkeiten leitet sich dann der FN als Wohnstättenname her. Der nicht mehr verstandene FlN wurde in der ersten Hälfte des 18. Jhs. volksetymologisch in *Zuckermantel* umgedeutet, weil sowohl *-en* nach [*-k*] als auch *-er* in ma. [*-ɒ*] zusammenfallen.

***L:*** Schiffmann III, S. 505; Heller, S. 76.

## 10.2.8. Schenkenfelden 297–1101

10.2.8.1. ***Brandmühle*** Hf von Vorderkönigschlag 1–8

***D:*** *,brą̄̄d'mū̃*

***U:*** 1499 *Paul diennt von der prantmull* Urb. Freistadt, OÖLA, HA Freist., f. 184; 1565 *Christoff pranndtmüllner von der Müll* Urb. Freistadt, OÖLA, HA Freist., f. 171; 1590 *Sigmundt Höller von der Pranndtmüll* Urb. Freistadt, HKA 1159, f. 210; c. 1775 *Brand M.* Jos. LA.; 1857 *Brandt M.* Souvent.

***E:*** Gereihtes Kompositum mit dem GW 'Mühle' (siehe EB) und dem FN *Prand/Brand* als Kurzform vom bair.-ahd. PN *Hiltiprant* / mhd. *Hildeprant* (Förstemann I, Sp. 281ff.) oder zu zu bair.-mhd. *prant* stm. 'Stelle, wo im Wald durch Brand gerodet worden ist' (Lexer I, Sp. 340, n. 341).

***L:*** –

10.2.8.2. ***Grasbach*** ZH von Lichtenstein (3–13)

***D:*** *'grǭ̄s,bǭ̄*

***U:*** c. 1220 *In Richerawe inchoatur fluuius dictus Graspach, qui est interdicens terminus, et decurrit in fluuim, qui dicitur Gvsen. Sursum contra uerticem montium dicitus fluuius Graspach intercidens terminus est ad originem sui ipsius vbi dicitur vrsprinch. Ab origine fluuii dicti Graspach episcopales proprietates ac prouentus dicti de havnspach usque ad terminos Boemie postea protrahuntur.* OÖ. UB. I, S. 481, n. 4; c. 1250 *ripam, que dicitur maior Graspach* Urb. Pass.I, S. 265; 1310 C 1495 *Item vermerkt den Graspach; ain klains pechl neben des Wolfl im Graspach* OÖ. Weist. I, S. 223; 1590 *Hanns Horner im Graspach; Martin Reutter im Graspach* Urb. Freistadt, HKA 1159, f. 212; c. 1775 *Ober-; Unter Grosbecker* Jos. LA.; 1857 *Ober-, Unter Grasbauer* Souvent.

***E:*** Siehe 10.1.12.2. Grasbach/Sankt Gotthart im Mühlkreis.

***L:*** Schwarz, S. 88.

10.2.8.3. ***Hammerbichl*** Hf von Schenkenfelden 1–0

***D:*** *'hå̃̄mɒ,bḭ̈̄-ö*

***U:*** –

***E:*** Der sich in völliger Abgeschiedenheit befindende, heute wieder bewohnte Hof liegt bei einer Felsklippe, die als *Pichl* bezeichnet wird und zugleich die Erklärung des zunächst nicht einsichtigen HN liefert, zumal hier weder ein Bach fließt noch sich jemals ein Hammerwerk (mhd. *hamer* stm. 'Hammer, Hammerwerk' [Lexer I, Sp. 1163]) befunden hat. Der HN geht vielmehr zurück auf ein gereihtes Kompositum bair.-mhd. **hamelpühel* mit dem GW bair.-mhd. *pühel* stm. 'Hügel, Anhöhe' (Lexer I, Sp. 379) und dem BW mhd. *hamel* stm. 'schroff abgebrochene Anhöhe, Klippe, Berg' (Lexer I, Sp. 1162). Das nicht mehr verstandene Erstglied wurde volksetymologisch an *'Hammer'* angeschlossen.

***L:*** –

10.2.8.4. ***Kalvarienberg*** H von Schenkenfelden 1–2

***D:*** *ḭm 'bę̄ɒg*

***U:*** c. 1775 *Calvari Berg* Jos. LA.; 1827 *Eine besondere Merkwürdigkeit des Marktes Schenkenfelden ist der Kalvarienberg und die Kalvarienbergs=Kirche am Thierberge.* Pillwein I, S. 382f.; 1857 *Kalvarienberg* Souvent.

***E:*** Die 1712 von Georg Harrucker gestiftete und vom Linzer Baumeister Michael Prunner am steilen Hang des Tierberges nördlich des Ortes streng achsial errichtete Anlage mit einer Kirche und den zwölf Kreuzwegstationen wurde 1740 fertiggestellt und eingeweiht.

***L:*** Ulm, S. 203; Dehio (2003), S. 808f.

10.2.8.5. ***Kamplmühle*** H von Hinterkönigschlag 1–6

***D:*** *,khãmpö'mḭ̈̄*

***U:*** *1514 *Khämplmüll* Urb. Waldenf., f. 9; *1550 *Khämplmüllner* Urb. Pollh., f. 35; 1565 *Steffan Khempelmillner* Urb. Freistadt, OÖLA, HA Freist., f. 170; 1571 *Hanns Khampelmüllner* HKA, NÖHA, W 11/A, f. 72; 1584 *Hanns Kämplmüllner von der Kamplmüll; Merth Kamplmüllner diennt Jarlich von ainem halben Lufs* Urb. Waldenf., HKA 1177; c. 1775 *Kampl M.* Jos. LA.; 1857 *Kampl M.* Souvent.

***E:*** Gereihtes Kompositum mit dem GW 'Mühle' (siehe EB) und dem FN *Kampel, Kempel*, vgl. für 10.2.8.6. Königschlag 1499 *Hanns Kempel diennt von ainer behawsten pranntstat; Hanns Kempel diennt von ainem Viertail ains Rewt. Ist öd; Hanns Kempel diennt von ainem grundt, genant Im Tierperg* Urb. Freistadt, OÖLA, HA Freist., f. 183f.. Der FN *Kampl, Kempl*, das Diminutiv von mhd. *kamp* stm. 'Kamm' bezeichnet als Übername sowohl den Hersteller von Haar-, Woll- oder Weberkämmen als auch den Wollkämmer (Brechenmacher II, S. 7; Kohlheim, S. 359). Obwohl es auch in Oberösterreich die Mühlenart der *Kamp(el)mühle*, eine Mühle mit Kammrad, gibt und sich davon der FN *Kampelmüller* herleitet (Brechenmacher II, S. 8), ist eine solche Erklärung wegen der ukdl. bezeugten FN *Kampl, Kempl* nicht wahrscheinlich.

***L:*** Schwarz, S. 12.

10.2.8.6. ***Königschlag***, ***Hinter-*** D 30–152; ***Vorder-*** D 18–109

***D:*** *'khĩ̄nḭ,gšlǭ̄g*

*U:* 1336 *zehent in dem Chunigslag* OÖ. UB. VI, n. 201; 1348 *mein gut gelegen in dem Chvnigslag in Schenchenvelder pharr* OÖ. UB. VII, n. 86; 1356 *Chv̊ngslag* ebd., n. 456; 1365 *ein gůt im Chůngshlag* OÖ. UB. VIII, n. 237; 1383 *zehent im Chunigslag* OÖ. UB. X, n. 295; 1435 *und Kunigsslegern* OÖ. Weist. I, S. 179; 1499 *Diennst der Guetter Im Kunigslag* Urb. Freistadt, OÖLA, HA Freist., f. 189; 1512 *lannge Zeit in Irrung vnd Krieg gestanden gegen den Schenkenfeldern vnd Konigslagern* HKA, NÖHA L 25, f. 48; 1565 *Künigschlag* Urb. Freist., f. 171; 1571 *Khunigschlag*; *im Khünigschlag*; *Ambt Im Kunigslag* HKA, NÖHA, W 11/A, 65; 72; 127; 1584 *biß auf der Khünigschloger Grundt*; *Behauste Güetter Im Ambt Khünigschlag*; *Dorf im hindern Khünigschlag* Urb. Waldenf., HKA 1177; 1590 *Im Khönigschlag* Urb. Freistadt, HKA 1159, f. 212; c. 1775 *Königschlag* Jos. LA.; 1827 *Hinterkönigschlag*; *Vorderkönigschlag* Pillwein I, S. 382; 1857 *Hinter-*; *Vorderkönigsschlag* Souvent.

***E:*** Gefügter bzw. gereihter *-schlag*-BN (siehe EB) mit mit dem FN *König* von mhd. *künic* stm. 'König' (Lexer I, Sp. 1774 f.) für jemanden, der in seiner Umgebung in irgendeiner Weise hervorragt (Brechenmacher II, S. 88; Kohlheim, S. 387). Die Unterscheidung zweier Ortsteile ist volkstümlich nicht üblich.

***L:*** Baumgartner, n. 579.

10.2.8.7. ***Lichtenstein*** D 12–65

***D:*** *'livχtn,šdǭṽ*

***U:*** c. 1270 *decima in Liehtenstein* Lf. Urb., S. 144, n. 50; *1565 *Liechtenstain* Urb. Freist., f. 192; c. 1775 *Lichtenstein* Jos. LA.; 1827 *Lichtenstein* Pillwein I, S. 382; 1857 *Lichtenstein* Souvent.

***E:*** Gefügter AN mit dem GW mhd. *stein* stm. 'Stein, Fels' (Lexer II, Sp. 1161ff.) und dem Adjektiv mhd. *liecht* 'hell, strahlend, blank' (Lexer I, Sp. 1906).

***L:*** Schwarz, S. 94; Reisinger, n. 120.

10.2.8.8. ***Liebenschlag*** R 12–52

***D:*** *'līv(b)m,šlǫg*

***U:*** c. 1270 *Item de Herlibschlag* Lf. Urb., S. 152, n. 149; *1565 *Liebmslag* Urb. Freist., f. 196, 197; 1590 *Geörg Mitterer Zu Liebmschlag* Urb. Freistadt, HKA 1159, f. 209; c. 1775 *Liebenschlag* Jos. LA.; 1827 *Liebenschlag* Pillwein I, S. 382; 1857 *Liebenschlag* Souvent.

***E:*** Gereihter *-schlag*-BN (siehe EB) mit dem ahd. PN *Heriliup/*Heriliop* (Förstemann I, Sp. 773), der dann im 15./16. Jh. auf das Zweitglied beschränkt wurde. Zu *-iu-/-ie-* vgl. 10.2.9.7. Liebenthal/Reichenthal.

***L:*** Schwarz, S. 95; Schiffmann III, S. 313; Baumgartner, n. 558.

10.2.8.9. ***Schenkenfelden*** Markt 121–403

***D:*** *'šę̃ŋv,vǭ̈*

***U:*** c. 1270 *Item de Schenchenvelde* Lf. Urb. 145, n. 55; 1305 *in Schenchenuelder pharre* OÖ. UB. IV, n. 531; 1356 *in Schenchenvelder pharr* OÖ. UB. VII, n. 456; 1356 *swaz zv̊ dem gerihtt vnd ampttze Schenchenveld gehŏrt* ebd., n. 456; 1365 *gelegen ist in Schenchenvelder pfarr* OÖ. UB. VIII, n. 237; c. 1380 *ist gelegen in Schenkenfelder pharr* OÖ. UB. X, S. 735, n. 34; *1434 *das Stadlholz genannt in Schenkenfelder Pfarr* Urk. Starh. Eferd., OÖLA; 1443–1480 *das Stadlholtz das gelegen ist in Schennkhenfelderpharr* Lf. Lb., NÖLA, NÖ. Regierung 17, Hs. 4, f. 182; 1492 *vnnser Burger vnnd Leuth, Zu schennckhenfelden*; *das Gericht vnd Ambt daselbs zu schennckhenfelt* HKA, NÖHA S 14, f. 1; 1499 *Vermerkt die puerkrecht im Ambt Schennkenfeld*; *Diennst der Hofstettn zu Schenknfeld*; *von ainem luß in Schenknfelder Veld* Urb. Freistadt, OÖLA, HA Freist., f. 175; 181; 186; 1512 *lannge Zeit in Irrung vnd Krieg gestanden gegen den Schenkenfeldern vnd Konigslagern* HKA, NÖHA L 25, f. 48; 1574 *von Schenngkhenfeldn*; *von Schenngkhenfeldt*; *die von Schenngkhenfeldn*; *gemaines Markhts Schenckhenfeldt* HKA, NÖHA L 25, f. 94f.; 1575 *Vermerckt die puerkrecht im Ambt Schennckenfeld*; *Diennst der Hofstettn Zu Schencknfeld* Urb. Freistadt, OÖLA, HA Freist., Hs. f. 175; 181; 1578 *Zu Schenkhenfelt*; *vnnsere Burger, vnnd Leuth Zu Schenngkhen felden* HKA, NÖHA S 14, f. 7; 10; 1588 *den Schenckhenfeldern* HKA, NÖHA L 25, f. 152; 1590 *Schenckhenfelder Pfarr* Urb. Freistadt, HKA 1159, f. 212; *1669 (1762) *Schenkafeld* Vischer; c. 1775 *Schenkenfelden* Jos. LA.; 1827 *Schenkenfelden, Schenkafeld, ein Markt mit 84 Häusern, 145 Wohnparteyen, und 585 Einwohnern.* Pillwein I, S. 382; 1857 *Schenkenfelden* Souvent.

*E:* Gefügter BN mit dem GW mhd. *vëlt* stn. 'Feld, Fläche, Ebene' (Lexer III, Sp. 57f.) und dem FN *Schen(c)k* von mhd. *schenke* swm. 'Mundschenk, einschenkender Diener' (Lexer II, Sp. 701f.; Brechenmacher II, S. 500; Kohlheim, S. 574). Im Mühlviertel wies Strnadt, Velden, S. 144, die Familie der Schenken nach. Wie bei 10.2.7.5. Bad Leonfelden wurde der anfänglich singularische Gebrauch des GW später in den pluralischen gewandelt.

*L:* Schwarz, S. 101; Schiffmann III, S. 405; Pesta, S. 18.

10.2.8.10. ***Schild*** R 10–54

*D:* *šūd*

*U:* c. 1270 *Item de Liehtenstain et de Schilt* Lf. Urb., S. 151, n. 146; 1310 C 1495 *gegen dem Schillt* OÖ. Weist. I, S. 223; 1492 *Im schilt* HKA, NÖHA S 14, f. 1; *1499 *das Amt im Schilt* Archiv 104, S. 366, n. 18; *1565 *im Schult* Urb. Freist., f. 192; 1590 *Im Ambt Schildt* Urb. Freistadt, HKA 1159, f. 209; c. 1775 *am Schildt* Jos. LA.; 1827 *Schild* Pillwein I, S. 382; 1857 *Schild* Souvent.

*E:* Ursprünglicher FlN mhd. *schilt* stm. 'Schild, Schutz' (Lexer II, Sp. 737) mit Bezug auf die plateauartige, schildförmige Geländeform.

*L:* Schwarz, S. 101; Schiffmann III, S. 408.

10.2.8.11. ***Steinschild*** R 11–37

*D:* *'šdǭɒ̄,šūd*

*U:* c. 1270 *Item de Stainschut* Lf. Urb. S. 151, n. 145; *1565 *Stainßhuedt* Urb. Freist., f. 195; c. 1775 *Stainschild* Jos. LA.; 1787 *Stainschütt* Schütz; 1827 *Steinschild* Pillwein I, S. 382; 1857 *Steinschild* Souvent.

*E:* Kompositum mit dem GW mhd. *schüt(e)* stswf. 'Anschwemmung, angeschwemmtes Erdreich; aufgeschütteter Erdwall; Ort, wo Schutt abgelagert wird' (Lexer II, Sp. 832f.) und dem BW mhd. *stein* stm. 'Stein' (Lexer II, Sp.1161ff.).

Unter Einfluß des benachbarten 10.2.8.10. *Schild* wurde im 18. Jh. das GW durch jenes ersetzt.

*L:* Schwarz, S. 103; Schiffmann III, S. 446.

### 10.2.9. Reichenthal 308–1303

10.2.9.1. ***Allhut*** W 8–32

*D:* *'ǭį-ɒd*

*U:* 1375 *auf dem hoff in dem Alhuet* OÖ. UB. VII, n. 718; *1380 *Melhut* Schmidt, S. 8; *c. 1436 *Awhut* Archiv 104, S. 620; *1514 *im Alhuet* Urb. Waldenf., f. 9, 20; *1550 *Alhuet* Urb. Pollh., f. 24; 1584 *in Alhueth*; *Allhueth* Urb. Waldenf., HKA 1177; c. 1775 *Alhuth* Jos. LA.; 1827 *Allhut* Pillwein I, S. 420; 1857 *Allhuth* Souvent.

*E:* Der seit dem 14. Jh. bezeugte SN ist eine Verballhornung von tschech. **Na Lhotě* 'auf dem Freigut'. Mit tschech. *lhota* wurden seit dem 11./12. Jh. von Tschechen neu angelegte Siedlungen auf schlechten Böden bezeichnet, deren Bewohnern für begrenzte Zeit Abgabenfreiheit eingeräumt wurde. Das Wort kommt von tschech. *lehký* 'leicht' aus slaw. *lьgъkъ* 'leicht' in slow. *lahek*, poln. *lekki*, osorb. *lohki*, nsorb. *lekki* (Vasmer II, S. 24.; Bezlaj II, S. 120; Schuster-Šewc II., S. 858f.). Der tschech. SN, der in Böhmen gegen 300 mal und in Mähren rund 80 mal vorkommt, wurde seit dem 13. Jh. in verschiedenen Verballhornungen wie *Nalhütte*, *Elhut*, *Mehlhütten*, *Welhut*, *Wellhütten*, *Ölgut* usw. ins Deutsche integriert (vgl. E. Schwarz, Sudetendeutsche Ortsnamen, 2. Aufl., 1961, S. 89f., 173). Hier wird er mit mhd. *huote* stf. 'Hut, Bewachung, bewachtes Gebiet' (Lexer I, Sp. 1394f.) und danach im Bairischen 'Weideplatz' (Schmeller I, Sp. 1190) assoziiert.

*L:* Schwarz, S. 83; Schiffmann III, S. 22.

10.2.9.2. ***Böhmdorf*** D 14–51

*D:* *'bēndǭɒv*

*U:* 1365 *ain gůt gelegen im Pehaimdorff* OÖ. UB. VIII, n. 237; *1400 *Vlreich der Snekkenrewtter gesessen zw Pehaymdorf* Grabherr (1975), S. 151; *1550 *Peham-*; *Behaimdorff* Urb. Pollh., f. 24, 27, 28; *1669 (1762) *Pöhhamdorff* Vischer; c. 1775 *Böhmdorf* Jos. LA.; 1827 *Böhmdorf* Pillwein I, S. 420; 1857 *Böhmdorf* Souvent.

*E:* Gefügter *-dorf*-BN (siehe EB) mit dem Volksnamen bzw. FN bair.-mhd. *peheim* stm. 'Böhm(e)' (Schmeller I, Sp. 188f.; Brechenmacher I, S. 174; Kohlheim, S. 140). Die ma. Aussprache assimiliert das *-m* des BW an das anlautende *d-* des GW.

*L:* Schwarz, S. 84; Böhm, S. 127.

10.2.9.3. ***Vierhöf*** W 9–50

*D:* *'vīɒhēɒ*

*U:* *1318 *datz den hoefen* FRA 23, S. 67; 1326 *datz den Hoeven* OÖ. UB. V, n. 377; 1386 *dacz den Höfen* ebd., n. 467; OÖ. UB. X, n. 523; 1827 *Vierhof* Pillwein I, S. 420; 1857 *Vier Höf* Souvent.

*E:* Ursprünglich Dat. Plur. mhd. **ze den höven* von 'Hof' (siehe EB), später mit dem Zahlwort *vier* gereiht im Sinne von 'bei den vier Höfen'.

*L:* Schwarz, S. 105; Schiffmann III, S. 154.

10.2.9.4. ***Graslmühle*** E von Allhut 2–0

*D:* *'graßl,mü*

*U:* 1584 *Mer ain Vischpach der Grässlpach genannt facht sich an bej dem Tesslorth in Alhueth vnnd Oberhalb der Altmül hinauf haist der pach Müessenpach*; *ain Orth Vischwasser am Grässbach* [sic!] *daß Gottscher Ortt genannt so sich an dem Waldenfelßischen Vischwasser der auch der GrässlPach genannt anhebt*; *Barttlme Auer von der Gräßlmüll* Urb. Waldenf., HKA 1177; c. 1775 *Grasel M.* Jos. LA.; 1857 *Grassl M*[*ühle*]. *Grassl B*[*ach*]. Souvent.

*E:* Auszugehen ist vom gereihten *-bach*-Namen (siehe EB) *Grasslbach*, an dem die ehem. Mühle liegt, dessen BW der diminuierte FN *Grassl*, *Grässl*, *Gressl* vom FN *Grass*, *Gräss*, *Gress* ist. Für den bayer.-österr. Raum scheidet die in Familiennamenbüchern gegebene Herleitung von mhd. *graz/grâz* stm. 'Wut, Übermut' bzw. als Adjektiv 'wütend, zornig' (Lexer I, Sp. 1075) aus (Kohlheim, S. 284), weil die Wörter nur mitteldeutsch und alemannisch belegt sind. In Frage kommt vielmehr bair.-mhd. *graz* stn. 'Sprossen oder junge Zweige von Nadelhölzern' (Lexer I, Sp. 1075) in den weiterführenden Bedeutungen 'Reisig; Buschwerk, Gebüsch' (Schmeller I, Sp. 1008f.). Obwohl der *-bach*-Name, wie der nicht dimunierte ukdl. Beleg *Grässbach* zeigt, auch im Sinne von 'mit Buschwerk gesäumter Bach' verstanden wurde, spricht das Diminutiv für den FN. M. Hornung, Lexikon österr. Familiennamen, St. Pölten 1989, S. 63 möchte ihn als Wohnstättennamen im Sinne von 'wo es grünt' verstehen. Der SN, der wie im 19. Jh. korrekter *Grasslmühle* zu schreiben wäre, ist eine Klammerform *Grassl*[*bach*]*mühle*.

*L:* –

10.2.9.5. ***Hayrl*** W 7–23

*D:* *'hǭɒ(d)l*

*U:* 16. Jh. *ain wissen Im Haidlach genanndt, get nach dem pach hinab, biß an der Hamermülner grundt* Urb. Waldenf., HKA 1175, f. 22; 1514 C 16. JhII *das ander genannd Im Haidl*; *aine wissen Im Haidlach genandt*; 1514 C 17. JhA *genandt im Haidtl*; *Ain Wißen im Haidl genannt* Urb. Waldenf., HKA 1176, f. 65; 206; 1584 *Hofgründt: ... daß Erst Veldt genant daß Hochfeldt ... daß annder genant im Haidl*; *ain wissen im Haidlach genannt, gehet nach dem Pach hinab biß an der Hamber=Müllner Grundt* Urb. Waldenf., HKA 1177; 1827 *Haierl* Pillwein I, S. 420; 1857 *Hayrl* Souvent.

*E:* Nach der ukdl. Überlieferung des 16. Jhs. wechseln sowohl das Diminutiv *Haidl* von mhd. *heide* stf. 'Heide, ebenes, unbebautes wildbewachsenes Land' (Lexer I, Sp. 1207) als auch das davon gebildete Kollektiv *Haidlach*, eine *-ahi*-Ableitung (siehe EB), was als 'kleine Heide' bzw. als 'kleines Heidegebiet' zu verstehen ist.

*L:* Schwarz, S. 89.

10.2.9.6. ***Kohlgrub*** W 5–34

*D:* *'khōįgrūɒb*

*U:* 1383 *ein gut gelegen auf der Cholgrueb* OÖ. UB. X, n. 244; *1514 *auf der Kholgrueben*; *Khollgrueb* Urb. Waldenf., f. 12, 28; c. 1775 *Kolgrub* Jos. LA.; 1827 *Kohlgrub* Pillwein I, S. 420; 1857 *Kollgrub* Souvent.

*E:* Kompositum mit dem GW mhd. *gruobe* stswf. 'Grube, Vertiefung' (Lexer I, Sp. 1104) und dem BW mhd. *kol* swm. 'Kohle' (Lexer I, Sp. 1663), im Sinne von 'Senke, wo Holzkohle gebrannt wird'.

*L:* Schwarz, S. 92.

10.2.9.7. ***Liebenthal*** D 21–103

*D:* *'līɒ(b)m,dǭį*

*U:* ? um 1170–80 *agrum quendam ad decem iugera Livbental situm* Tr Klosterneuburg n. 508, lok. nach H.Dienst, Regionalgeschichte S. 179, Anm. 237; *1378 *Lyebintal* Fontes 23, S. 176; 1393 *ze Liebental im dorff in Reichentaler* *pharr; das holcz zenachst dem dorff ze Liebental* OÖ. UB. XI, n. 187; 1395 *zwai güter ze Liebental in Reichentaler pharr* ebd., n. 412; 1395 *fümf güter zu Liebental in dorff gelegen vnd dabey ein holcz in Reichentaler pharr* OÖ. UB. XI, n. 456; 1396 *ihr gut ze Liebental gelegen im dorff ... in der herschaft zu der Freinstat in Reichentaler pharr* ebd., n. 571; c. 1775 *Libenthal* Jos. LA.; 1827 *Liebenthal* Pillwein I, S. 420; 1857 *Liebenthal* Souvent.

***E:*** *-tal*-Name (siehe EB) entweder als AN gefügt mit dem Adjektiv bair.-ahd. *liup* / mhd. *liep* 'lieb, angenehm' (Lexer I, Sp. 1910f.) im Sinne von 'angenehmes, freundliches Tal' oder als BN gefügt mit dem slaw. PN **L'uba* (Miklosich, Slav. Personennamen, S. 71) oder dem bair.-ahd. PN *Liupo* (Förstemann I, Sp. 1019f.), wobei der Diphthong bair.-ahd. *-iu-* in mhd. Zeit wie im Adjektiv durch die vom Mitteldeutschen und Ostfränkischen bestimmte Form *liep* der Dichterssprache ersetzt wird (vgl. 10.2.8.8. Liebenschlag/Schenkenfelden).

***L:*** Schwarz, S. 94.

10.2.9.8. ***Miesenbach*** R 14–74

***D:*** *'mīɒsm,bǭ*

***U:*** 16. Jh *Mer ain wisen im Miessenpach* Urb. Waldenf., HKA 1175, f. 22; *1514 *Müessen-; Miessenpach* Urb. Waldenf., f. 12, 15; *1550 *Müesnpach* Urb. Pollh., f. 37; 1584 *Mer ain Vischpach der Grässlpach genannt facht sich an bej dem Tesslorth in Alhueth vnnd werth biß auf der Khünigschloger Grundt vnnd Oberhalb der Altmül hinauf haist der pach Müessenpach; ain Orth Vischwasser am Grässbach* [sic!] *daß Gottscher Ortt genannt so sich an dem Waldenfelßischen Vischwasser der auch der GrässlPach genannt anhebt vnnd geth hinab biß an die Behaimbisch Maur, so vormals frey gewesen aber Paanig gemacht; Colman Straubinger Im Müessenpach; ain wisen Im Müessenpach facht sich an bej dem Pach; an die MüessenPeckher vnd alsdann an die Reichentaller grunndt; Mer ain wisen Im Müessenpach* Urb. Waldenf.; HKA 1177; 1571 *Collman im MüessenPach; Vischwasser ... der Mießnpach genant* HKA, NÖHA, W 11/A, f. 72; 123; c. 1775 *Miesenbach* Jos. LA.; 1827 *Miesenbach* Pillwein I, S. 420; 1857 *Miesenbach* Souvent.

Westlich des Ortes liegt der ausgedehnte Miesenwald: 1435 *wegen des Miesnwaldts* OÖ. Weist. I, S. 179; 1499 C 1564 *am Niesenwald* Urb. Waxenberg, OÖLA, Starhemb. Urb., Hs. 200, f. 48; 1550 Müesnwaldt Urb. Pollh., f. 37; *1565 *Miesennwallt* Urb. Freist., f. 221; 1571 *an dem Niessenwaldt* Urb. Waxenberg, HKA 1173, f. 11; *1590 *Mießenwaldt* Urb. Freist., f. 6.

***E:*** Nach der Beschreibung von 1584 heißt der Oberlauf des Baches *Miesenbach* und der Unterlauf *Grasslbach*, an dem sich in Grenzlage gegen Böhmen die 10.2.9.4. *Gras(s)lmühle* befindet. Heute wird der gesamte Bach *Gras(s)lbach* genannt.

Der GewN und SN *Miesenbach* ist doppeldeutig. Entweder handelt es sich um einen *-bach*-BN (siehe EB) gefügt mit dem ahd. PN *Mieso* (Förstemann I, Sp. 1121) im Sinne von 'Bach des Mieso' oder um einen *-bach*-AN mit dem Adjektiv mhd. **miesîn* 'von Moos' von mhd. *mies* stnm. 'Moos' (Lexer I, Sp. 2133f.) wohl gefügt als **ze [dem] miesînen pach* mit anschließender Haplologie des Flexivs nach dem abgeschwächten Suffix im Sinne von 'Moosbach'.

***L:*** Schwarz, S. 95; Schiffmann III, S. 332; Bito, S. 155f.

10.2.9.9. ***Reichenthal*** Markt 112–418; ***Niederreichenthal*** W 8–43

***D:*** *('nīdɒ-) 'raįχɒ,dǭį*

***U:*** 1357 *lehen ze Reychenthal* OÖ. UB. VII, n. 473; 1365 *gelegen sind in Reyhentaler pfarr* OÖ. UB. VIII, n. 237; 1375 *in Reyhentaler pfarr; die wis in dem Nydern Reyhental* ebd., n. 718; 1376 *in Reichenthaller pfarr zu Freystetter gericht* OÖ. UB. IX, n. 25; 1383 *in Reichentaler pfarr* OÖ. UB. X, n. 217; 1383 *kirchen ze Reichental bei Waldenuels* ebd., n. 244; 1384 *gut daz Reichental bei Waldenfels* ebd., n. 376; 1393 *ze Liebental im dorff in Reichentaler pharr* OÖ. UB. XI, n. 187; 1395 *zwai güter ze Liebental in Reichentaler pharr* ebd., n. 412; 1395 *fümf güter zu Liebental in dorff gelegen vnd dabey ein holcz in Reichentaler pharr* OÖ. UB. XI, n. 456; 1396 *ihr gut ze Liebental gelegen im dorff ... in der herschaft zu der Freinstat in Reichentaler pharr* ebd., n. 571; 1398 *unser wys gelegen zu nidern Reychentall pey der Swenczelmüll in Reychentaller pfarr vnd in Freinsteter lanndtgericht* ebd., n. 781; 1398 *in Reychentaller pharr* ebd., n. 837; *1397 *ein Holz gelegen zu Lybental in Reichentaler Pfarre* Urk. Starh. Eferd., OÖLA; 1410 *ze nydern Reichental* Archiv 97, S. 286; *1422 *Nidern Reichental* Archiv 104, S. 620; 1571 *Die Reichentaller; Reichentall; Pharrer Zu Reichentall; Pfarr Walltpurg sambt derselben Zuekhirchen vnnd Filliall Reichentall; Ambt zu Reichentall; Ambt Oberreichen Tall* HKA, NÖHA W 11/A f. 66f.;124; 127; 140; 1584 *Daß Preuhauß zu Obern Reichentall; Ambt obern Reichentall; an die Reichentaller grundt; Reichentaller Pfarr; Ober Reichental im Aigen; Gottshauß vnnd Pfarrer zu Reichenthall; Die Zechleutt zu Reichenthall* Urb. Waldenf., HKA 1177; c. 1775 *Raichenthall; Nider Raichenthal* Jos. LA.; 1827 *Niederreichenthal; Reichenthal* Pillwein I, S. 420; 1857 *Reichenthal; Nied. Reichenthal* Souvent.

***E:*** Gefügter -*tal*-AN (siehe EB) mit dem BW mhd. *rîch(e)* 'mächtig, gewaltig, reich' (Lexer II, Sp. 416). Der Name im Sinne von 'ertragreiches Tal' erscheint als Wunschname, wenn man bedenkt, daß der Ort im 13. Jh. planmäßig mit regelmäßigem Marktplatz und romanischer, 1890 abgebrochener Kirche am Rande des Nordwaldes als Mittelpunkt des Rodungsbereiches der Grundherrschaft 10.2.9.10. Waldenfels angelegt wurde, deren Träger im 14. Jh. die Waldburger waren (OÖ.ONB 11, 11.5.6.17. Waldburg), wobei auch enge kirchliche Beziehungen mit Waldburg bestanden.

***L:*** Schwarz, S. 99; Schiffmann III, S. 370; Ferihumer, S. 318ff.; Ulm, S. 175f.; Dehio (2003), S. 657ff.

10.2.9.10. ***Schloß Waldenfels*** Schl 1–2

***D:*** *s šlōs*

***U:*** c. 1380 *Item her Kristan von Czinczendorf hat ze lehen: Waldenfelz halbz vnd waz darczue gehört, dez er gechaufft hat von Gregori von Zinczendorf* OÖ. UB. X, S. 795, n. 200; 1383 *kirchen ze Reichental bei Waldenuels* ebd., n. 244; 1384 *gut daz Reichental bei Waldenfels* ebd., n. 376; c. 1385 *Waldenfels halbs vnd was darczu gehört* ebd., S. 872, n. 26; 1390 *unser vest Walldenvells gelegen in Wallpurger pharr* OÖ. UB X, n. 828; 1394 *unser herschaft wegen ze Waldenuells* OÖ. UB. XI, n. 354; 1396 C *egenant vest Waldenvels* ebd., n. 589; 1396 *vesst ze Waldenfels* ebd., n. 590; 1397 *vest zu Waldenuels* ebd., n. 684; *1417 *Waldenfels* Wirmsb., Freist. Reg., S. 309; 1827 *Waldenfels, ein Schloß auf einem Felsen ... südlich von Reichenthal im sogenannten Haierl.* Pillwein I, S. 421; 1857 *Waldenfels* Souvent.

***E:*** Durch den Neubau des Schlosses von der zweiten Hälfte des 16. bis in die erste Hälfte des 17. Jhs. auf dem Abhang einer felsigen Kuppe ist die mittelalterliche Burg völlig verschwunden, die sich auf der heute von einer Festungsmauer mit Schwalbenschwanzzinnen umgebenen höchsten Felsplatte befunden haben wird, derer Anfänge im Dunkeln liegen und als deren erster Inhaber 1380 Purckhart der Waltpurger genannt wird. Obwohl bereits 1386 die Burg in den Besitz der Zinzendorfer überging, bestand kirchlich ein grundherrschaftlich bedingter enger Zusammenhang von 10.2.9.9. Reichenthal und OÖ.ONB 11, 11.5.6.17. Waldburg. Der typische Burgenname erscheint zwar als gefügter BN mit dem GW mhd. *vels* stm. 'Fels' (Lexer III, Sp. 56) und dem ahd. PN *Walto* / mhd. *Waldo* (Förstemann I, Sp. 1499), woraus dieser unbekannte Adelige als Erbauer der Burg zu folgern wäre, doch vermutet Grabherr (1976), S. 355 vielmehr, daß der erstgenannte Besitzer Purckhart der Waltpurger auch der Erbauer der Burg war. Dann aber wäre es möglich, daß der Burgenname in lautlicher Anlehnung an *Waldburg* gebildet wurde, aber nicht wie jenes mit mhd. *walt* stm. 'Wald', sondern als Wunschname mit dem Verbum mhd. *walten/walden* 'walten, herrschen, mächtig sein' (Lexer III, Sp. 659f.) als *wald(e) (d)en vels* 'beherrsche den Fels'. Ma. gilt nur '*das Schloß*'.

***L:*** Schiffmann III, S. 465; Grabherr (1975), S. 151; Grabherr (1976), S. 354ff.; Ferihumer, S. 318ff.; Ulm, S. 223; Dehio (2003), S. 662ff.

10.2.9.11. ***Schwarzenbach*** D 13–74

***D:*** *'šwǫɒtßm,bǭ*

***U:*** *1318 *Swarczenpach* Fontes 23, S. 67; c. 1323 *vnd Swartzzenpach* OÖ. UB. V, n. 377; 1326 *und Swartzzenpach* ebd., n. 467; 1330 C *vnd daz dorf ze Swaezzenbach* ebd., n. 568; 1386 C *ze Schwarzenbach zway guetter* OÖ. UB. X, n. 523; c. 1775 *Schwarzenbach* Jos. LA.; 1827 *Schwarzenbach* Pillwein I, S. 420; 1857 *Schwarzenbach* Souvent.

***E:*** Gereihter -*bach*-AN (siehe EB) mit dem BW mhd. *swarz* 'dunkel' (Lexer II, Sp. 1343).

***L:*** Schwarz, S. 101; Schiffmann III, S. 422; Bito, S. 218.

10.2.9.12. ***Stiftung*** D 30–164 = 11.5.8.25. ***Stiftung/ Rainbach im Mühlkreis/Pol. Bez. Freistadt***

***D:*** *'šdįftįŋ*

***U:*** *1318 *Styphtung* FRA 23, S. 67; c. 1323 *vnser guet di Stifftunge* OÖ. UB. V, n. 377; 1326 *unser guet di Stifftunge* ebd., n. 467; 1330 *daz dorf in der Stiftung* OÖ. UB. V., n. 568; 1386 C *in der Stifftung* OÖ. UB. X, n. 523; 1395 *drew güter gelegen in der Stifftung in Rainpekcher pharr* OÖ. UB. XI, n. 412, S. 381; 1395 *in der Stifftung czway güter* ebd., n. 456, S. 417; c. *1430 *pehaimische Stiftung* LB. Albr. V., f. 26; 1522 *Sechs gueter in der Stifftung* Lf. Lb., NÖLA, NÖ. Regierung 17, Hs. 13, f. 116; 1535 *Sechs gueter in der Stifftung* Lf. Lb., NÖLA, NÖ. Regierung 17, Hs. 15, f. 184; 1538 *Auf Stifftung* OÖ. Weist. II, S. 202; 1591 *zu Stifftung* Urb. Weinbg. OÖLA, HA Weinberg, Hs. 6, f. 135; *1633 *in der Stifft; im behemischen Stifft* Hoh. VI, 88Sf.; *1639 *in der Stifftung* OÖLA, HA Waldenfels, Urk. 43/27; c. 1775 *Stiftung* Jos. LA.; 1827 *Stiftung* Pillwein I, S. 420; 1857 *Stiftung* Souvent.

***E:*** Siehe 10.2.7.25. Stiftung, Ober-, Unter/Bad Leonfelden.

***L:*** Hohensinner (1997), S. 111; Schwarz, S. 103; Schiffmann III, S. 449.

# REGISTER

## *A. Alphabetisches Namenregister*

Vorbemerkung:
Zusätzlich zu den amtlichen Ortsnamen werden die davon abweichenden, nur volkstümlich gebräuchlichen Ortsnamen aufgenommen und mit * gekennzeichnet. Ferner werden in Klammern nicht selbstständig geführte Gewässer-, Landschafts- und Hofnamen sowie spezifische historische Namen aufgenommen und mit jenem Code versehen, unter dem sie behandelt werden.

## *B. Register der Namentypen*

## Inhaltsgliederung

## 1. Vordeutsche Namen

## 1.1. Indogermanisch-voreinzelsprachliche und keltische Namen



## 1.2. Germanische Namen



## 1.3. Slawische Namen

### 1.3.1. Slawische Bildungen



### 1.3.2. Slawisch-deutsche Mischbildungen



## 2. Deutsche Namen

## 2.1. *-ing*-Namen

### 2.1.1. Echte *-ing*-Namen

#### 2.1.2. Wahrscheinlich echte *-ing*-Namen

Anzing 10.1.13.1.
Freilassing 10.1.13.7.
Preising 10.1.9.5.
Vogging 10.1.5.8.
Walding 10.1.6.12.

#### 2.1.3. Späte und fragliche *-ing*-Namen

Punzing 10.2.1.3.
Willing 10.1.18.35.

### 2.2. *-HEIM*-Namen

#### 2.2.1. Einfache *-heim*-Namen

Bergheim 10.1.5.5.
Hofham 10.1.5.12.
Lindham 10.1.6.6.
Lindhamer 10.1.7.35.
Niederottensheim 10.1.2.4.
Ottensheim Markt 10.1.2.4.
Rodelheim 10.1.7.44.
(Tafersheim) 10.1.4.11.

#### (2.2.2. *-ingheim*-Namen)

### (2.3 *-HAUSEN*-Namen)

#### (2.3.1. *-hausen*-Namen)

#### (2.3.1. *-haus*-Namen)

### 2.4. *-STETT-*, *-STETTEN-*, *-STATT-* Namen

#### 2.4.1. *-stett-*, *stetten*-Namen

Geizerstetten 10.1.7.18.
Gramastetten 10.1.7.20.
Luegstetten 10.1.18.20.
Stötten 10.1.7.51., 10.1.13.24.
Stöttner 10.1.9.17.
Türkstetten 10.1.7.10.

#### 2.4.2. *-statt*-Namen

Brandstatt 10.2.4.5.
Lachstatt 10.1.4.8.

### 2.5. *-HOFEN-*, *-HOF*-Namen

#### (2.5.1. *-hofen*-Namen)

#### 2.5.2. *-hof*-Namen

Höf 10.2.1.7., 10.2.3.3.
Höfer 10.1.14.9.
Höflein 10.1.2.3.
Hofing 10.1.13.14.
Vierhöf 10.2.9.3.
Wieshof 10.1.7.54.

### 2.6. *-KIRCHEN*-Namen

Feldkirchen an der Donau 10.1.5.7.
Gallneukirchen 10.1.11.3.
Oberneukirchen 10.2.1.15.

### (2.7. *-WANG*-Namen)

### 2.8. *-AHI*-Namen

Dornach 10.1.9.6.
Edlau 10.2.4.7.
Haslach 10.1.9.9.
Hayrl 10.2.9.5.
Hochbuchedt 10.1.15.6.
Kronabited 10.1.8.10.
Kronabitedt 10.1.15.10.
Lindach 10.1.18.18.
Rohrach 10.1.15.12.
Tannbrunnen 10.1.7.8.
Weideder 10.2.4.18.
Weidet 10.1.5.21.

### 2.9. *-DORF*-Namen

Alberndorf in der Riedmark 10.1.18.2.
Audorf 10.1.5.3.
Berbersdorf 10.1.18.4.
Berndorf 10.1.13.2., 10.1.14.2.
Böhmdorf 10.2.9.2.
Bogendorf 10.1.13.3.
Dorf 10.1.4.11.
Edtsdorf 10.1.10.8.
Eidendorf 10.1.13.5.
Engerwitzdorf 10.1.10.10.
Feldsdorf 10.1.7.14.
Gerbersdorf 10.1.18.8.
Götzelsdorf 10.1.4.5.
Hadersdorf 10.1.18.11., 10.2.5.3.
Herzogsdorf 10.1.13.12.
Kaindorf 10.2.4.12.
Kelzendorf 10.1.18.15.
Klendorf 10.1.10.17.
Königsdorf 10.2.1.11.
Kottingersdorf 10.1.18.17.
Lassersdorf 10.1.7.30.
Loitzendorf 10.1.18.19.
Maierdörfl 10.1.8.14.
Matzelsdorf 10.1.18.21., 10.2.4.15.
Mühldorf 10.1.5.15.
Neudorf 10.1.13.20.
Oberndorf 10.1.5.17., 10.1.11.5., 10.1.18.22.
Pröselsdorf 10.1.18.5.

Ramersdorf 10.1.9.13.
Rinzendorf 10.1.18.24.
Rutzingerdorf 10.1.1.4.
Schallersdorf 10.1.18.26.
Schlammersdorf 10.1.18.27.
Schwarzendorf 10.1.9.14.
Spattendorf 10.1.18.29.
Veitsdorf 10.1.18.7.
Weberndorf 10.1.17.10.
Weignersdorf 10.1.17.11., 10.2.4.19.
Weikersdorf 10.1.18.33.
Weitersdorf, Ober- 10.1.18.34.
Willersdorf 10.1.9.24.
Wintersdorf 10.2.5.10.
Wögersdorf 10.2.1.23.
Würschendorf 10.1.9.27.

## 2.10. -*ERN*-Namen

Mahring 10.1.13.18.
Pulgarn 10.1.4.4.
Wolfing 10.1.10.29.

## 2.11. -*AHA*-Namen

Ach 10.1.5.
Weitra 10.1.9.21.
Weitrag, Ober-, Unter- 10.1.9.21.

## 2.12. -*BACH*-Namen

Am Reichenbach 10.1.4.2.
Bach 10.1.6.1., 10.1.10.5.
Gänsbach 10.2.4.9.
Grasbach 10.1.12.2., 10.1.13.10., 10.1.18.9., 10.2.8.2.
Haibach im Mühlkreis 10.2.4.11.
Kitzelsbach 10.1.9.11., 10.1.15.8.
Kohlbach 10.2.6.11.
Laimbach, Ober-, Unter- 10.2.7.16.
Miesenbach 10.2.9.8.
Mistelbach 10.2.4.16.
Pesenbach 10.1.5.6.
Reichenbach, Ober- 10.1.10.23.
Rohrbach 10.2.5.8.
Rudersbach, Ober-, Unter- 10.1.16.5.
Schwarzenbach 10.2.9.11.
Schweinbach 10.1.10.26.
Steinbach 10.1.18.31.
Tumbach 10.1.11.2.
Weißenbach, Hinter-, Vorder- 10.2.6.17.

## 2.13. -*BRUNN*-Namen

Eckhartsbrunn 10.1.17.4.
Tannbrunnen 10.1.7.8.

## (2.14. -*MOOS*-Namen)

## 2.15. -*AU*-Namen

Appenau 10.2.7.3.
Au 10.1.5.2., 10.1.7.5., 10.1.10.3., 10.2.7.4.
Dürnau 10.2.7.9.
Edlau 10.2.4.7.
Froschau 10.2.1.5.
Glasau 10.1.15.5., 10.2.6.9.
Hagau 10.2.7.12.
Hagenau 10.1.1.3.
Hopfauer 10.1.7.25.
In der Au 10.2.1.8.
Koglerau 10.1.7.29.
Puchenau; Ober-, Unter- 10.1.3.5.
Reichenau im Mühlkreis 10.2.3.5.
Rohrau 10.2.6.13.
Schloß Puchenau 10.1.3.5.
Schönau 10.2.7.21.
Schwarzau 10.1.18.28.
Spielau 10.2.7.23..

## 2.16. -*BERG*-Namen

Affenberg 10.2.4.1.
Almesberg 10.1.18.3.
Altenberg bei Linz 10.1.9.1.
Am Pfenningberg 10.1.4.1.
Amberg 10.1.7.1., 10.1.10.2.
Amesberg 10.2.6.2.
Amesberger 10.1.7.2.
Amesberger-Siedlung 10.1.7.2.
Asberg 10.1.8.1.
Aschlberg 10.1.14.1.
Dürnberg 10.1.2.2.
Eidenberg 10.1.14.5.
Engerwitzberg 10.1.10.9.
Eschelberg 10.1.12.1.
Gaisberg 10.1.13.8.
Gallusberg 10.1.10.11.
Greifenberg 10.1.18.10.
Großamberg 10.1.3.8., 10.1.7.1.
Hamberg 10.1.7.22.
Hamberger; Ober-, Unter- 10.1.7.22.
Hasenberg 10.1.4.6.
Heinberg 10.1.18.12.
Herndlsberg 10.2.5.6.
Kalvarienberg 10.1.7.27., 10.2.8.4.
Karlsberger 10.2.4.14.
Kleintraberg 10.2.1.4.
Königsberg 10.2.1.10.
Lichtenberg, Alt- 10.1.8.12.
Lichtenberg, Neu- 10.1.7.32.
Lichtsberger 10.1.8.13.
Limberg 10.1.7.34.
Linzerberg 10.1.10.20.
Mühlberg 10.1.8.15.
Mursberg 10.1.6.7.

Neulichtenberg 10.1.8.12.
Oberer Mühlberg 10.1.8.15.
Obernbergen 10.1.4.10.
Pelmberg 10.1.17.3.
Pöstlingberg 10.1.3.4., 10.1.7.6.
Punzenberg 10.1.11.1.
Ramberg 10.2.3.4.
Ritzelsberg 10.1.18.25.
Rodlberg-Siedlung 10.1.7.44.
Roßberg 10.2.7.20.
Schallenberg 10.2.1.18.
Schlagberg 10.1.7.47.
Schloß Eschelberg 10.1.12.1.
Schmiedberg 10.1.7.48.
Sonnberg, Ober- 10.1.16.6.
Traberg, Groß- 10.2.1.4.
Untersonnberg 10.1.16.6.
Waxenberg 10.2.1.22.
Wigretsberg 10.1.13.25.
Wildberg 10.1.9.22., 10.1.15.15.
Zollerberg 10.2.5.11.

## 2.17. *-LEITEN*-Namen

(Diesenleiten) 10.1.7.9.
Felsleiten 10.1.13.6., 10.1.14.7.
Klamleiten 10.1.18.16.
(Klammleitenmühle) 10.1.7.28.
Maierleiten 10.1.7.38., 10.1.12.4.
Rosenleiten 10.1.5.20.
Schauerleithen 10.2.2.5.

## 2.18. *-TAL*-Namen

Liebenthal 10.2.9.7.
Niederreichenthal 10.2.9.9.
Reichenthal 10.2.9.9.
Thal, Nieder-, Ober- 10.1.10.6.

## 2.19. *-ECK*-Namen

Elmegg 10.2.7.10.
Königsecker 10.1.15.9.
Riedegg 10.1.18.23.
Rottenegg 10.1.6.9., 10.1.12.7.
Schiefegg 10.1.14.12.
Steyregg Stadt 10.1.4.11.
Windegg 10.1.4.12.

## 2.20. *-REIT-, -RIED*-Namen

### 2.20.1 *-reit*-Namen

Reitern, Nieder- 10.1.10.24.
Steinreith 10.1.10.27.
Stratreith 10.1.9.18., 10.1.15.13.

### 2.20.2 *-ried*-Namen

Riedegg 10.1.18.23.

## 2.21. *-SCHLAG*-Namen

Affetschlag 10.2.7.2.
Albrechtschlag 10.1.16.1.
Altenschlag 10.2.5.11.
Amesschlag 10.2.1.1., 10.2.6.3.
Bernhardschlag 10.2.6.4.
Böheimschlag 10.2.7.6.
Davidschlag 10.1.15.1.
Dietrichschlag 10.2.7.8.
Eberhardschlag 10.2.6.6.
Gaisschlag 10.2.6.7.
Geierschlag 10.2.6.8.
Innernschlag 10.2.2.1.
Kammerschlag 10.1.14.10.
Kirchschlag bei Linz 10.1.15.7.
Königschlag, Hinter- 10.2.8.6.
Liebenschlag 10.2.8.8.
Ortschlag 10.2.6.12.
Ottenschlag im Mühlkreis 10.2.5.7.
Schaffetschlag 10.2.1.17.
Schauerschlag 10.2.1.19., 10.2.2.6.
Silberhartschlag 10.2.7.22.
Waldschlag, Ober-, Unter- 10.2.1.21.
Weigetschlag 10.2.7.27.

## (2.22. *-SCHWAND*-Namen)

## 2.23. *„WALD"*-Namen

### 2.23.1 *-hart*-Namen

Hart, Ober- 10.1.5.11.
Unterhart 10.1.5.11.

### (2.23.2. *-lochen*-Namen)

### (2.23.3. *-schachen*-Namen)

### 2.23.4. *-holz*-Namen

Buchholz 10.1.13.4.
Holzpoldlsiedlung 10.1.8.9.
Holzwiesen 10.1.10.15.
Holzwinden 10.1.4.7.
Mühlholz 10.1.5.16., 10.1.12.5., 10.1.13.19.

### 2.23.5. *-wald*-Namen

Brunnwald, Ober- 10.2.1.2.
Sternwald 10.2.6.15.
Waldhäuseln 10.1.17.9.
Wallner-Siedlung 10.1.7.53.

### 2.24.1 „BAUM“-Namen

#### (2.24.1 *-baum*-Namen)

#### 2.24.2. *-buch*-Namen

Hochbuchedt 10.1.15.6.

#### 2.24.3. *-eich*-Namen

Aich 10.1.18.1.

#### 2.24.4. *-tann*-Namen

Dornach 10.1.9.6.
Tannbrunnen 10.1.7.8.

#### (2.24.5. *-ficht-/-feicht*-Namen)

#### 2.24.6. *-linden*-Namen

Limberg 10.1.7.34.
Lindach 10.1.18.18.
Lindham 10.1.6.6.
Lindhamer 10.1.7.35.

#### 2.24.7. *-hasel*-Namen

Haselgraben 10.1.8.8.
Haselwies 10.1.12.3.
Haslach 10.1.9.9.

#### 2.24.8. *-esch*-Namen

Aschlberg 10.1.14.1.
Eschelberg 10.1.12.1.

### 2.25. *-„WEG“*-Namen

#### 2.25.1. *-gassen*-Namen

Ebengasse 10.1.8.4.
Schmiedgassen 10.1.10.25.
Staubgasse 10.1.14.13.

#### 2.25.2. *-straß*-Namen

Oberstraß 10.1.5.18., 10.1.12.6.
Saumstraß 10.2.2.4.
Straß 10.2.2.7.

#### 2.25.3. *-weg*-Namen

Kreuzwegsiedlung 10.1.3.10.
Mitterweg 10.1.7.39.
Simonweg-Siedlung 10.1.2.6.

### 2.26. *-ÖD*-Namen

Althellmonsödt 10.1.16.6.
Auedt 10.1.17.2.
Edt 10.1.9.7., 10.1.14.3.
Fuchsöd 10.2.4.8.
Gattered 10.1.3.7.
Geitenedt 10.1.15.3.
Hellmonsödt 10.1.17.6
Helmetzedt 10.2.5.5.
Kainedt 10.2.4.13.
Koxeder 10.1.17.7.
Kronabited 10.1.15.10.
Kronabitedt 10.1.8.10.
Kunödt 10.1.8.11.
Reindlsedt 10.2.1.16.
Weideder 10.2.4.18.
Weignersedt 10.1.9.20.

### (2.27. *-HUB*-Namen)

## *C. Register der Personen- und „Familiennamen“*

### 1. Deutsche Personen- und „Familiennamen“

#### 1.1. Personennamen

Adalpërht 10.1.16.1.
Albini, Albuni, Albani 10.1.18.2.
Albrëht 10.1.16.1.
Altman 10.1.18.3.
Amal 10.2.1.1.
Anzo 10.1.13.1.
Arb(e)o 10.1.3.8.
Diotrîch/mhd. Dietrîch 10.2.7.8.
During 10.1.7.10.
Ëburhart/mhd. Ëberhart 10.2.6.6.
Ekk(e)hart 10.1.17.4.
Ekkihart 10.1.17.4.
Ekkihart / mhd. Ekk(e)hart 10.2.5.2.
Ekkirîh 10.1.7.12.
Engilpolt 10.1.10.10.
Focko 10.1.5.8.
Gallus 10.1.11.3.
Garilî 10.1.10.11.
Geit 10.1.15.3.
Gêrbalt, Gêrbolt 10.1.18.8.
Gêrhalm 10.1.5.10.
*Gîtzo 10.1.7.18.
Gotthard 10.1.12.8.
Gotzî 10.1.4.5.
Gotzilî 10.1.4.5., 10.1.9.11.
Grîfo 10.1.18.10.
Grîmhart 10.1.7.20.
Hadurîch/mhd. Hädrîch 10.1.18.11.
Hagano/mhd. Hagen 10.1.18.12.

## 1.2. „Familiennamen“

## 2. Slawische Personen- und „Familiennamen“

### 2.1. Personennamen



### (2.2. „Familiennamen“)

## *D. Register der Appellativa*

Vorbemerkung:
Dieses Register enthält sämtliche Appellativa, soweit sie nicht Namentypen bilden und im entsprechenden Register B enthalten sind. Die Ansatzform ist im Normalfall die mittelhochdeutsche. Althochdeutsche (ahd.), neuhochdeutsche (nhd.) und mundartliche (ma.) Ansatzformen werden besonders ausgewiesen. Ein Bindestrich vor bzw. nach einem Wort zeigt an, daß es das Grund- bzw. Bestimmungswort eines Kompositums bzw. die Basis einer Ableitung bildet. Kommt ein Wort daneben auch als Simplex (mit zum Teil bloß syntaktisch bedingtem Morphem) vor, so wird der vor- und/oder nachgesetzte Bindestrich eingeklammert. Diminutiva und selbständige mhd. Komposita bzw. Ableitungen werden als solche angeführt. Nicht belegte mhd. Ansatzformen sind mit * gekennzeichnet.

### 1. Deutsche Appellativa

## 2. Slawische Appellativa



## 3. Slawische Ableitungen vorslawischer Namen



## (4. Tschechische Exonyme)

# KARTEN

## Verzeichnis der Karten

Die Karte „Primärumlaut von westgerm. a“ sowie die Karten mit den Typen -wang, -moos, -schwand, -schwend und -hub entfallen.

# 1 GEMEINDEN

des Politischen Bezirks Urfahr Umgebung

# ② URKDL. BELEGE VOR 1000

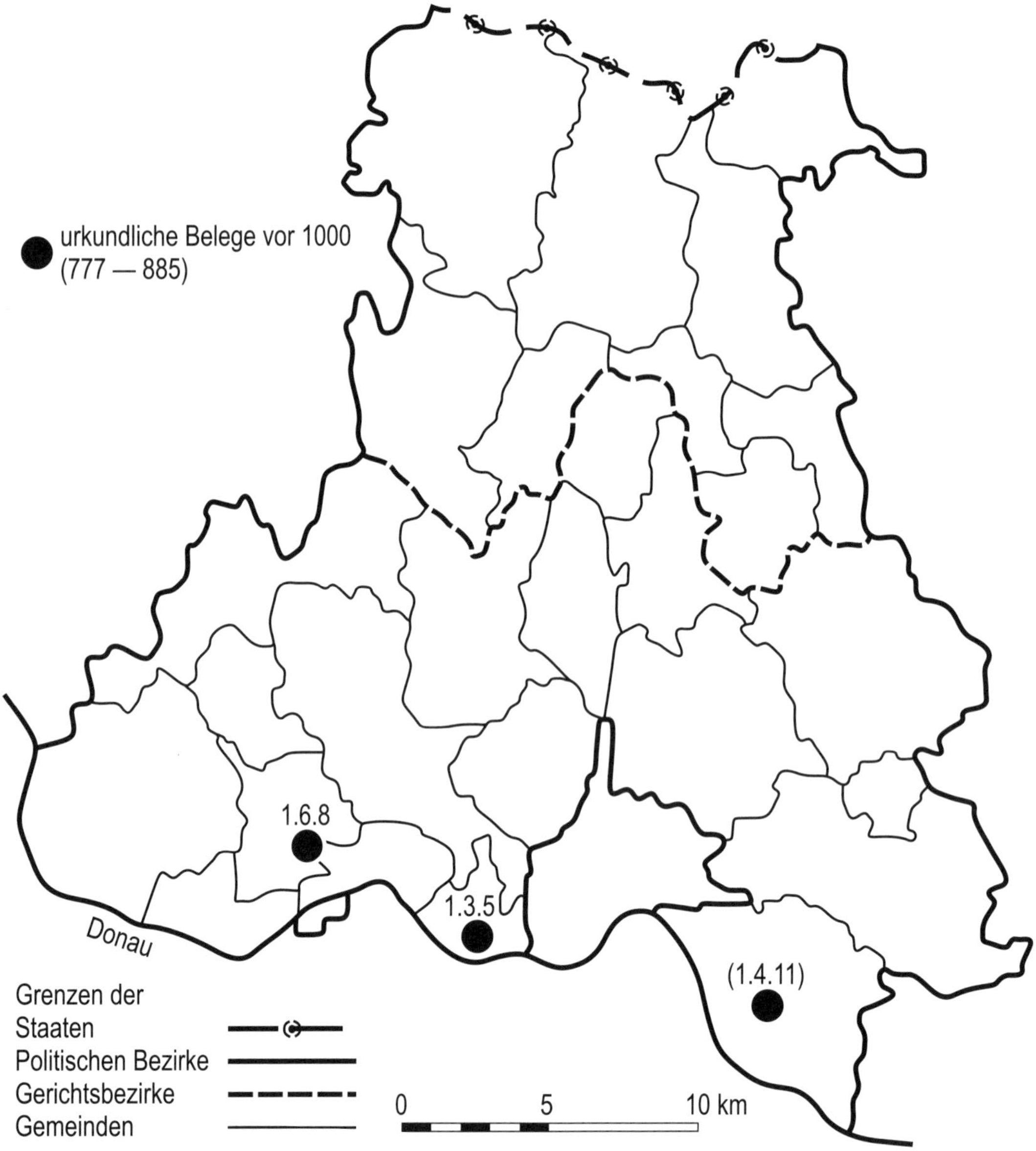

# 4 SEKUNDÄRUMLAUT

von westgerm. *a*

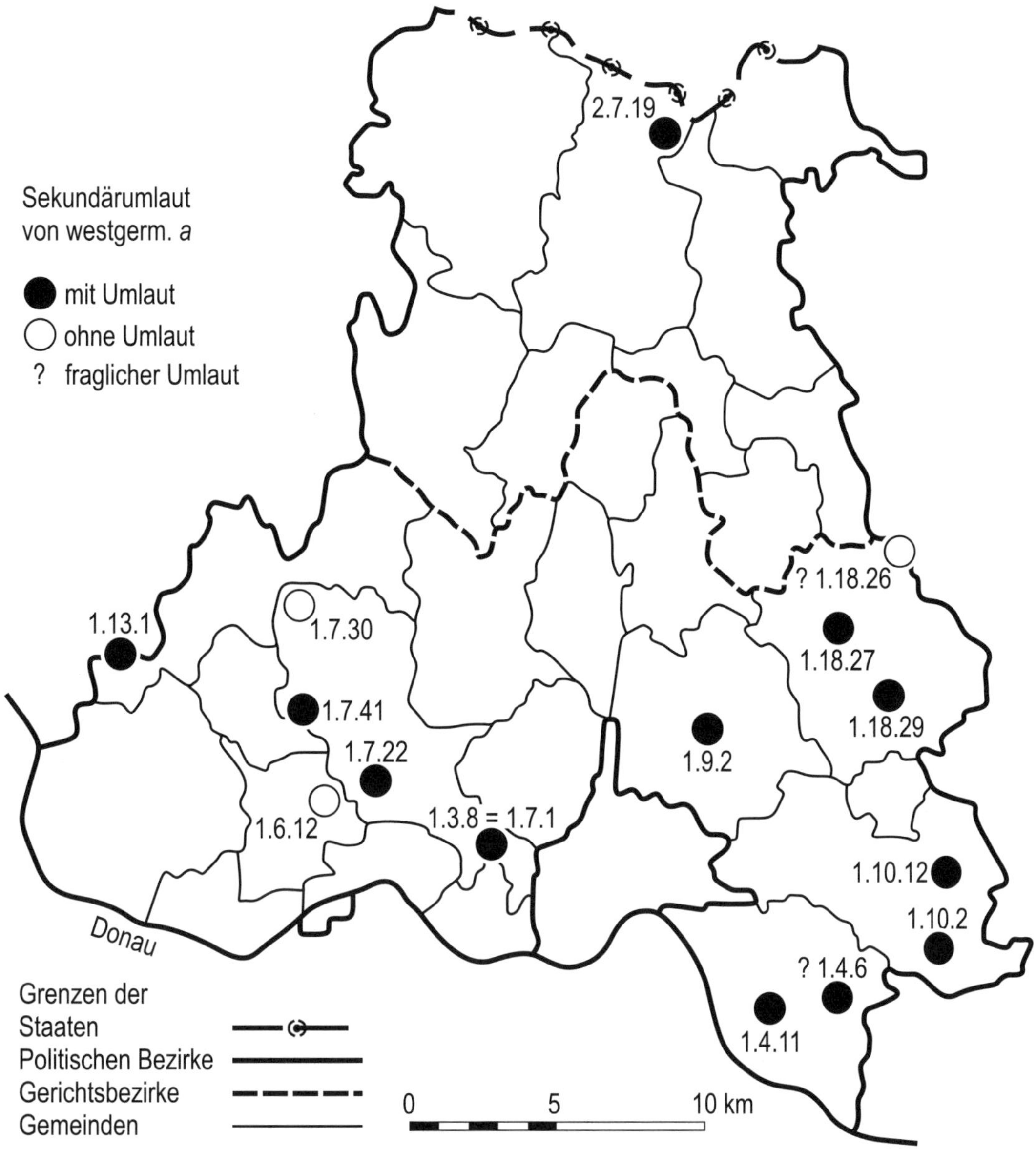

# 5 RESTUMLAUT

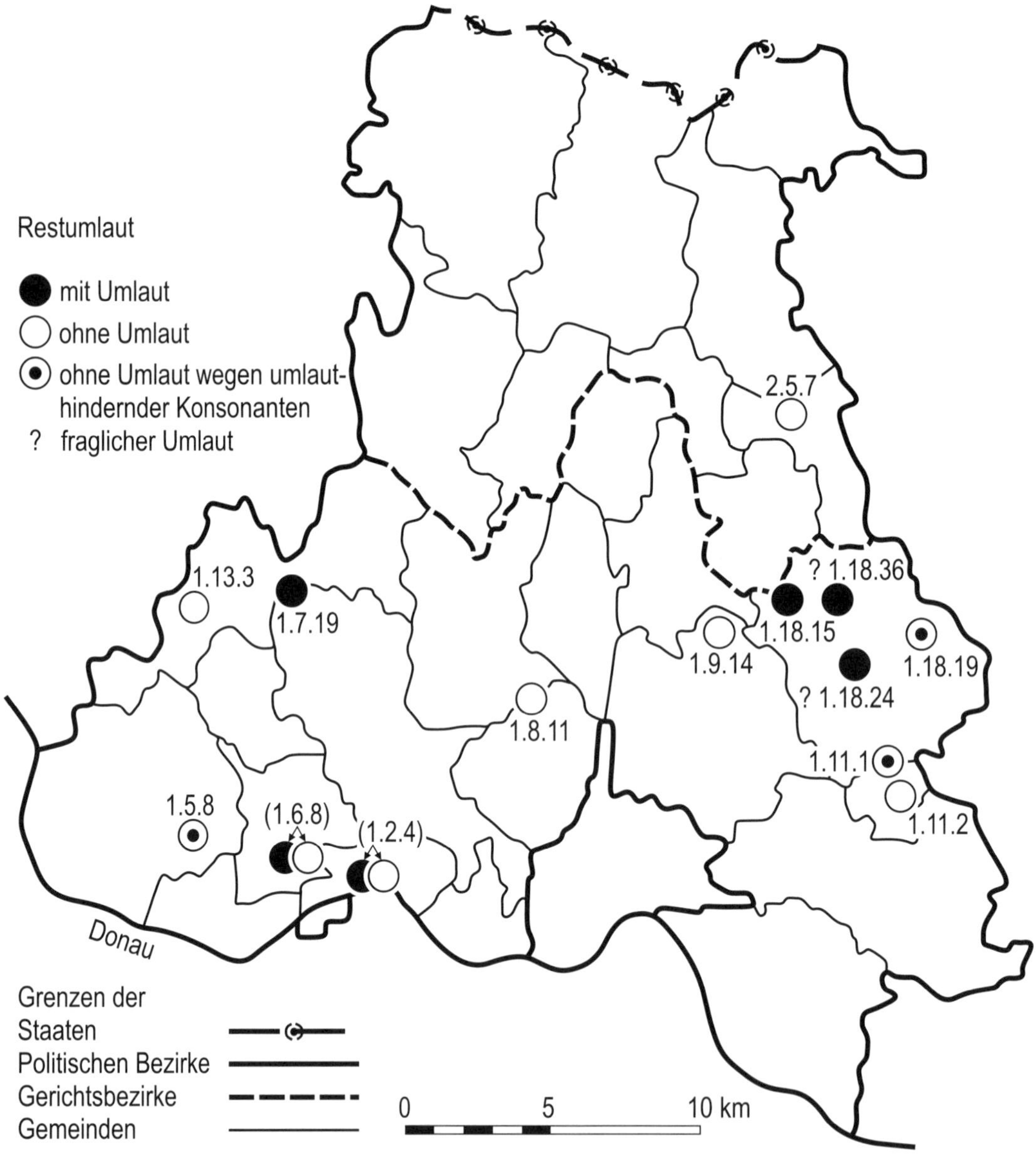

# ⑥ SLAWISCHE NAMEN

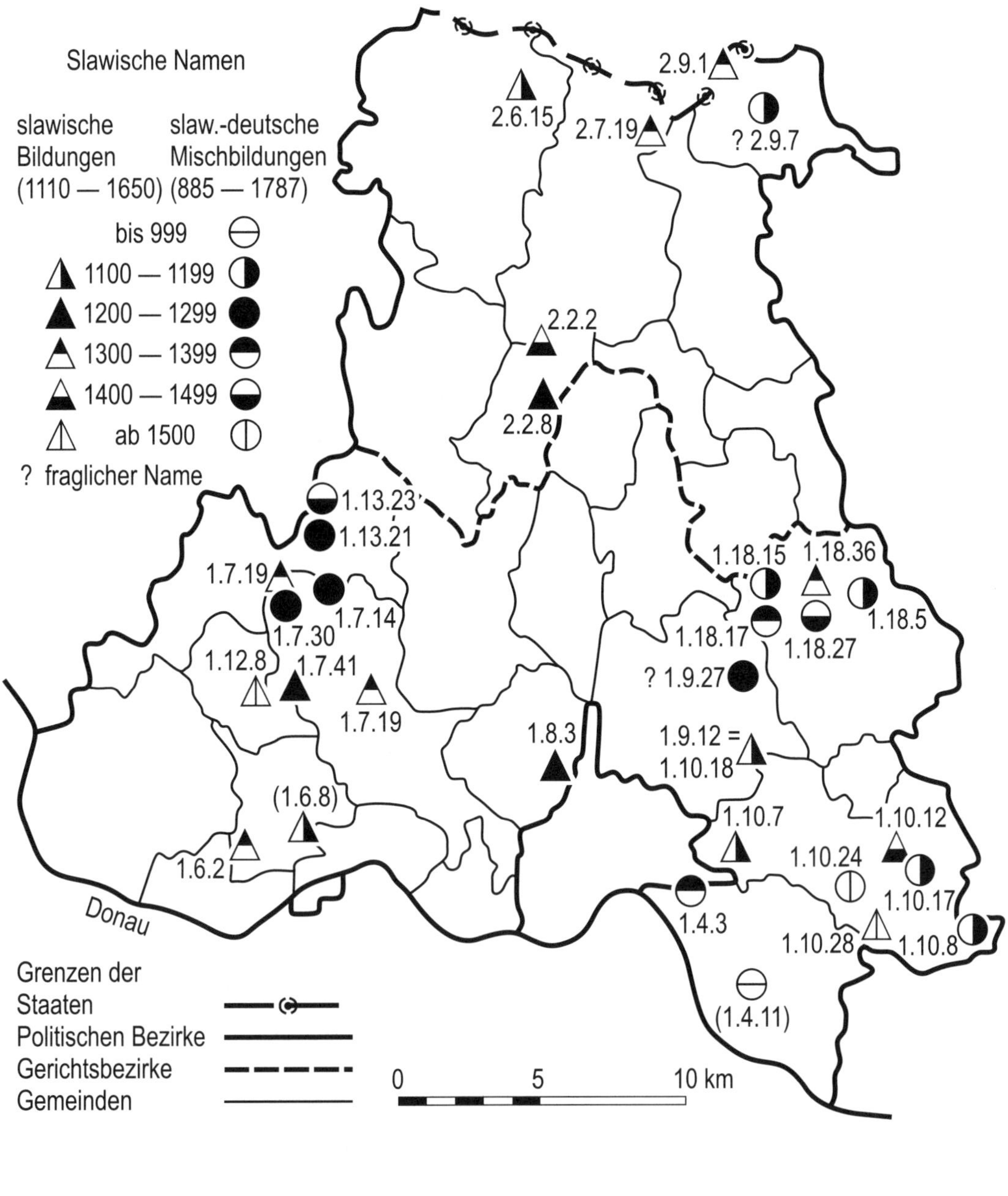

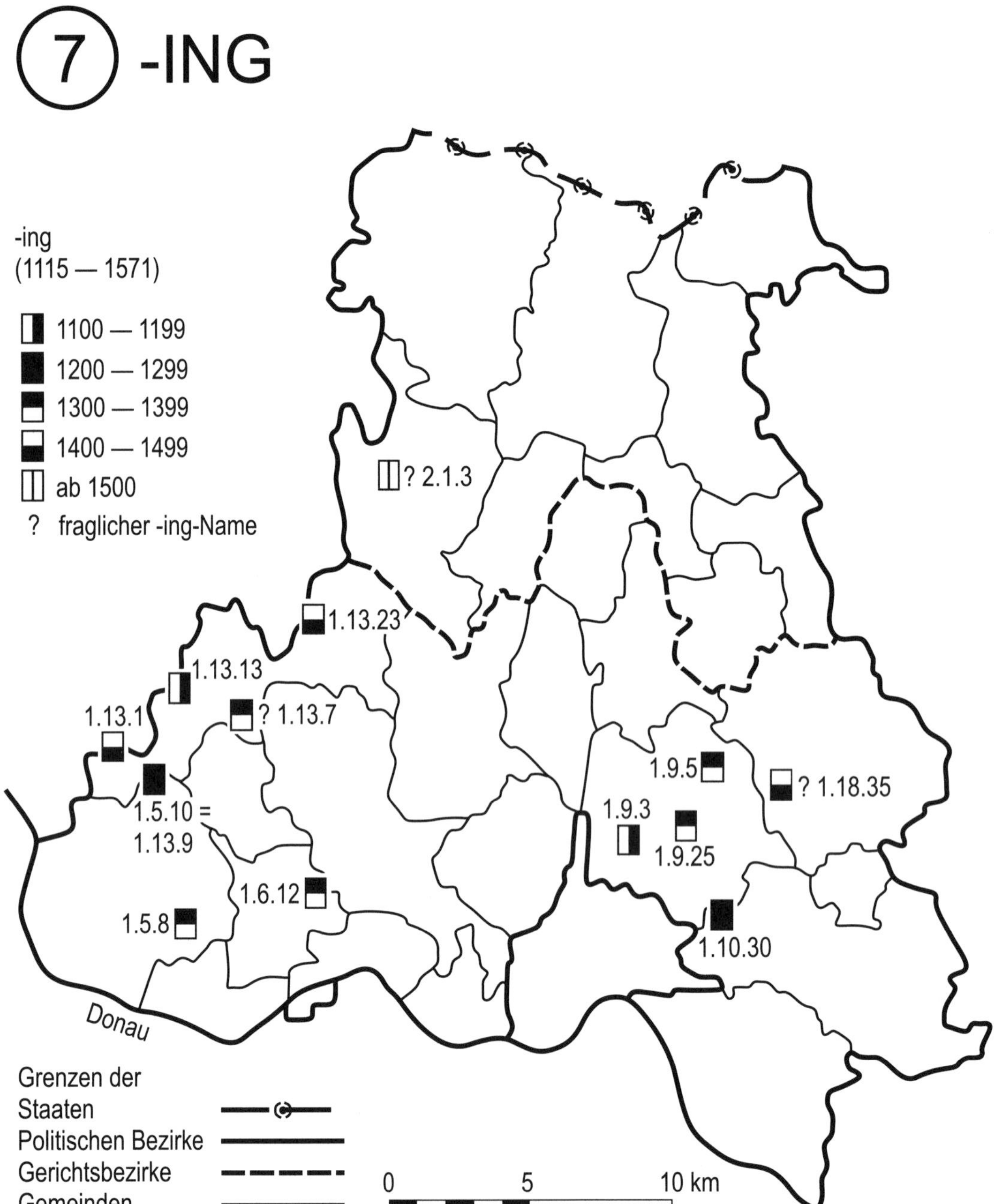
7 -ING
-ing
(1115 — 1571)
1100 — 1199
1200 — 1299
1300 — 1399
1400 — 1499
ab 1500
? fraglicher -ing-Name
? 2.1.3
1.13.23
1.13.13
? 1.13.7
1.13.1
1.5.10 =
1.13.9
1.6.12
1.5.8
1.9.5
? 1.18.35
1.9.3
1.9.25
1.10.30
Donau
Grenzen der
Staaten
Politischen Bezirke
Gerichtsbezirke
Gemeinden
0
5
10 km

# 8 -HEIM

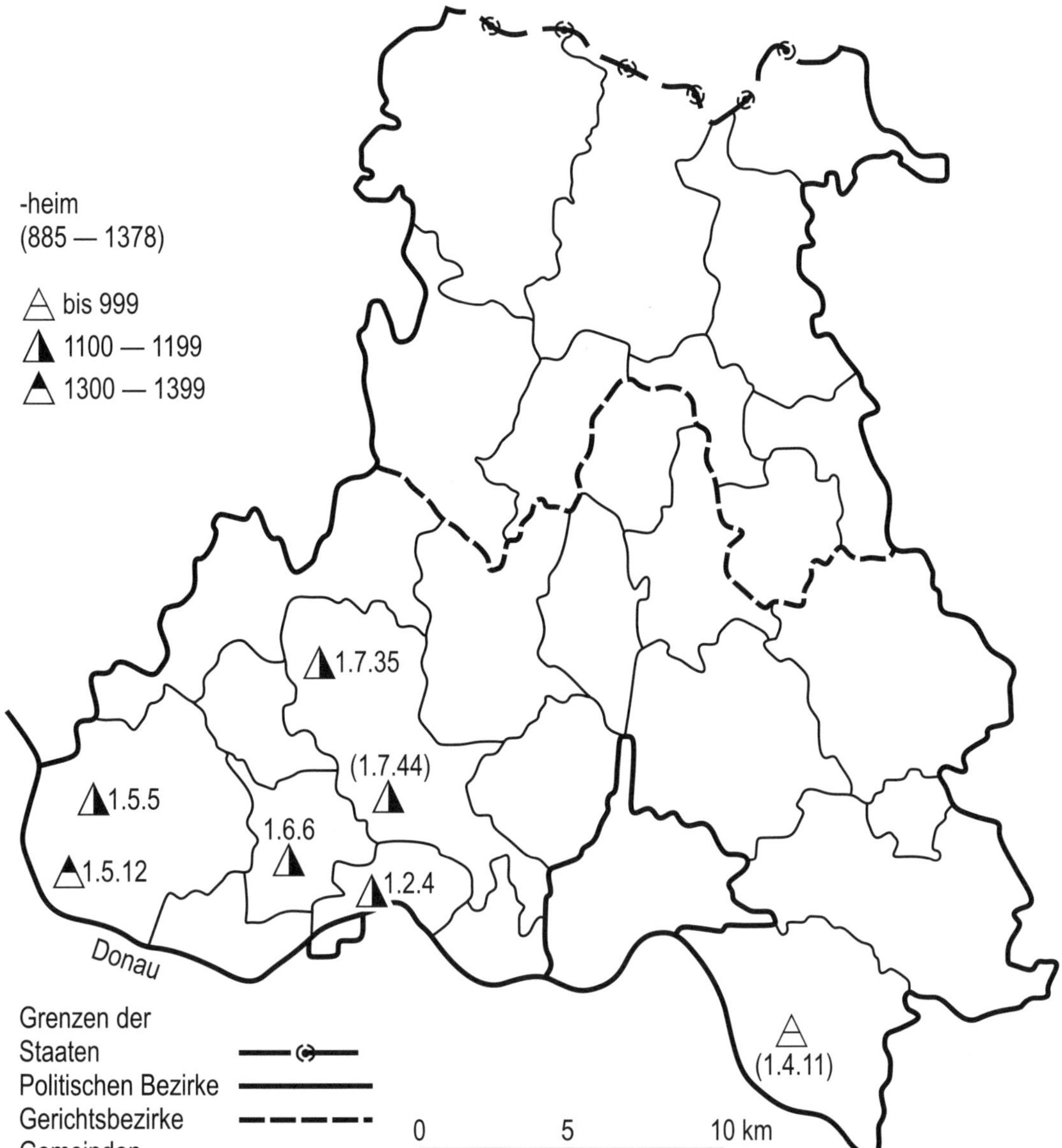
-heim
(885 — 1378)
bis 999
1100 — 1199
1300 — 1399
1.7.35
(1.7.44)
1.5.5
1.6.6
1.5.12
1.2.4
(1.4.11)
Donau
Grenzen der
Staaten
Politischen Bezirke
Gerichtsbezirke
Gemeinden
0
5
10 km

# ⑨ -STETT, -STETTEN, -STATT

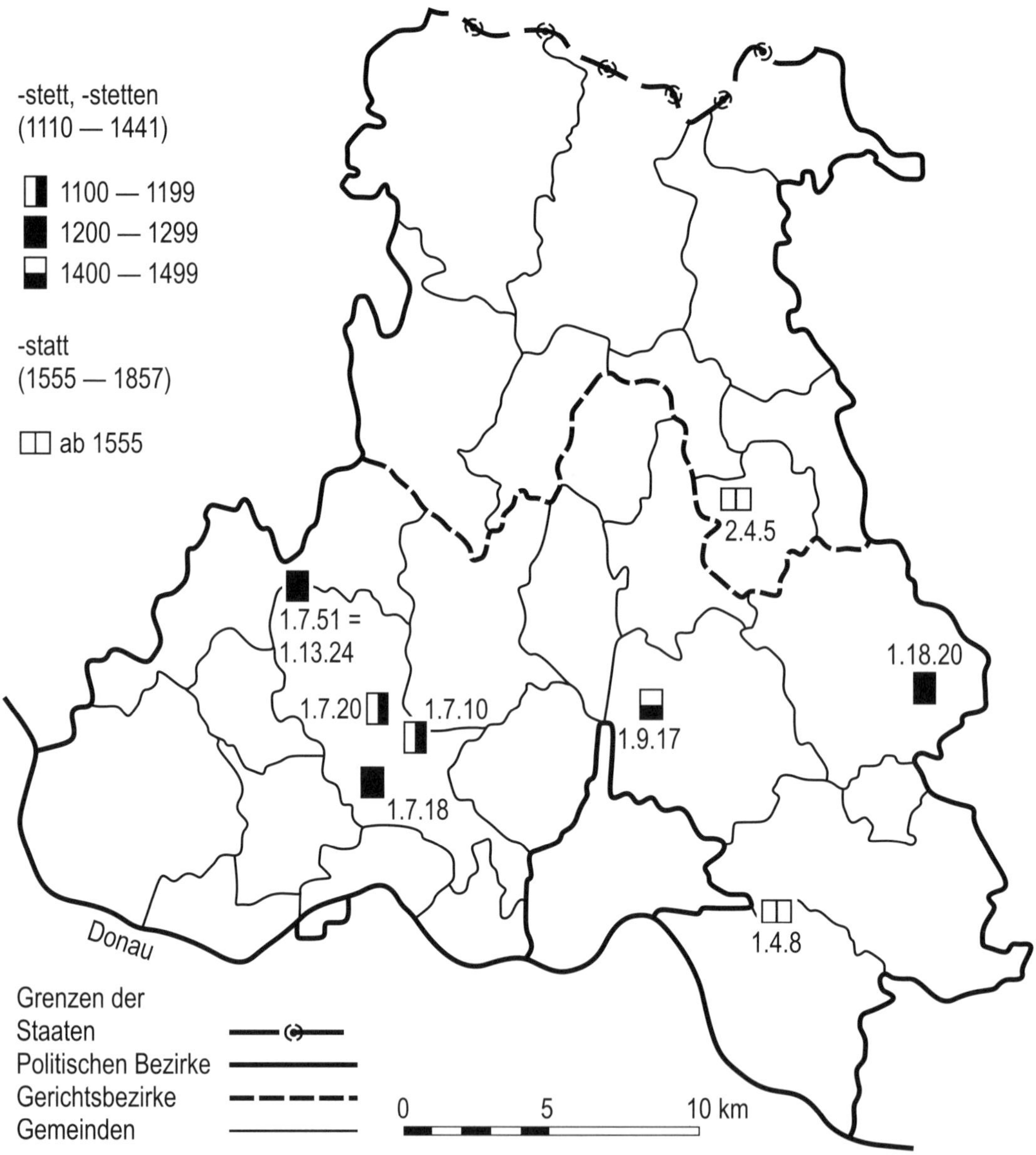

# (10) HOF

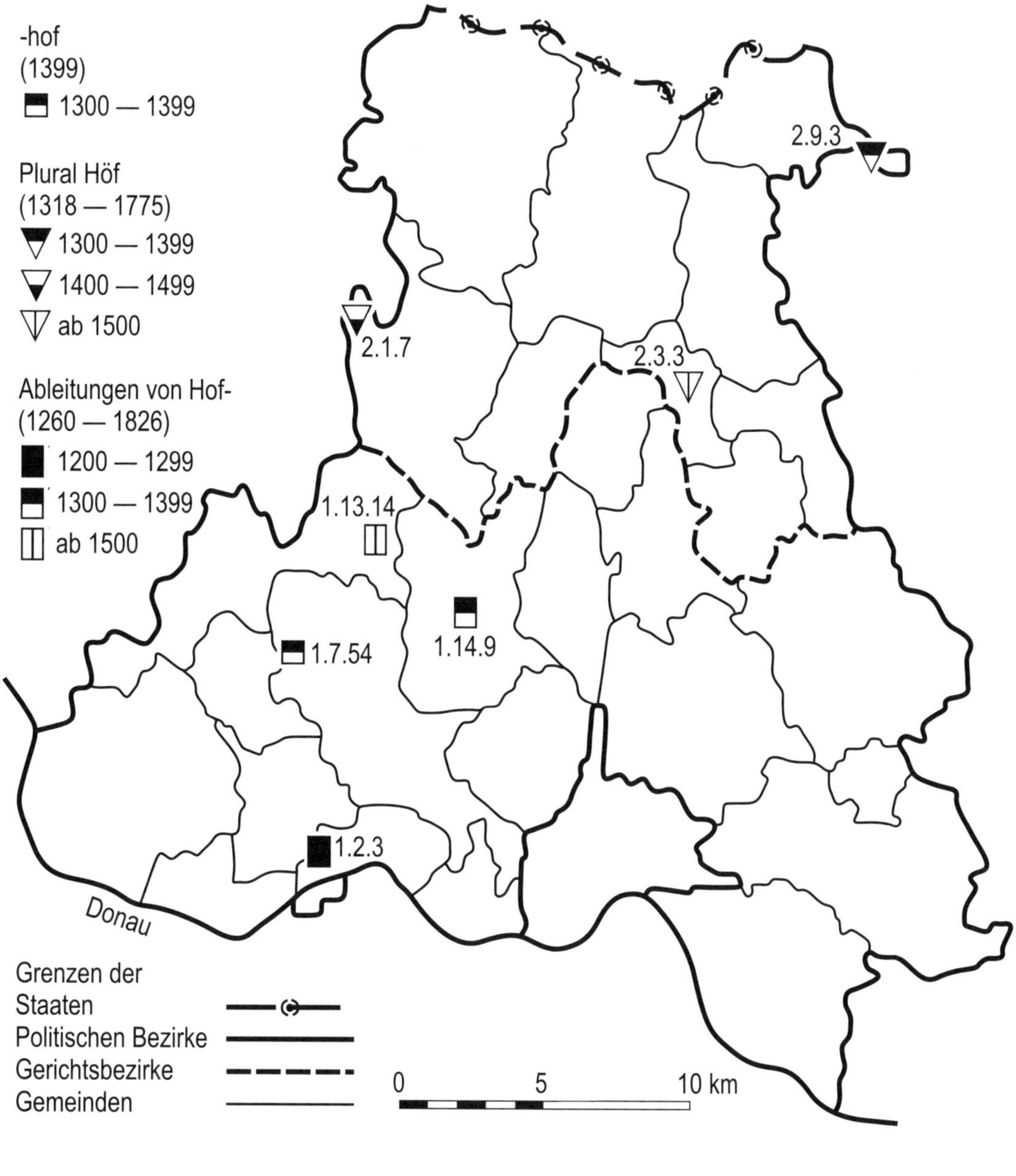

-hof
(1399)
1300 — 1399
Plural Höf
(1318 — 1775)
1300 — 1399
1400 — 1499
ab 1500
Ableitungen von Hof-
(1260 — 1826)
1200 — 1299
1300 — 1399
ab 1500
2.9.3
2.1.7
2.3.3
1.13.14
1.14.9
1.7.54
1.2.3
Donau
Grenzen der
Staaten
Politischen Bezirke
Gerichtsbezirke
Gemeinden
0
5
10 km

# ⑪ -KIRCHEN

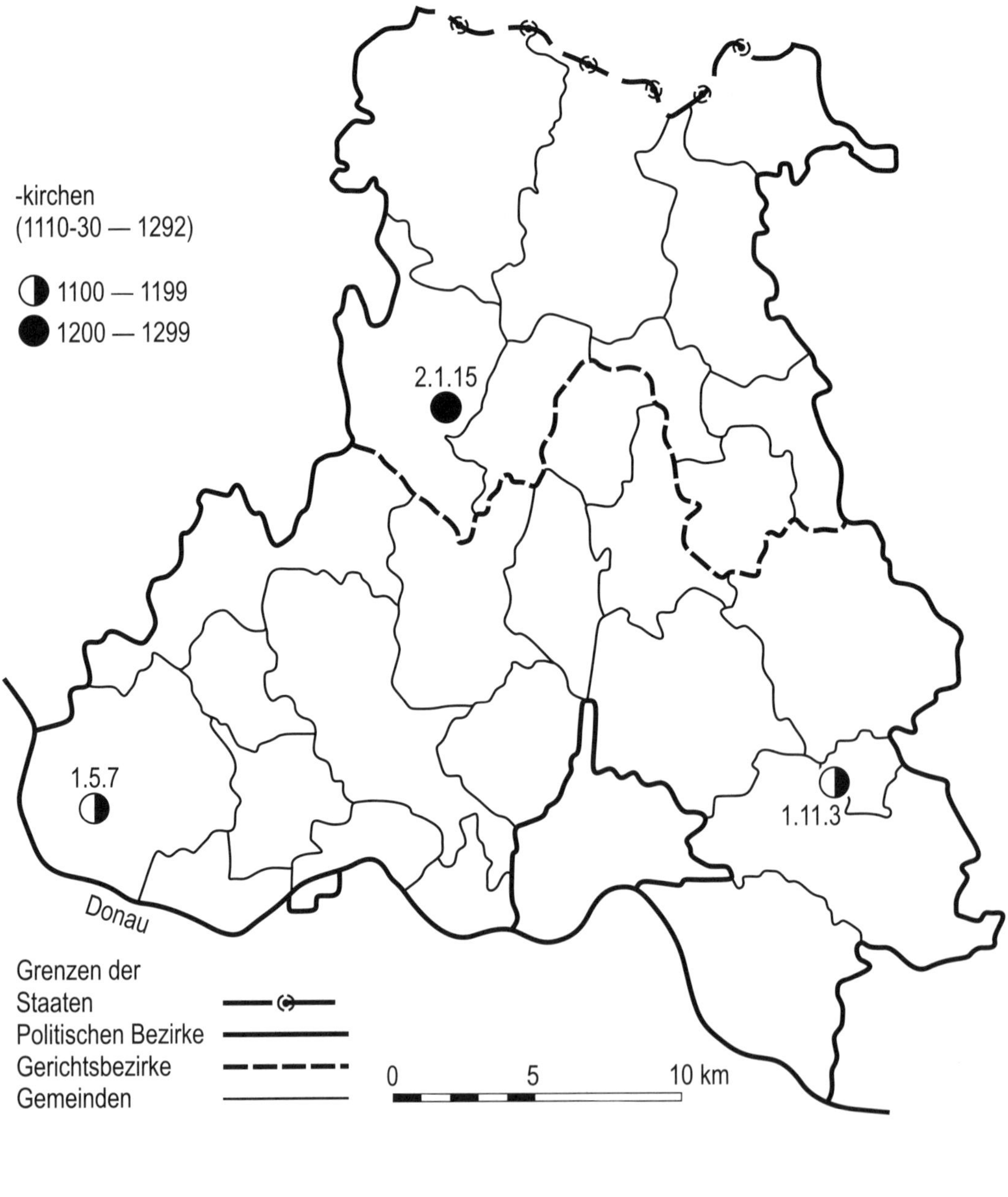
-kirchen
(1110-30 — 1292)
1100 — 1199
1200 — 1299
2.1.15
1.5.7
1.11.3
Donau
Grenzen der
Staaten
Politischen Bezirke
Gerichtsbezirke
Gemeinden
0
5
10 km

# ⑬ -AHI

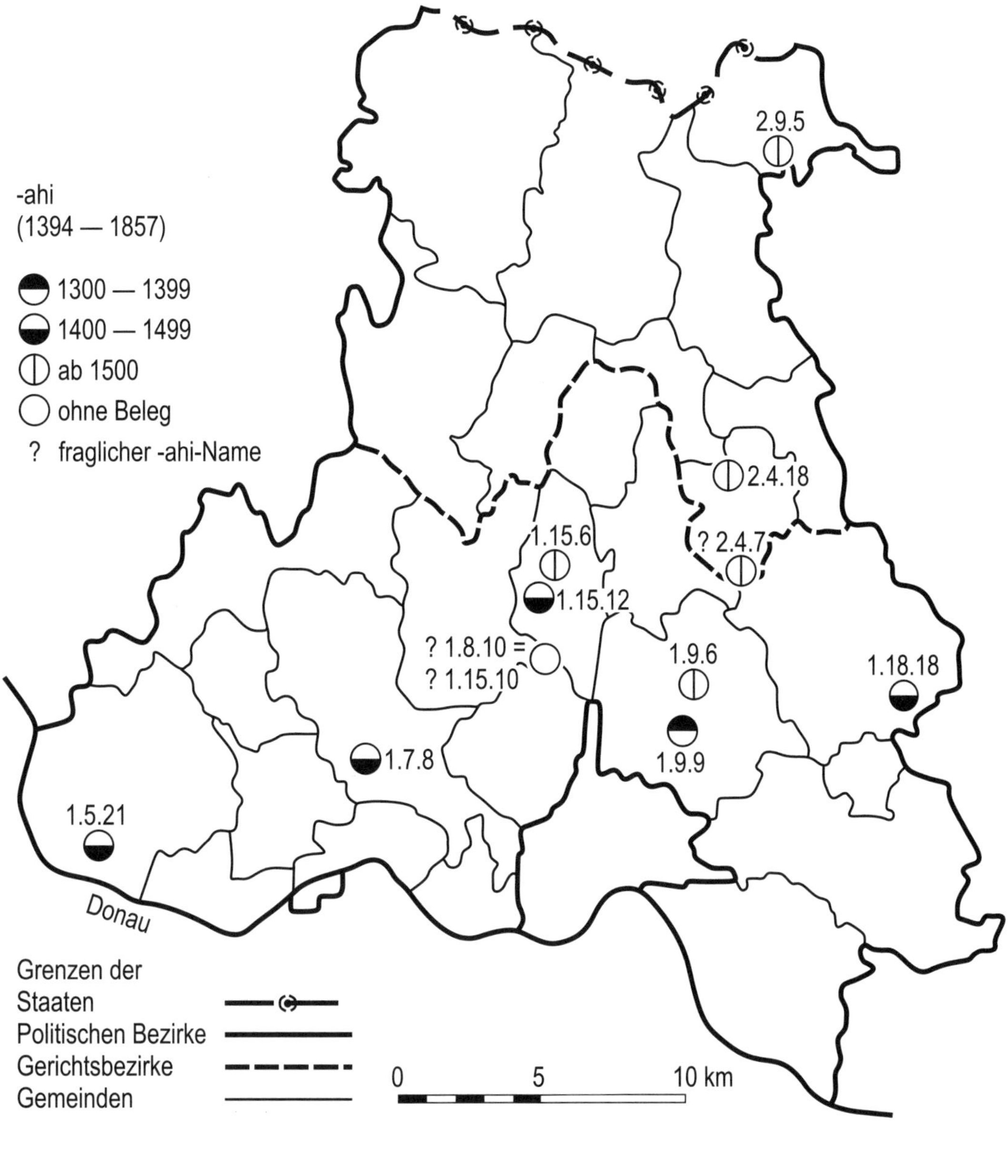
-ahi
(1394 — 1857)
1300 — 1399
1400 — 1499
ab 1500
ohne Beleg
? fraglicher -ahi-Name
2.9.5
2.4.18
? 2.4.7
1.15.6
1.15.12
? 1.8.10 =
? 1.15.10
1.9.6
1.9.9
1.18.18
1.7.8
1.5.21
Donau
Grenzen der
Staaten
Politischen Bezirke
Gerichtsbezirke
Gemeinden
0
5
10 km

# (14) -DORF

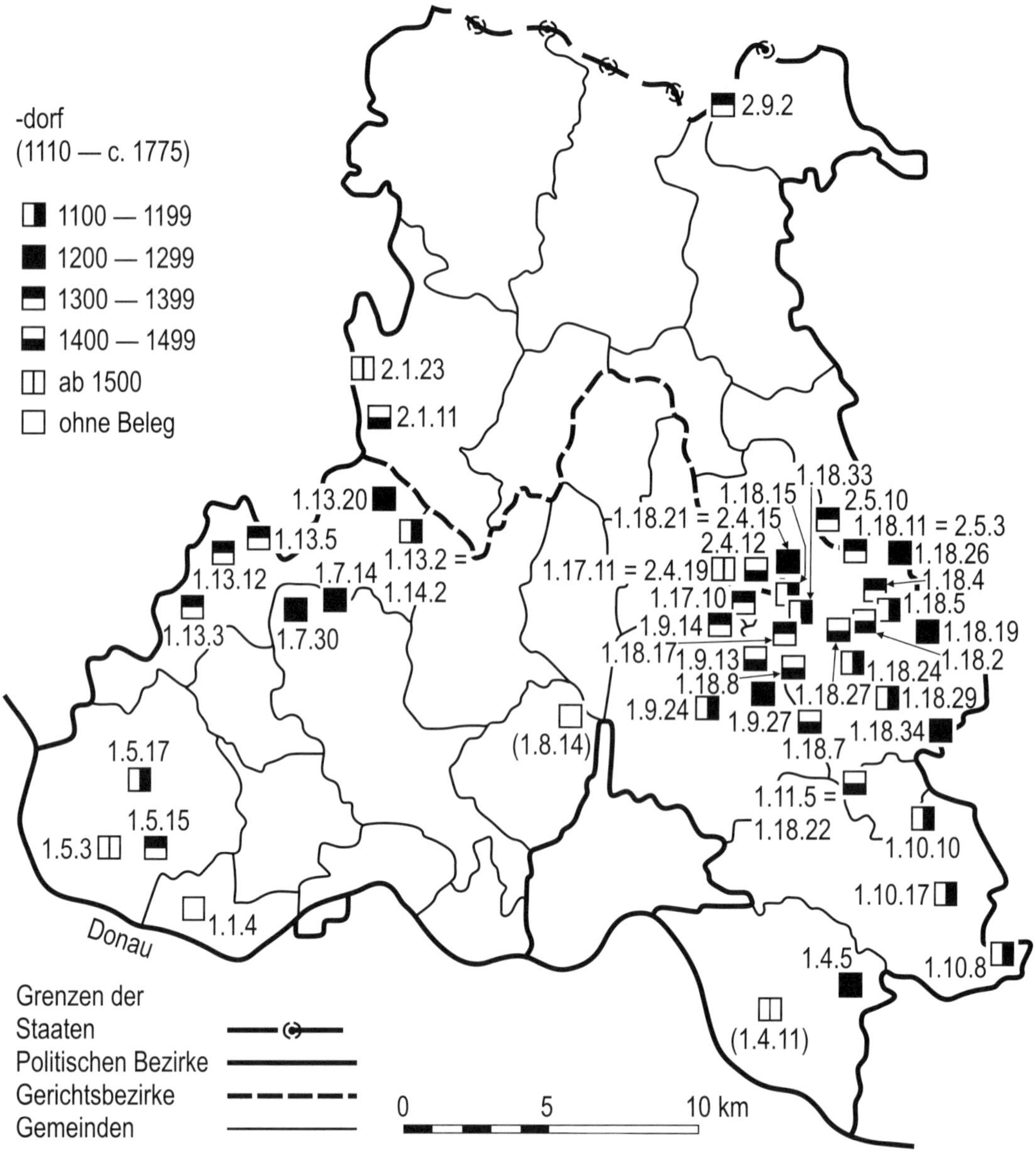

-dorf
(1110 — c. 1775)
1100 — 1199
1200 — 1299
1300 — 1399
1400 — 1499
ab 1500
ohne Beleg
2.9.2
2.1.23
2.1.11
1.13.20
1.13.5
1.13.12
1.13.2 =
1.14.2
1.7.14
1.7.30
1.13.3
1.18.33
1.18.15
2.5.10
1.18.21 = 2.4.15
1.18.11 = 2.5.3
2.4.12
1.18.26
1.17.11 = 2.4.19
1.18.4
1.17.10
1.18.5
1.9.14
1.18.19
1.18.17
1.9.13
1.18.24
1.18.2
1.18.8
1.18.27
1.18.29
1.9.24
1.9.27
1.18.34
(1.8.14)
1.18.7
1.11.5 =
1.18.22
1.10.10
1.5.17
1.5.15
1.5.3
1.1.4
1.10.17
Donau
1.4.5
1.10.8
(1.4.11)
Grenzen der
Staaten
Politischen Bezirke
Gerichtsbezirke
Gemeinden
0
5
10 km

# (15) -ERN

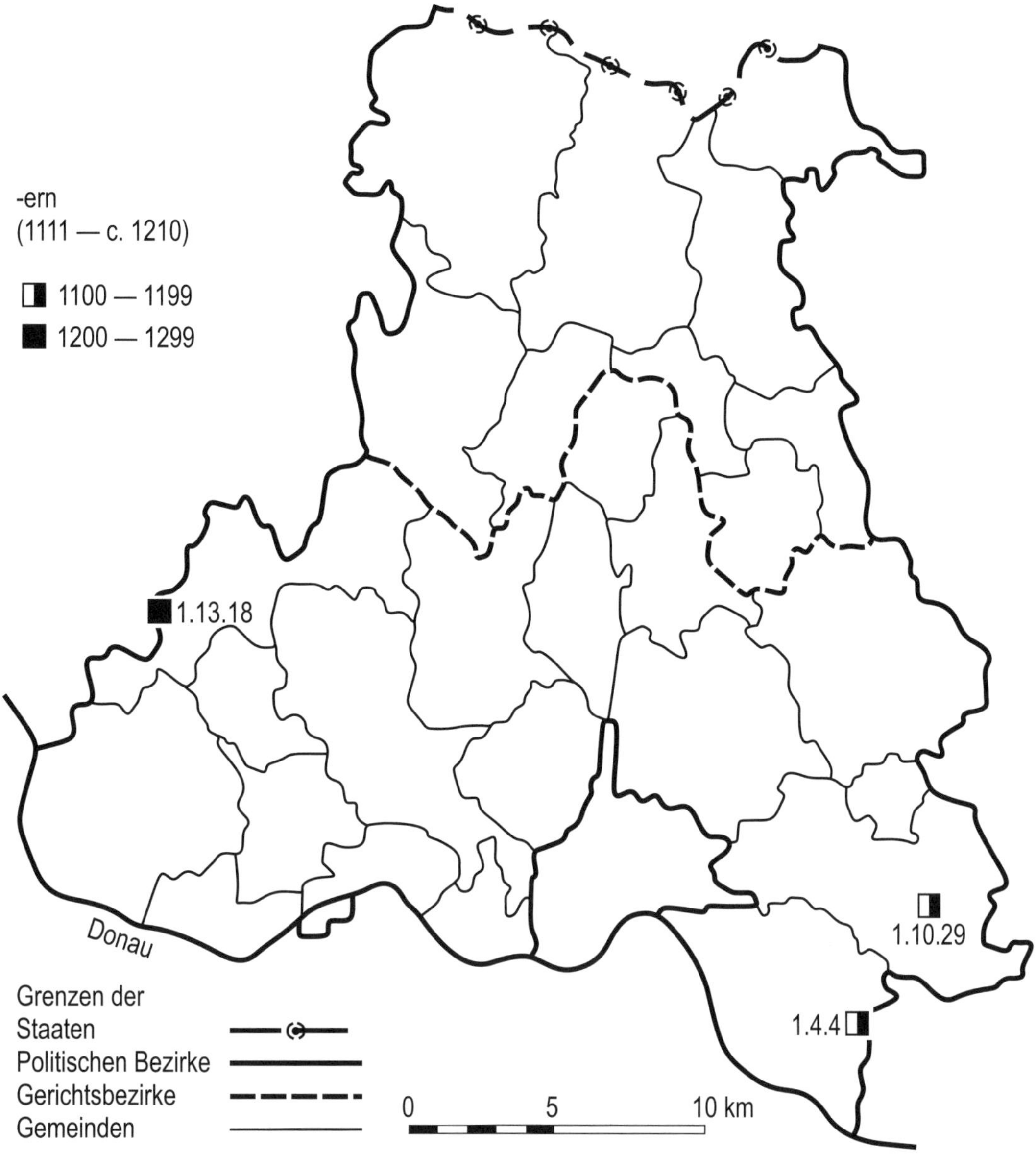

-ern
(1111 — c. 1210)
1100 — 1199
1200 — 1299
1.13.18
1.10.29
1.4.4
Donau
Grenzen der
Staaten
Politischen Bezirke
Gerichtsbezirke
Gemeinden
0
5
10 km

# ⑯ -AHA

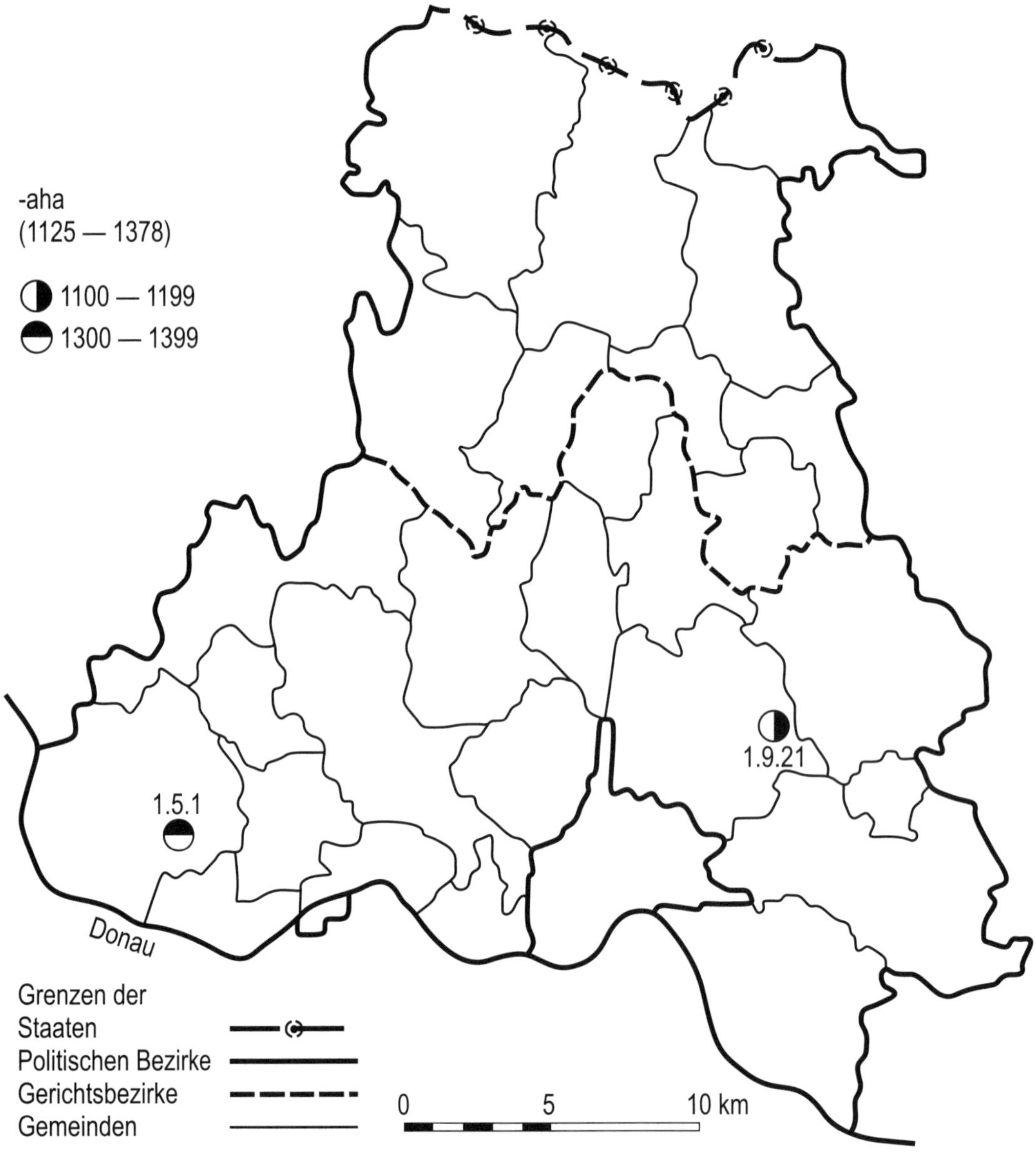

-aha
(1125 — 1378)
1100 — 1199
1300 — 1399
1.9.21
1.5.1
Donau
Grenzen der
Staaten
Politischen Bezirke
Gerichtsbezirke
Gemeinden
0
5
10 km

# (17) -BACH

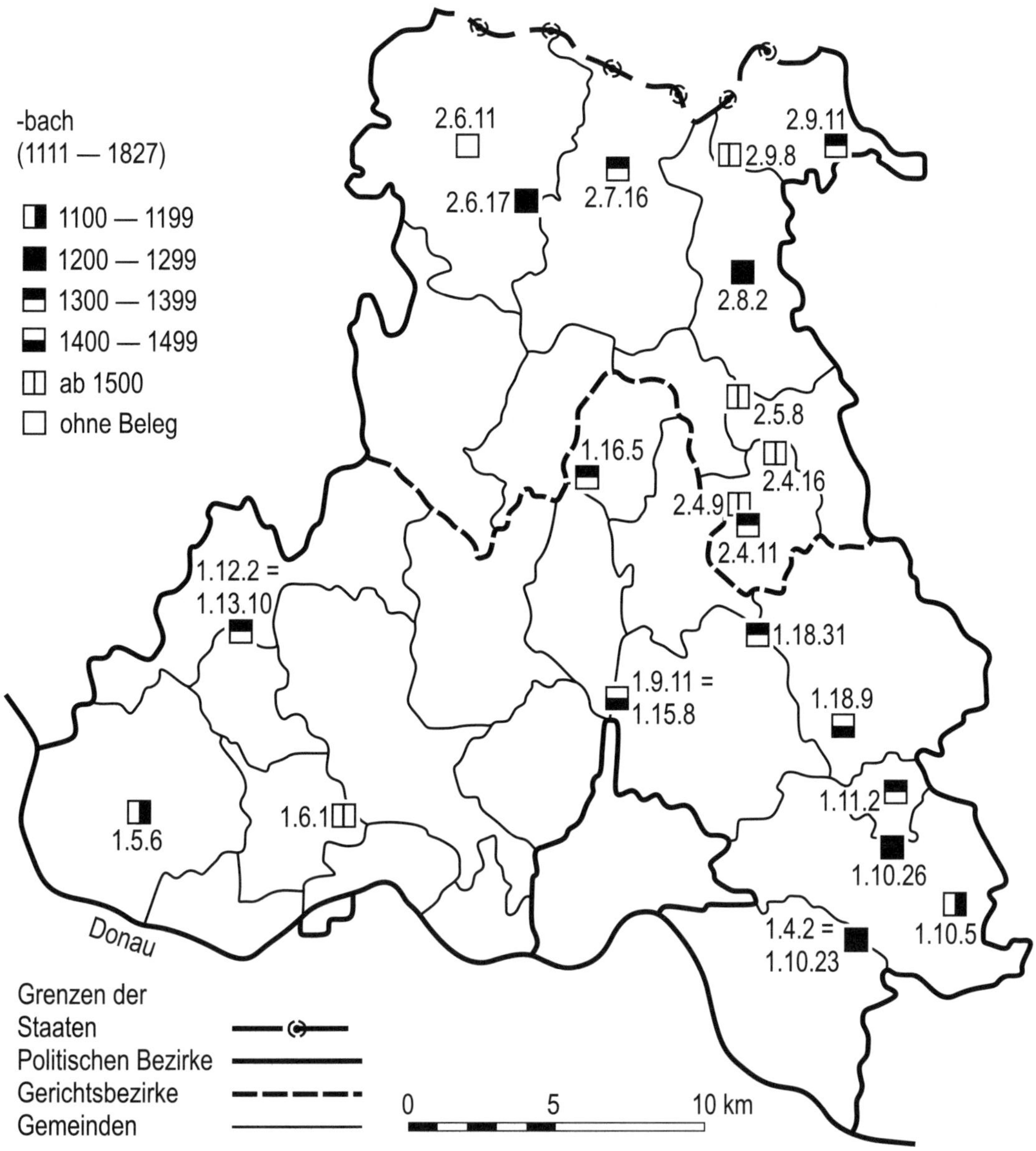
-bach
(1111 — 1827)
1100 — 1199
1200 — 1299
1300 — 1399
1400 — 1499
ab 1500
ohne Beleg
2.6.11
2.6.17
2.7.16
2.9.11
2.9.8
2.8.2
2.5.8
2.4.16
1.16.5
2.4.9
2.4.11
1.12.2 =
1.13.10
1.18.31
1.9.11 =
1.15.8
1.18.9
1.11.2
1.10.26
1.5.6
1.6.1
1.10.5
1.4.2 =
1.10.23
Donau
Grenzen der
Staaten
Politischen Bezirke
Gerichtsbezirke
Gemeinden
0
5
10 km

# (18) -BRUNN

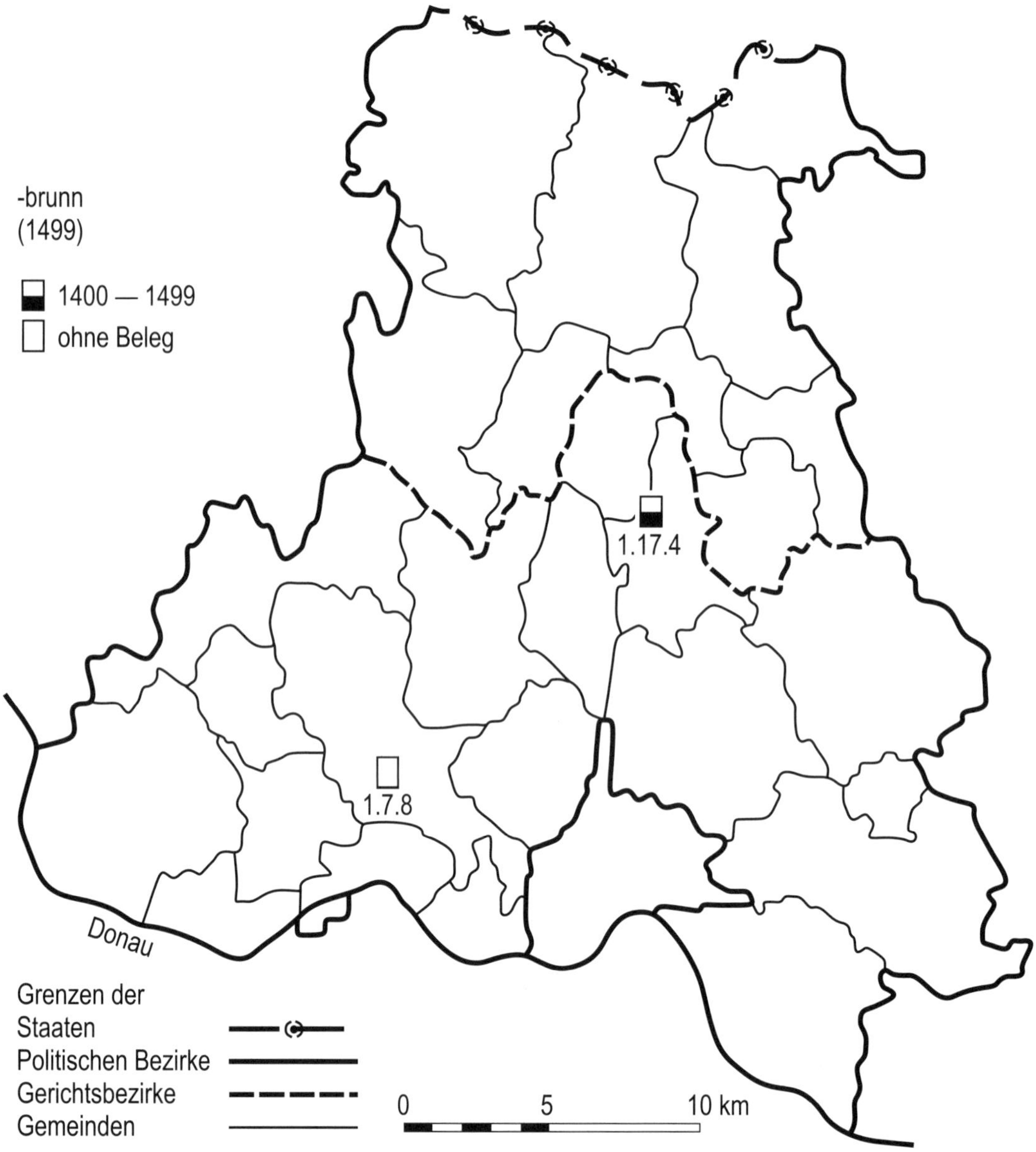
-brunn
(1499)
1400 — 1499
ohne Beleg
1.17.4
1.7.8
Donau
Grenzen der
Staaten
Politischen Bezirke
Gerichtsbezirke
Gemeinden
0
5
10 km

# (20) -AU

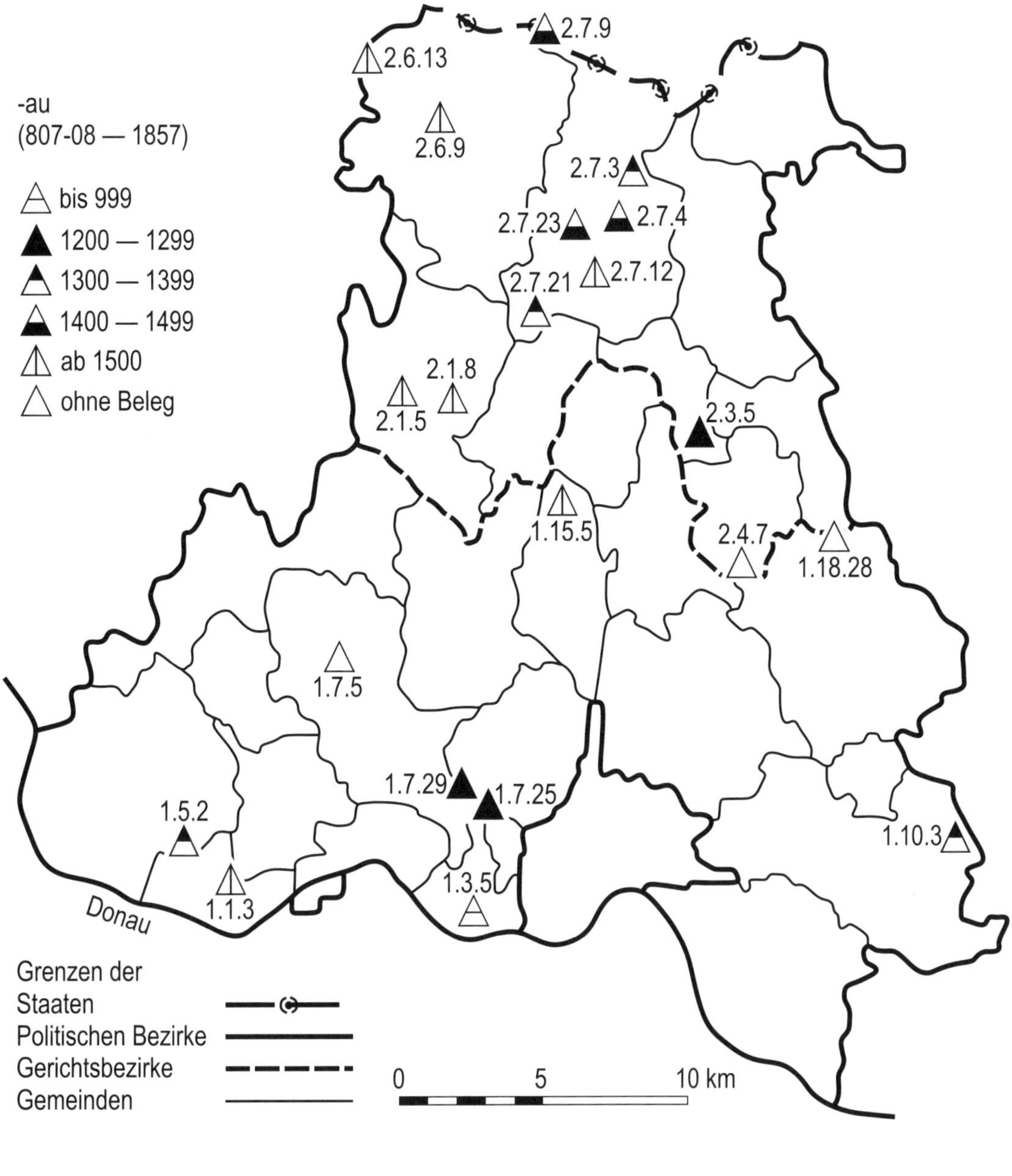

-au
(807-08 — 1857)
bis 999
1200 — 1299
1300 — 1399
1400 — 1499
ab 1500
ohne Beleg
2.7.9
2.6.13
2.6.9
2.7.3
2.7.23
2.7.4
2.7.21
2.7.12
2.1.8
2.1.5
2.3.5
1.15.5
2.4.7
1.18.28
1.7.5
1.7.29
1.7.25
1.5.2
1.10.3
1.3.5
1.1.3
Donau
Grenzen der
Staaten
Politischen Bezirke
Gerichtsbezirke
Gemeinden
0
5
10 km

# (21) -BERG

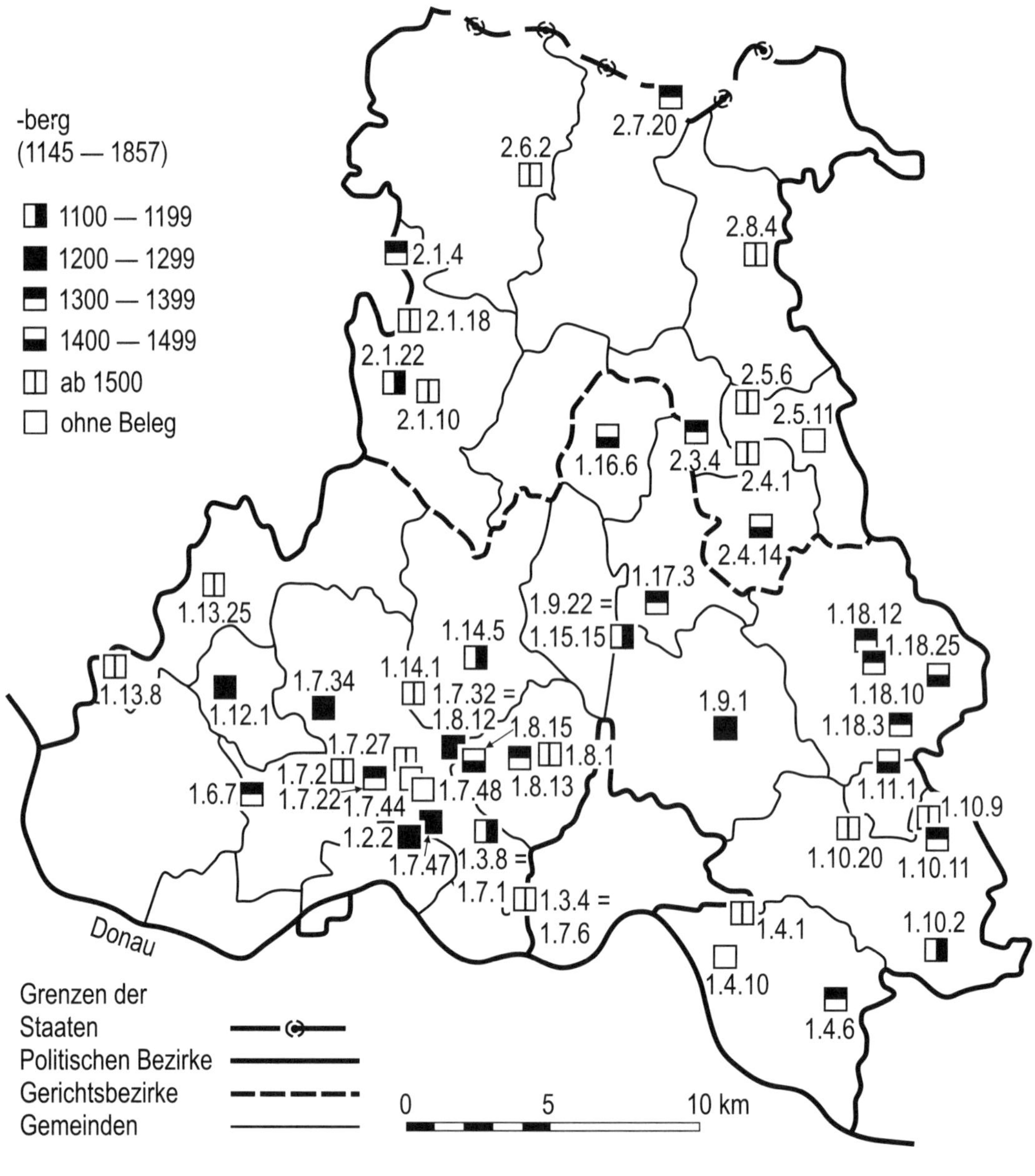

-berg
(1145 — 1857)
1100 — 1199
1200 — 1299
1300 — 1399
1400 — 1499
ab 1500
ohne Beleg
2.7.20
2.6.2
2.8.4
2.1.4
2.1.18
2.1.22
2.1.10
2.5.6
2.5.11
1.16.6
2.3.4
2.4.1
2.4.14
1.17.3
1.9.22 =
1.15.15
1.13.25
1.13.8
1.12.1
1.7.34
1.14.5
1.14.1
1.7.32 =
1.8.12
1.8.15
1.8.1
1.8.13
1.7.27
1.7.2
1.7.22
1.7.44
1.7.48
1.6.7
1.2.2
1.7.47
1.3.8 =
1.7.1
1.3.4 =
1.7.6
1.9.1
1.18.12
1.18.25
1.18.10
1.18.3
1.11.1
1.10.9
1.10.20
1.10.11
1.10.2
1.4.1
1.4.10
1.4.6
Donau
Grenzen der
Staaten
Politischen Bezirke
Gerichtsbezirke
Gemeinden
0
5
10 km

# (22) -LEITEN

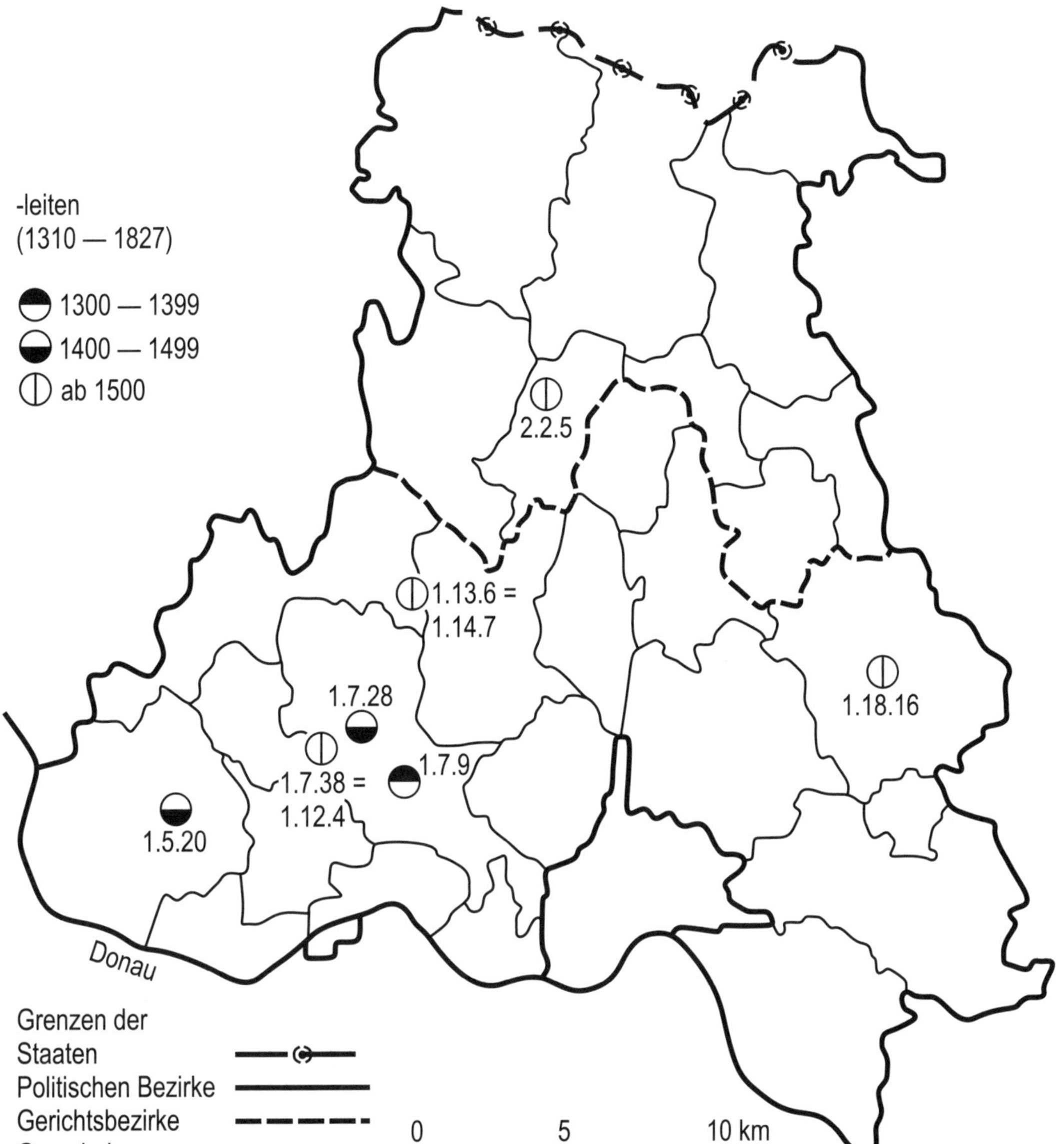

-leiten
(1310 — 1827)
1300 — 1399
1400 — 1499
ab 1500
2.2.5
1.13.6 =
1.14.7
1.18.16
1.7.28
1.7.9
1.7.38 =
1.12.4
1.5.20
Donau
Grenzen der
Staaten
Politischen Bezirke
Gerichtsbezirke
Gemeinden
0
5
10 km

# (23) -TAL

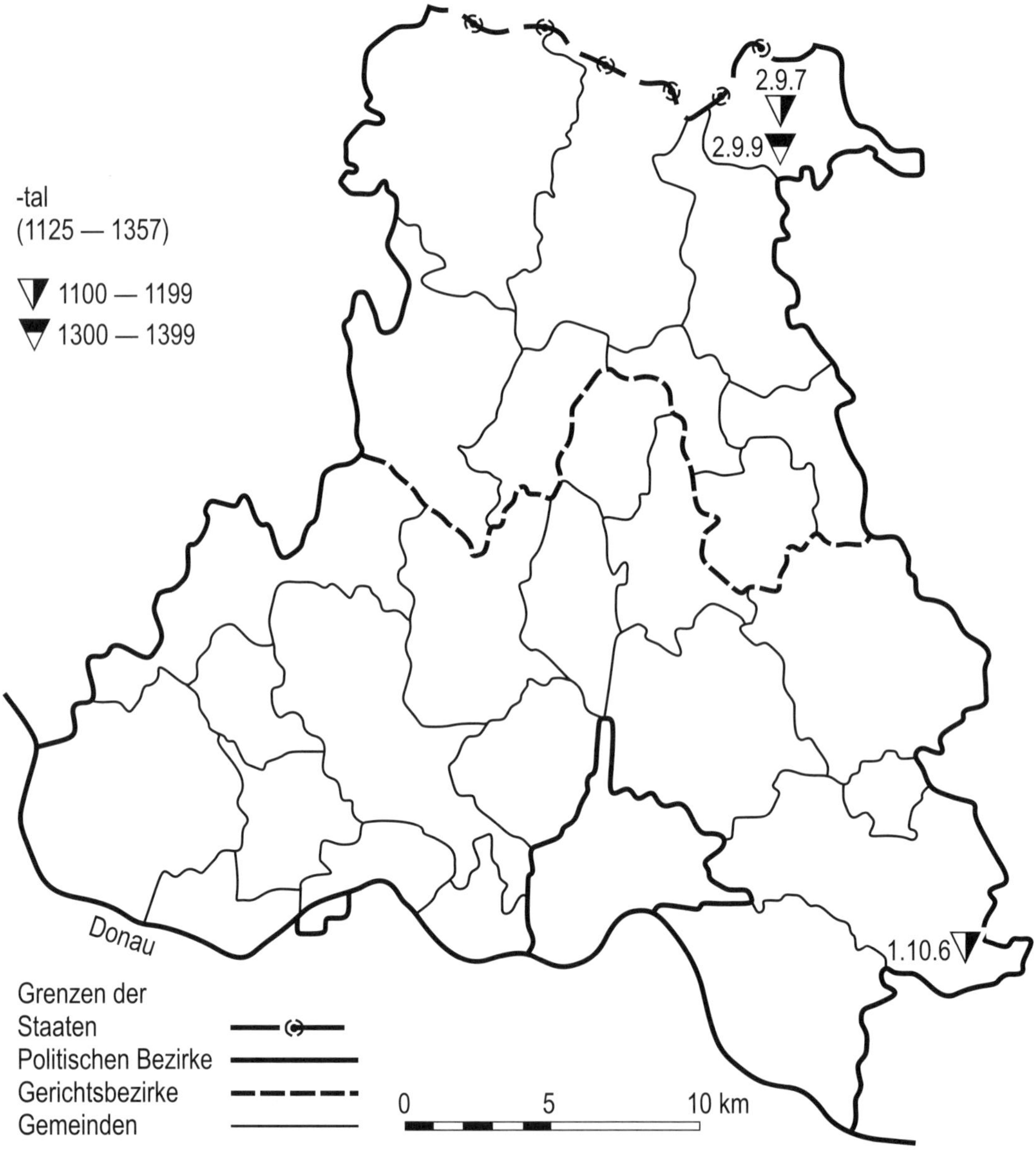
-tal
(1125 — 1357)
1100 — 1199
1300 — 1399
2.9.7
2.9.9
1.10.6
Donau
Grenzen der
Staaten
Politischen Bezirke
Gerichtsbezirke
Gemeinden
0
5
10 km

# (24) -ECK

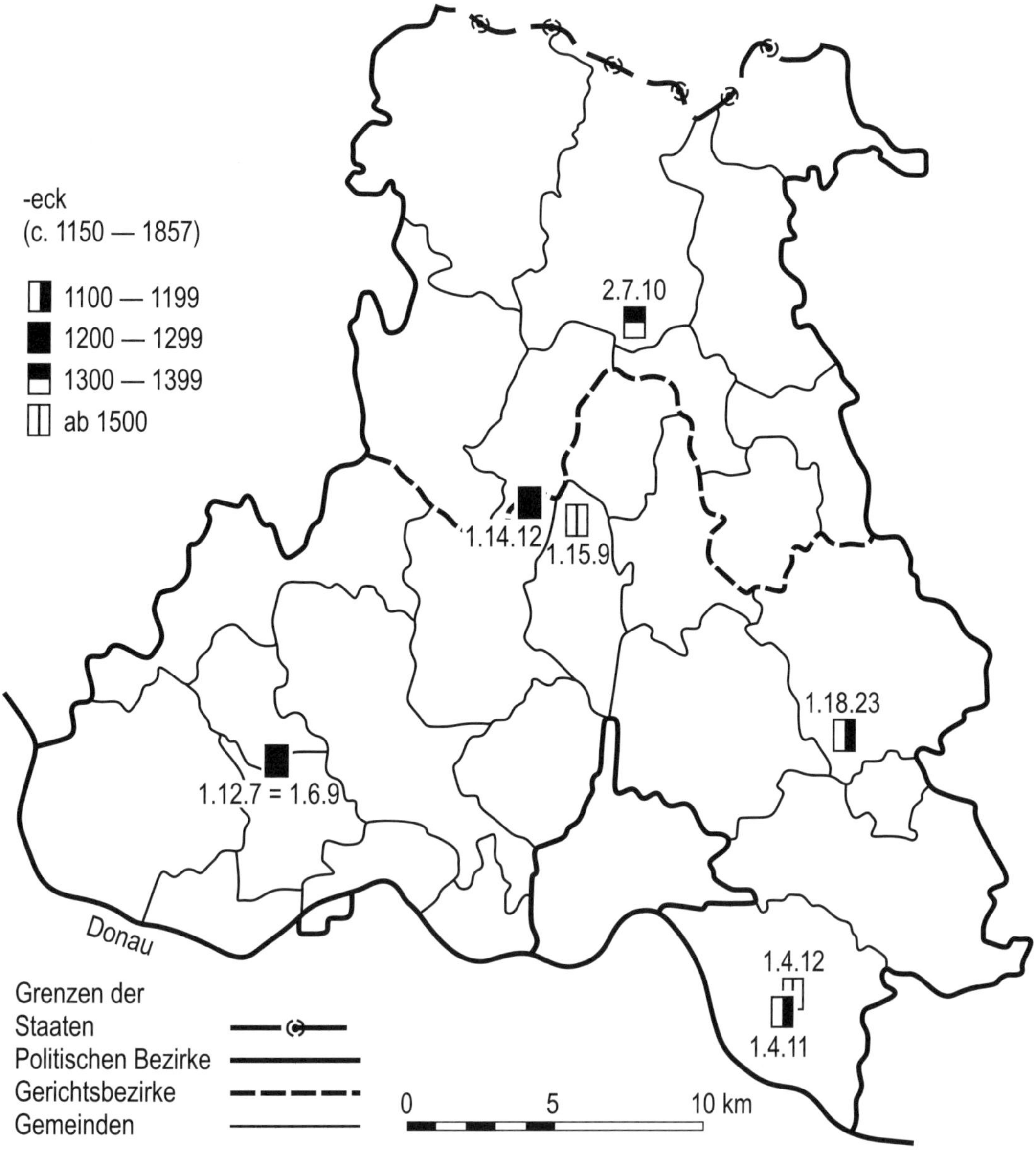
-eck
(c. 1150 — 1857)
1100 — 1199
1200 — 1299
1300 — 1399
ab 1500
2.7.10
1.14.12
1.15.9
1.18.23
1.12.7 = 1.6.9
1.4.12
1.4.11
Donau
Grenzen der
Staaten
Politischen Bezirke
Gerichtsbezirke
Gemeinden
0
5
10 km

# (25) -REIT, -RIED

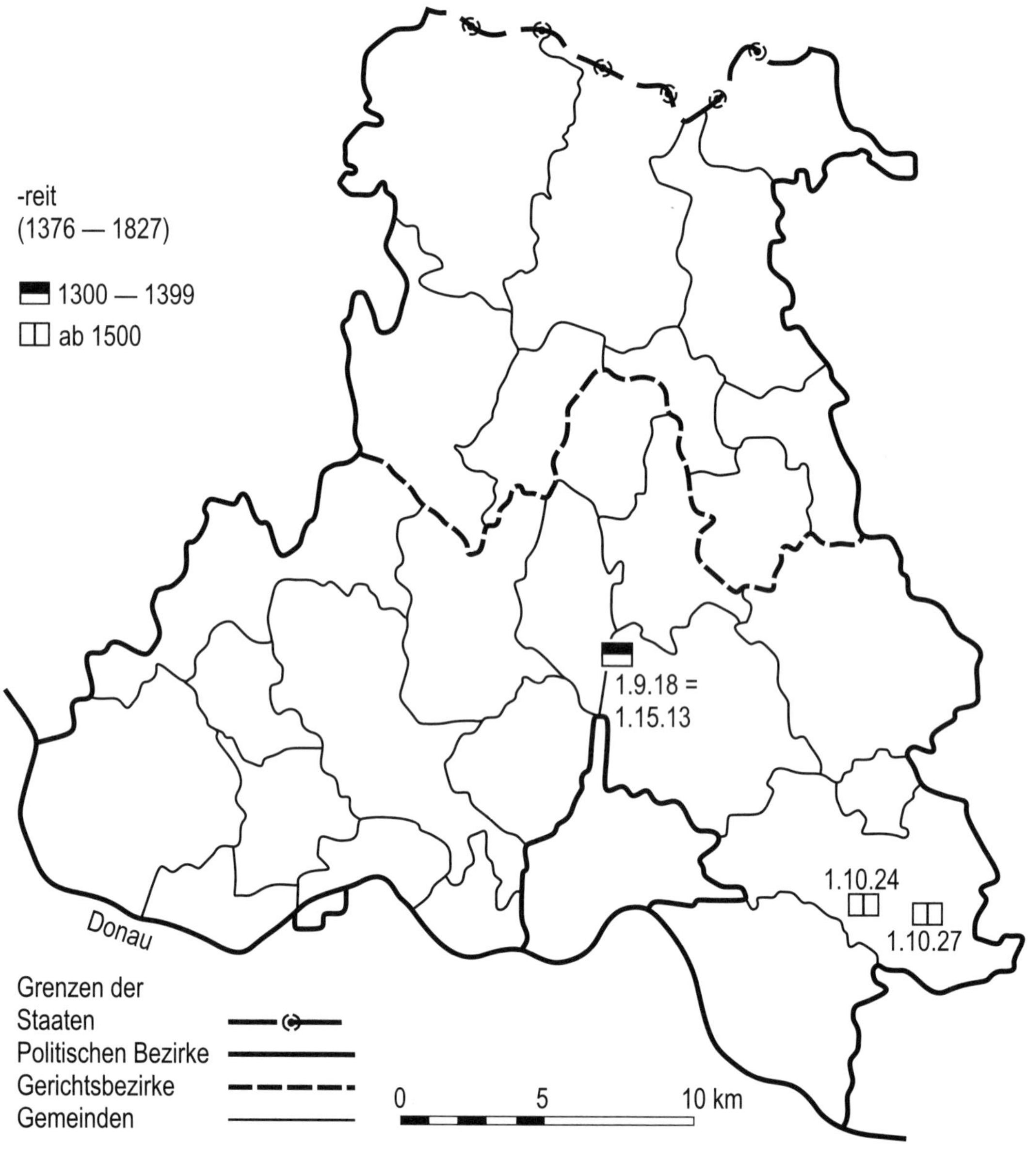
-reit
(1376 — 1827)
1300 — 1399
ab 1500
1.9.18 =
1.15.13
1.10.24
1.10.27
Donau
Grenzen der
Staaten
Politischen Bezirke
Gerichtsbezirke
Gemeinden
0
5
10 km

# (26) -SCHLAG

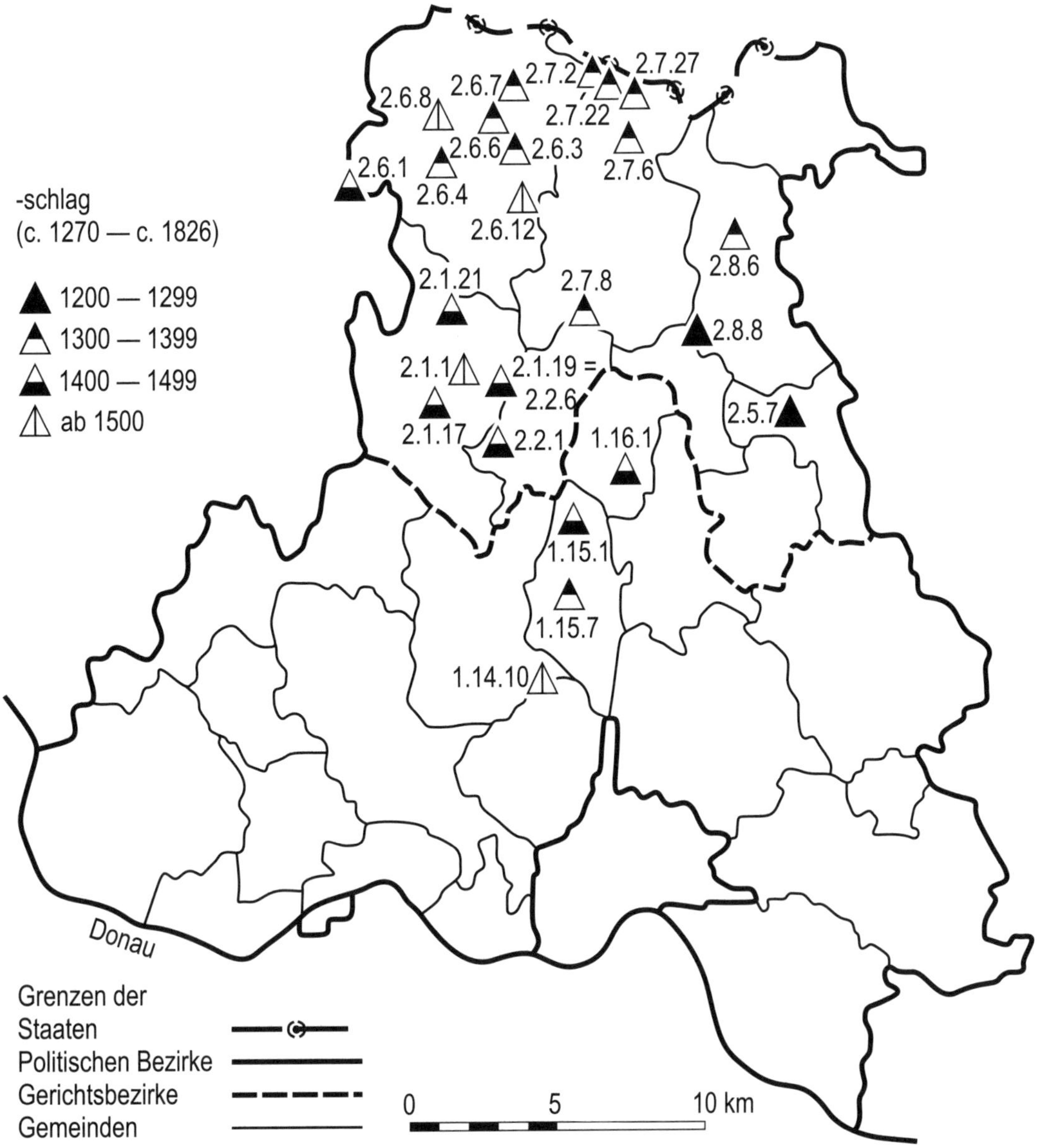

-schlag
(c. 1270 — c. 1826)
1200 — 1299
1300 — 1399
1400 — 1499
ab 1500
2.6.8
2.6.7
2.7.2
2.7.27
2.7.22
2.6.6
2.6.3
2.7.6
2.6.1
2.6.4
2.6.12
2.8.6
2.1.21
2.7.8
2.8.8
2.1.1
2.1.19 =
2.2.6
2.5.7
2.1.17
2.2.1
1.16.1
1.15.1
1.15.7
1.14.10
Donau
Grenzen der
Staaten
Politischen Bezirke
Gerichtsbezirke
Gemeinden
0
5
10 km

# (28) „WALD“

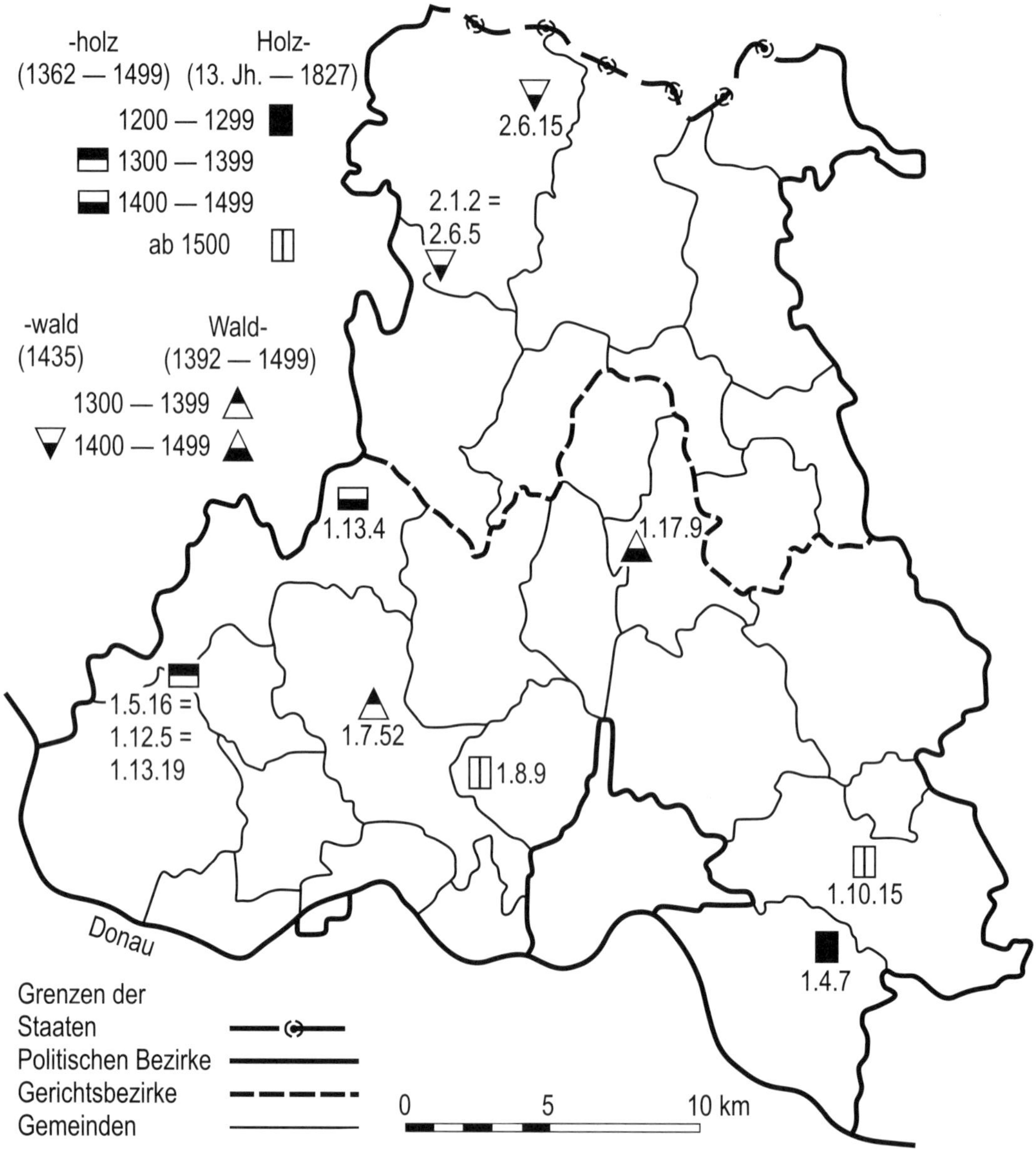

-holz
(1362 — 1499)
Holz-
(13. Jh. — 1827)
1200 — 1299
1300 — 1399
1400 — 1499
ab 1500
-wald
(1435)
Wald-
(1392 — 1499)
1300 — 1399
1400 — 1499
2.6.15
2.1.2 =
2.6.5
1.13.4
1.17.9
1.5.16 =
1.12.5 =
1.13.19
1.7.52
1.8.9
1.10.15
1.4.7
Donau
Grenzen der
Staaten
Politischen Bezirke
Gerichtsbezirke
Gemeinden
0
5
10 km

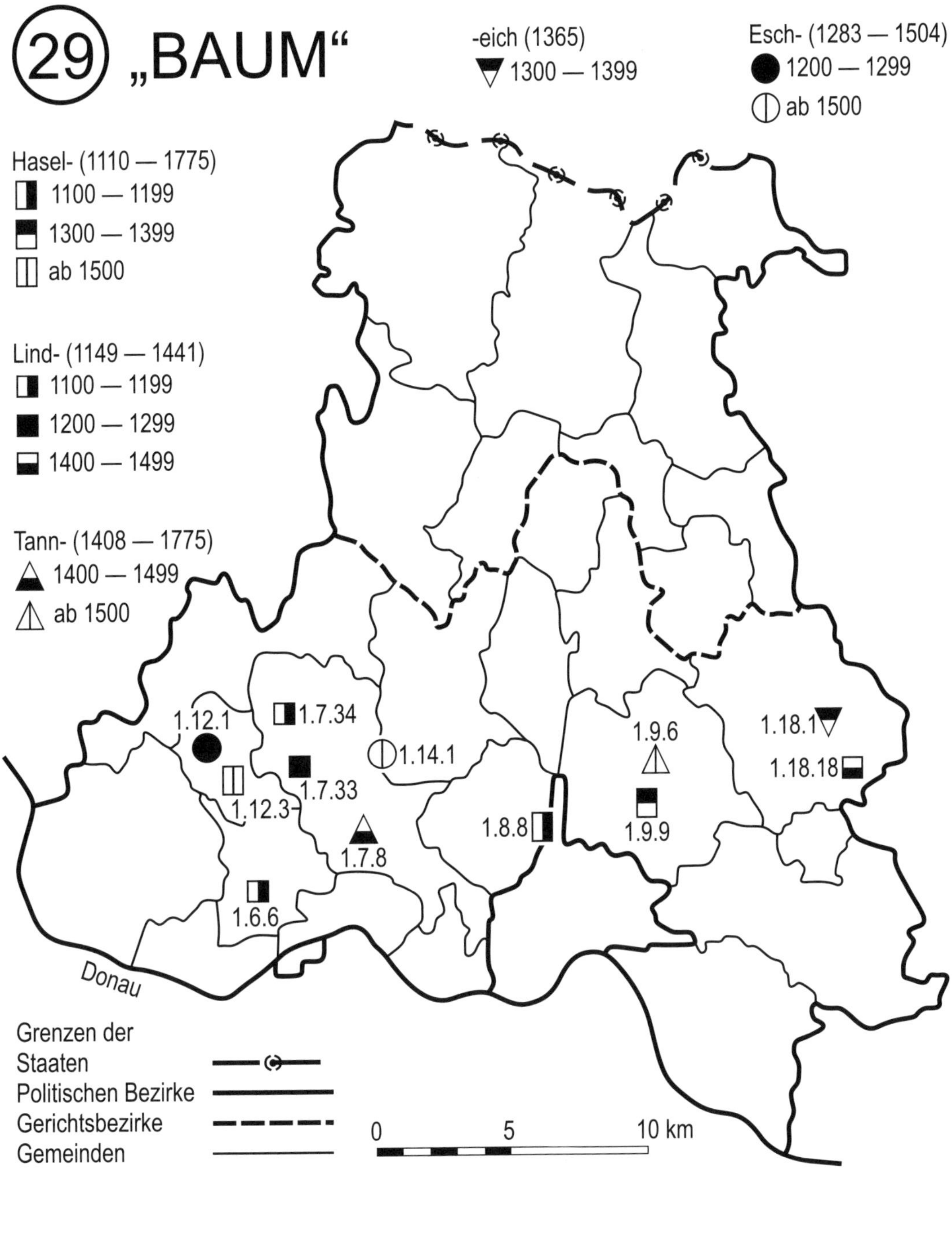
29 „BAUM“
-eich (1365)
1300 — 1399
Esch- (1283 — 1504)
1200 — 1299
ab 1500
Hasel- (1110 — 1775)
1100 — 1199
1300 — 1399
ab 1500
Lind- (1149 — 1441)
1100 — 1199
1200 — 1299
1400 — 1499
Tann- (1408 — 1775)
1400 — 1499
ab 1500
1.12.1
1.7.34
1.14.1
1.9.6
1.18.1
1.18.18
1.7.33
1.12.3
1.7.8
1.8.8
1.9.9
1.6.6
Donau
Grenzen der
Staaten
Politischen Bezirke
Gerichtsbezirke
Gemeinden
0
5
10 km

# (30) „WEG“

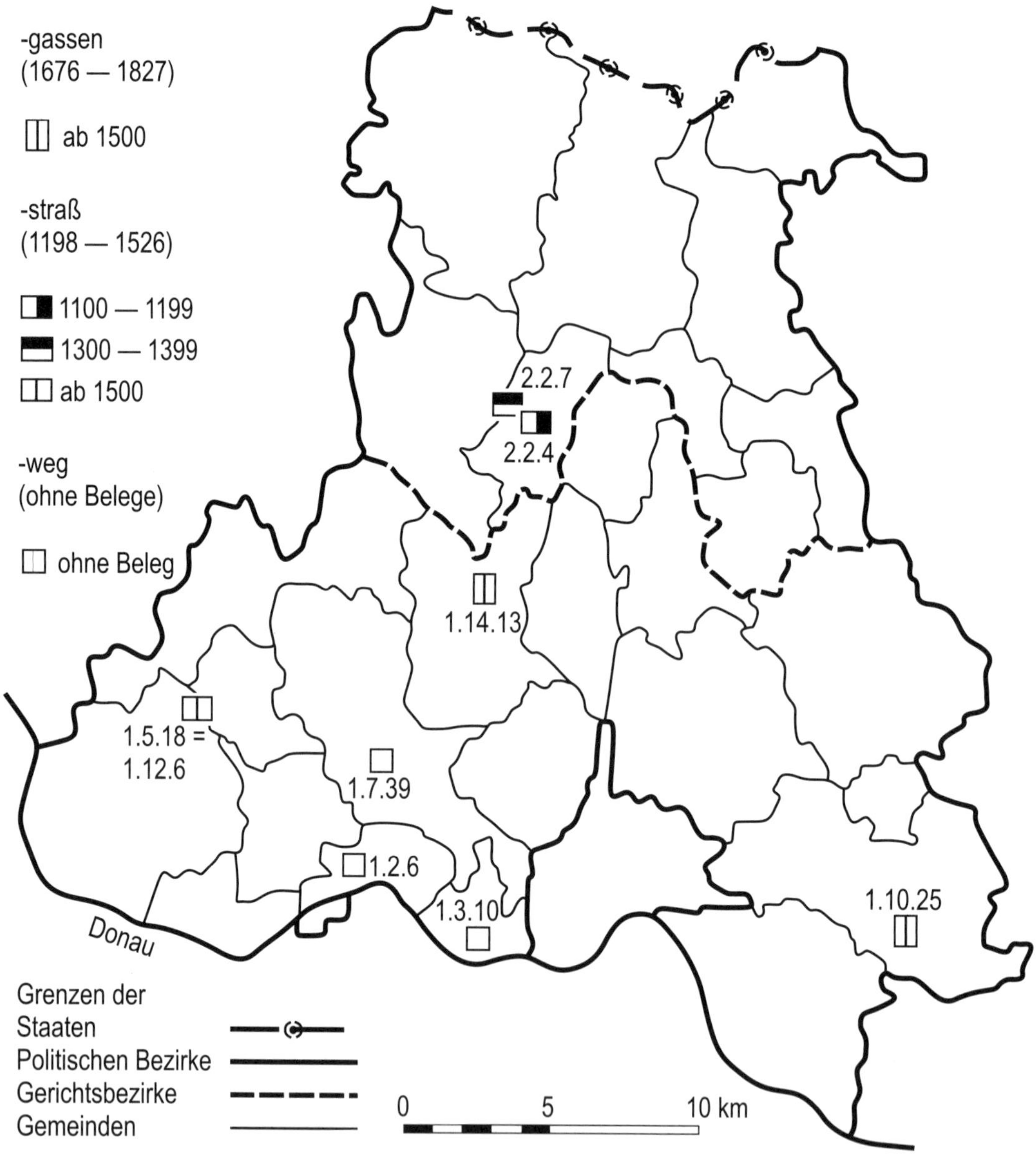

-gassen
(1676 — 1827)
ab 1500
-straß
(1198 — 1526)
1100 — 1199
1300 — 1399
ab 1500
-weg
(ohne Belege)
ohne Beleg
2.2.7
2.2.4
1.14.13
1.5.18 =
1.12.6
1.7.39
1.2.6
1.3.10
1.10.25
Donau
Grenzen der
Staaten
Politischen Bezirke
Gerichtsbezirke
Gemeinden
0
5
10 km

# 31 -ÖD

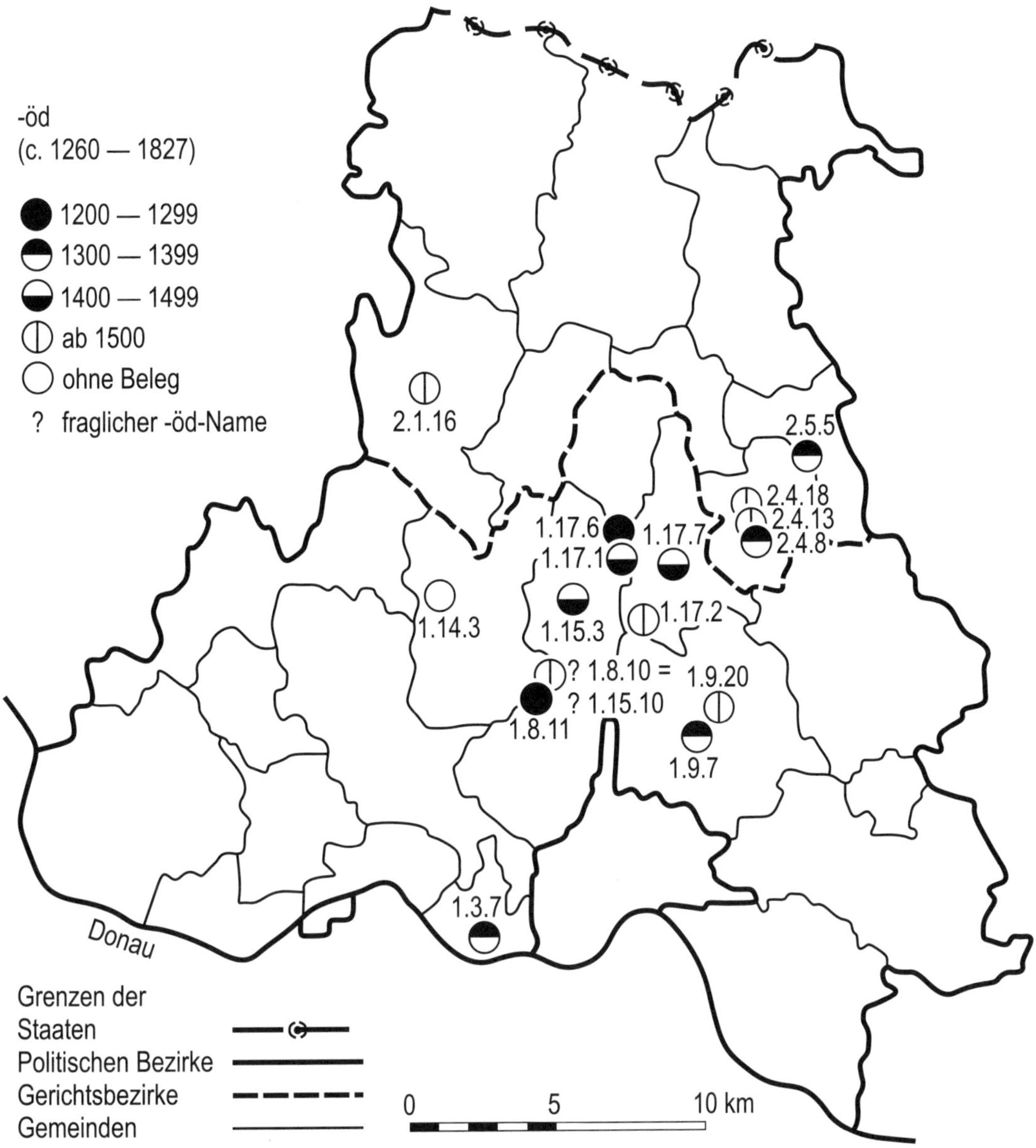
-öd
(c. 1260 — 1827)
1200 — 1299
1300 — 1399
1400 — 1499
ab 1500
ohne Beleg
? fraglicher -öd-Name
2.1.16
2.5.5
2.4.18
2.4.13
2.4.8
1.17.6
1.17.7
1.17.1
1.14.3
1.15.3
1.17.2
? 1.8.10 =
? 1.15.10
1.9.20
1.8.11
1.9.7
1.3.7
Donau
Grenzen der
Staaten
Politischen Bezirke
Gerichtsbezirke
Gemeinden
0
5
10 km

## Ortsnamenbuch des Landes Oberösterreich

Herausgegeben von Peter WIESINGER

Gesamtwerk: ISBN 3-7001-1672-1

Das in 11 Bänden geplante Ortsnamenbuch erfaßt die heutigen, rund 16.000 Ortsnamen sämtlicher Gemeinden des Landes Oberösterreich und ihrer Ortsteile. Um handlich und übersichtlich zu sein, wird das Gesamtwerk nach den einzelnen politischen Bezirken und den im Volksbewußtsein verankerten Vierteln angelegt. Die Anordnung der Bände erfolgt geographisch von Süden nach Norden bzw. Westen nach Osten. Durch seine anschauliche Darstellung und die wissenschaftlich abgesicherten, allgemein verständlichen Erklärungen ist es nicht nur ein informatives Werk für Namenforscher, Sprachwissenschaftler, Historiker, Volkskundler, Siedlungsgeographen und Landesforscher, sondern kann auch dem heimatkundlich Interessierten und den Bewohnern des Landes die Herkunft und Bedeutung der Namen ihrer Wohnorte erschließen.

Bisher erschienen:

**1. Die Ortsnamen des Politischen Bezirkes Braunau am Inn (Südliches Innviertel)**
Von Elisabeth BERTOL-RAFFIN und Peter WIESINGER
1989. IX +197 S., 32 Ktn. ISBN 3-7001-1671-3. Vergriffen

**2. Die Ortsnamen des Politischen Bezirkes Ried im Innkreis (Mittleres Innviertel)**
Von Elisabeth BERTOL-RAFFIN und Peter WIESINGER
1991. VIII + 201 S., 32 Ktn. ISBN 3-7001-1863-5. Euro 40,70

**3. Die Ortsnamen des Politischen Bezirkes Schärding (Nördliches Innviertel)**
Von Peter WIESINGER und Richard REUTNER unter Mitarbeit von Karin HÖLZL, Susanne MAYER, Hermann SCHEURINGER
1994. XI + 220 S., 32 Ktn. ISBN 3-7001-2156-3. Euro 56,-

**4. Die Ortsnamen des Politischen Bezirkes Vöcklabruck (Südliches Hausruckviertel)**
Von Richard REUTNER, Helen BITO und Peter WIESINGER unter Mitarbeit von Hermann SCHEURINGER
1997. XI + 306 S., 32 Ktn. ISBN 3-7001-2617-4. Euro 61,50

**6. Die Ortsnamen des Politischen Bezirkes Gmunden (Südwestliches Traunviertel)**
Von Richard REUTNER und Peter WIESINGER unter Mitarbeit von Hermann SCHEURINGER und Helen BITO
1999, X + 188 S., 32 Ktn. ISBN 3-7001-2761-8. Euro 57,80

**7. Die Ortsnamen der Politischen Bezirke Kirchdorf an der Krems, Steyr-Land und Steyr-Stadt (Südöstliches Traunviertel)**
Von Karl HOHENSINNER und Peter WIESINGER unter Mitarbeit von Hermann SCHEURINGER und Michael SCHEFBÄCK
2001, XII + 244 S., 32 Ktn. ISBN 3-7001-2997-1. Euro 72,30

**10. Die Ortsnamen des Politischen Bezirkes Urfahr-Umgebung (Mittleres Mühlviertel)**
Von Karl HOHENSINNER und Peter WIESINGER unter Mitarbeit von Hermann SCHEURINGER und Michael SCHEFBÄCK
2006, XII + 126 S., 27 Ktn. ISBN 3-7001-3676-5. Euro 23,20

**11. Die Ortsnamen der Politischen Bezirke Perg und Freistadt (Östliches Mühlviertel)**
Von Karl HOHENSINNER und Peter WIESINGER unter Mitarbeit von Hermann SCHEURINGER und Michael SCHEFBÄCK
2003, XIII + 279 Seiten Text, 30 Ktn. ISBN 3-7001-3103-8. Euro 39,-

In Vorbereitung:

**5. Die Ortsnamen der Politischen Bezirke Eferding und Grieskirchen (Nördliches Hausruckviertel)**

**8. Die Ortsnamen der Politischen Stadt- und Landbezirke Wels und Linz (Nördliches Traunviertel)**

**9. Die Ortsnamen des Politischen Bezirkes Rohrbach (Westliches Mühlviertel)**

In Planung:

**Einleitungsband zum Ortsnamenbuch des Landes Oberösterreich.** Mit Quellen-, Literatur- und Abkürzungsverzeichnis.